# LE DOUX PARFUM DU SCANDALE

ANNALENA McAFEE

# LE DOUX PARFUM
# DU SCANDALE

*Traduit de l'anglais*
*par Isabelle Chapman*

**belfond**

Titre original :
*THE SPOILER*
publié par Harvill Secker, Londres

Retrouvez-nous sur
www.belfond.fr
ou www.facebook.com/belfond

Éditions Belfond,
12, avenue d'Italie, 75013 Paris.
Pour le Canada,
Interforum Canada, Inc.,
1055, bd René- Lévesque- Est,
Bureau 1100,
Montréal, Québec, H2L 4S5

ISBN 978-2-7144-5228-3

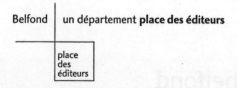

Belfond | un département **place des éditeurs**

place
des
éditeurs

*À Ian*

*I sing of News, and all those vapid sheets*
*The rattling hawkers vend through gaping-streets ;*
*Whate'er their name, whate'er the time they fly,*
*Damp from the press, to charm the reader's eye.*

*The Newspaper,* George Crabbe

[Je chante les nouvelles, ces feuilles fades
Qu'à tue-tête les crieurs vendent dans l'enfilade des rues ;
Peu importe sous quel nom, ni l'heure de leur envol,
Encore humides des presses, elles charment l'œil du lecteur.]

Internet est un de ces engouements que les pressions du marché se chargeront tôt ou tard de canaliser. Pour le moment, ses farouches partisans doivent être traités avec la sympathie et la tolérance dont ont bénéficié, en leur temps, les espérantistes et les radioamateurs… Internet, après avoir connu son quart d'heure de célébrité, rentrera dans les rangs des petits médias.

Simon Jenkins, *The Times*, 4 janvier 1997

Des techniques de dissimulation et de supercherie [...], l'intrusion éhontée dans le deuil et la vie privée des victimes de crime, les calomnies dirigées contre des citoyens ordinaires impliqués malgré eux dans de tels événements, la chasse aux scoops dont sont l'objet de nombreuses célébrités, leurs familles et leurs amis, dans le seul but de vendre des journaux [...]. Preuve que l'on a moins affaire à une entreprise artisanale qu'à une révolution industrielle.

David Sherborne, avocat des victimes des piratages.
Audition devant la commission d'enquête
présidée par le juge Brian Leveson
chargée par le gouvernement de faire la lumière
sur les pratiques de la presse en Grande-Bretagne.
16 novembre 2011, Cour royale de justice, Londres.

# 1

*Londres, le 17 janvier 1997*

ELLE AVAIT DEVANT ELLE DEUX HEURES pour dissimuler les secrets d'une existence entière. Toute trace de sottise et de vanité, voire pire, devait disparaître. Pour le désordre, elle n'avait rien à craindre ; la bonne y avait remédié le matin même. Le rangement n'était pas le fort d'Honor Tait, mais elle était du style à ne collectionner ni les gens ni les objets. Des divorces, des deuils, un incendie, son rejet viscéral de tout sentimentalisme et des déplacements fréquents à l'étranger, tout cela s'était conjugué pour réduire l'accumulation au minimum. Voyager léger, telle était sa devise. En amour comme dans la vie, elle était une adepte du bagage à main. Dès lors, que restait-il dans son appartement londonien ? Quelle bagatelle ayant accidentellement échappé au temps risquait de la trahir ?

Essoufflée, en proie à une panique qui ne lui ressemblait guère, elle promena les yeux sur le mobilier, les tableaux, la bibliothèque. Tout ou presque était à

Tad. Après tout, il avait occupé en vieux garçon cet appartement avant que celui-ci devienne leur pied-à-terre londonien. Et à présent sa cellule de veuve. D'une certaine manière, Tad avait été un homme d'intérieur. Il achetait des tableaux, encadrait des photos, choisissait les rideaux, avait un faible pour les figurines en porcelaine du Staffordshire et les sèvres, il s'était même entiché d'une paire de bergères à oreilles assez sale qu'il avait chinée à Édimbourg, sans parler des heures silencieuses qu'il passait penché tel un moine du Moyen Âge sur de volumineux classeurs d'échantillons de tissu d'ameublement. Même à l'époque où leur couple était on ne peut plus soudé, ils considéraient l'un et l'autre Glenbuidhe, au confort spartiate et revigorant, à mille kilomètres au nord, comme sa maison à elle, alors qu'à Maida Vale ils étaient chez lui. Maintenant qu'il n'était plus là, elle n'était pas plus encline à changer de décor – à « démonter », comme aurait dit Tad – qu'elle ne l'avait été au moment de l'installation. Et voilà qu'aujourd'hui, elle allait devoir répondre de l'instinct de possession et du goût douteux de son défunt mari.

Des objets si familiers qu'Honor ne les voyait même plus – assemblage hétéroclite de livres et de peintures, de cadeaux étranges, de bibelots et de souvenirs, le tout épousseté et disposé avec soin par la bonne – seraient tenus pour des détails révélateurs. On en avait déjà trop dit et trop écrit à propos d'Honor ; rumeurs, fausses informations, insinuations, propagées par une certaine presse avaient servi à sa lapidation.

Elle n'avait pas encore digéré son portrait dans *Vogue*, que Bobby l'avait persuadée d'accepter. Cela faisait plus d'un an, mais elle n'avait toujours pas décoléré, ulcérée par ce ramassis d'inepties (et la photo !) chaque fois qu'elle posait les yeux sur la couverture du magazine – ces derniers temps dans les salles d'attente des médecins. Condenser en trois cents mots seulement autant d'insultes et de mépris tenait de l'exploit. Il y avait eu aussi la radio, son interview pendant l'émission « Woman's Hour » (tous ces chichis pour huit minutes d'antenne) et sa participation à celle de Melvyn, « Start of the Week[1] », où Honor avait tenté de se faire entendre face à un scientifique lugubre, un prêtre qui avait l'air de se croire en chaire et un romancier défendant des idées saugrenues sur le bien-être animal.

Plus récemment, il y avait eu le « South Bank Show[2] ». (Encore Melvyn. Ne restait-il plus aucun autre présentateur sérieux ?) On lui avait assuré que la discussion porterait exclusivement sur son travail – qu'on respectait son refus catégorique d'aborder sa vie privée –, et elle avait été assez bête pour se sentir flattée à la perspective de voir célébrer « son rôle, en qualité d'écrivain, au cœur de l'histoire du XXe siècle ». Un macchabée tout ridé émergeant des ténèbres où baignait le plateau de l'émission pour évoquer des événements d'importance mondiale qui ne disaient plus rien à personne ; cette vieille sorcière chevrotante

---

1. Melvyn Bragg a animé la célèbre émission de Radio 4 de 1988 à 1998. (*Toutes les notes sont de la traductrice.*)

2. Émission télévisée arrêtée fin 2009 au moment du départ à la retraite de Melvyn Bragg.

13

de Miss Havisham[1] se remémorant un mariage qui n'avait jamais eu lieu.

Ils avaient saucissonné l'interview de films et de photos d'archives d'Écosse, de Paris, d'Espagne, d'Allemagne et de Los Angeles, avec tout un cortège d'artistes, de poètes, de politiciens et de pointures d'Hollywood, sans oublier, successivement, ses trois maris : une parodie de sa vie en six minutes d'images sautillantes. Scrupuleusement, les producteurs de l'émission s'étaient abstenus de citer les noms – famille, maris ou amants –, mais l'implacable défilé d'images se révélait moins discret.

Les documentalistes avaient exhumé une bande-annonce où l'on voyait Maxime agiter un fume-cigarette à la manière d'une baguette de chef d'orchestre, rapetissé par son ombre portée mais aussi flamboyant que Noël Coward, l'intelligence, la générosité et la virilité en moins. Sandor Varga apparaissait à deux reprises : beau et taciturne à son côté, en marié, à Bâle, puis, dix ans plus tard, gras et content de lui à Monaco en compagnie de la petite pute pour laquelle il l'avait quittée. Tad, son troisième et dernier mari, avait, curieusement, bénéficié d'une attention moindre qu'Elizabeth Taylor (une star surcotée) – le commentateur parlant, jusqu'où va la bêtise, de « têtes couronnées d'Hollywood » avec qui Honor et Tad avaient été une seule fois photographiés à l'occasion d'un gala. Pour présenter l'œuvre de Tad, ils avaient passé deux extraits de ses films. Hélas, hors contexte, son humour semblait puéril et

---

1. In *Les Grandes Espérances* de Charles Dickens.

forcé, les allusions sexuelles évoquant l'inhibition plutôt que la libération. Pauvre vieux, heureusement qu'il n'avait pas vu ça, il était plus tranquille au cimetière de St Marylebone.

Quant à elle, un hommage lui avait été rendu à travers quelques images de guerre – des archives tressautantes de Madrid, de la Pologne, de Normandie, de Buchenwald, de Berlin et d'Incheon. Des silhouettes fantomatiques se faufilant dans la Casbah d'Alger des années 1950, ainsi qu'une photo d'elle où elle tenait dans ses bras un bébé au regard étonné, prise dans un orphelinat de Weimar à la fin des années 1960 et mièvre à souhait.

Des étudiants hongrois se jetant devant les chars soviétiques en 1956 et, treize ans – trois secondes de compression cinématographique absurde – plus tard, leurs homologues tchèques les imitant, pendant que, au-delà de deux lignes frontalières, à Paris, les fils gâtés de la bourgeoisie – oui, c'étaient en majorité des garçons –, futurs juristes, universitaires, politiciens et autres grands manitous, jouaient à la révolution, brisaient des vitrines et bombardaient de pavés et de cocktails Molotov des prolétaires en uniforme de CRS.

Un instantané d'Honor datant des années 1950 la montrait dans une tranchée en Corée, débraillée, le visage barbouillé, ressemblant davantage à une adolescente surprise avec un masque de beauté qu'à une correspondante de guerre sur le terrain. Mais, sur les autres images – films ou photos –, elle apparaissait comme une jeune femme élégante jusqu'au bout des ongles, chevelure brillante tombant savamment sur les épaules, sourire olympien, défiant quiconque de ne pas la trouver belle et désirable, de ne pas admirer son intelligence et sa combativité. Le rapprochement dans l'émission de cette déesse pleine de grâce, lumineuse, et de la vieille parkinsonienne brossait le tableau d'une Vanité à la cruauté exquise : un Ozymandias[1] des temps modernes. « Contemplez mes œuvres, ô Puissants, et désespérez. » Les amis et amants revenus fugacement à la vie sur l'écran étaient sans doute à cette heure des spectres, leur chair se décomposant sous la terre ou bien s'étant depuis longtemps éparpillée aux quatre vents sous forme de cendres, mais le plus sinistre de tous était Honor Tait, la survivante, condamnée à assister, atterrée, à son lent flétrissement.

Quelle chose mortifiante que la célébrité, aujourd'hui. Elle était stupéfaite que tant de gens semblent ne rien avoir de mieux à faire de leurs soirées que de rester avachis devant des talk-shows à prétention artistique. Interrogés pour un micro-trottoir, ils l'avaient tous reconnue, les chauffeurs de taxi, les maîtres d'hôtel, les vendeuses, les étrangers à un vernissage, les passants. Non loin de la clinique où elle était soignée, dans Wimpole Street, un ouvrier en chasuble orange, traverses d'échafaudage sur l'épaule, l'avait saluée de deux doigts posés sur la visière de son casque de sécurité et d'un « Continuez à gratter ! »

Puis il y avait eu T. P. Kettering, le blanc-bec qui s'était targué d'être son « biographe officiel » et qui, une fois éconduit, s'était transformé en mouchard officieux. Son livre, publié par d'obscures presses univer-

---

1. Poème de Shelley.

sitaires sous un titre pompeux – *Veni vidi : Honor Tait, témoin de l'histoire* –, n'était qu'un remaniement insipide d'articles parus dans les journaux. Il avait été pilonné d'emblée par ses avocats et finalement coulé par Honor elle-même, qui avait fait savoir que quiconque souhaitait rester en bons termes avec elle ne devait avoir aucun lien avec le torchon en question ni avec son auteur. Aussi Honor avait-elle trouvé un peu fort que Martha Gellhorn lance d'hypocrites fleurs à Kettering. Cela dit, la critique avait dans l'ensemble passé le bouquin sous silence. (« Reste toujours à écrire une biographie passionnante de l'extraordinaire Honor Tait, celle-ci n'étant que du vent », avait écrit Bobby dans le *Telegraph*.) Et le livre était heureusement passé à la trappe, comme Kettering d'ailleurs. En apprenant que celui-ci avait sombré dans l'alcool et en était réduit à écrire l'autobiographie d'un footballeur, Honor avait éprouvé une joie presque indécente.

Toutefois, il n'était pas en son pouvoir de retirer son nom des biographies des autres, ni des articles qui avaient constitué la source de Kettering. Pas plus qu'elle ne pouvait extraire ses propres écrits des archives. Tant de choses étaient déjà tombées dans le domaine public. À ce stade, elle avait besoin de préserver les quelques lambeaux de dignité et de vie privée qui lui restaient.

Elle devait inspecter la pièce d'un regard éloigné, comme si elle n'avait jamais vu cet endroit et était plutôt malintentionnée, bref, d'un œil de journaliste. Cela ne devrait pourtant pas être difficile pour elle. Mais elle était vieille et manquait de pratique – elle n'avait publié aucun reportage depuis huit ans et son dernier papier, à propos des boat people qui fuyaient le Vietnam, avait été rejeté par le *New Statesman* six mois auparavant, dans une lettre obséquieuse à souhait. Le « nouveau journalisme », dont elle avait naguère été l'égérie, avait été supplanté par des formes plus contemporaines, dont les principes la sidéraient. Comme la *nouvelle vague**1 du cinéma français ou les jupes « new look » du Dior des années 1950, à l'aune de nos temps modernes ironiques, la marque de fabrique Honor Tait – un journalisme engagé, politique, passionné, sérieux – se révélait aussi obsolète qu'un napperon en dentelle. Seuls les amateurs de rétro et les nostalgiques chevronnés cultivant un goût pour le style « vintage » et le design « Bakélite » lui conservaient leur estime.

Elle se tenait au milieu de la pièce, vieille dame fragile, nerveuse, coiffée à la diable et affublée d'une robe de chambre en soie à motif cachemire qui avait vu des jours meilleurs. Elle souffrait ces derniers temps d'un tremblement de tête qui s'accentuait quand elle était anxieuse, comme maintenant, et lui donnait l'air d'approuver ce qui se passait autour d'elle, bref un tic insupportable. Agrippant de la main gauche le dossier d'une des bergères chères au cœur de Tad, elle pivota lentement sur elle-même en plissant ses yeux larmoyants, s'efforçant de voir ce qui l'entourait comme si c'était la première fois, un peu comme si elle lisait un journal intime à l'insu de son auteur.

---

1. Tous les mots ou expressions en italique suivis d'un astérisque sont en français dans le texte.

Elle commença par les murs : les tableaux et les photographies. Quand les avait-elle vraiment regardés, la dernière fois ? Cette marine à l'aquarelle avec ses vagues vert-de-gris et ses montagnes caca d'oie : Antrim ? L'ouest de l'Écosse ? En tout cas pas le loch Buidhe. Beaucoup trop sauvage pour ce lac paisible. Encore un coup de cœur de Tad ; irréprochable parce que détachée de leur vie, mais d'une platitude lamentable. La jeune femme qui venait l'interviewer aurait du mal à en déduire quoi que ce soit de négatif, à moins de posséder un œil de connaisseur, ce qui, vu le niveau de culture générale actuel des journalistes, était improbable. À la limite, si on voulait se conformer aux stéréotypes, la marine en question pourrait être mise sur le compte d'un goût pour la peinture naïve ou la mélancolie celtique. Ce serait faux, mais cela ne casserait pas trois pattes à un canard.

Le dessin à l'encre et au crayon, d'une simplicité trompeuse, représentant Tristan et Iseult, pourrait, lui, se révéler plus problématique. Tad était d'ailleurs de cet avis. Son premier réflexe avait été de le détruire, de le saisir entre ses mains charnues et de le déchirer en deux, ou du moins de le laisser là où il l'avait trouvé – dans un tas de vieux papiers d'Honor à Glenbuidhe. Mais la jalousie du mari, furieux que sa femme, épousée alors qu'ils avaient tous les deux un âge respectable, ait jamais été proche d'un autre homme, avait été supplantée par son respect, typiquement américain, pour tout ce qui s'apparentait à la célébrité. Tad qui avait fini par choisir ce cadre en ébène, non sans s'être préalablement livré à une contemplation et à un débat intérieur digne de Platon, et par l'accrocher au-dessus de la cheminée de l'appartement, où elle se trouvait encore. L'artiste avait d'un trait unique enlacé les corps des amants, et, si la petite journaliste s'approchait pour mieux l'examiner alors que, mettons, Honor était en train de préparer du thé à la cuisine, il y aurait des chances qu'elle lise la dédicace, écrite à la verticale dans un minuscule carré inclus dans les plis de la robe d'Iseult : *Pour Honor, baisers, Jean.*

Cette amitié, évoquée dans des biographies de Cocteau et quelques articles sur elle, avait fait couler pas mal d'encre. Dernièrement, Kettering avait tenté de resservir ce plat réchauffé à un public apathique. Quant au « South Bank Show », s'ils avaient diffusé quelques extraits de la fête donnée à la première du *Bel Indifférent* – Picasso faisant comme d'habitude le pitre devant la caméra –, se conformant à la lettre à ses exigences, ils s'étaient servis en guise de commentaires des accords fluides de la guitare de Django Reinhardt et du Hot Club de France. « Oh, Lady Be Good ! » Une injonction peu courante à cette époque dans le milieu où elle évoluait.

Cette brève rencontre avec Jean avait précédé de plusieurs décennies son mariage avec Tad – le dernier et le meilleur de ses maris – mais, pour celui-ci, le temps ne comptait pas. Pas plus qu'il n'avait besoin de preuves de ses liaisons. Cette jalousie de Tad – vis-à-vis de son passé, de son présent et de son avenir – était son « grain de folie ».

Mais après tout, pour les lecteurs d'un supplément du dimanche britannique dans les derniers jours du millénaire, quel intérêt présentait une histoire pareille, où les couples se faisaient et se défaisaient, où l'on fumait de l'opium et où l'on se soûlait entre artistes en menant une vie de bohème à Paris – il y avait quoi ? Soixante... soixante-cinq ans ? Aujourd'hui, faire de l'art, c'était enduire sa toile de fluides corporels ou étaler sa laideur devant une foule de badauds. Tout le monde était artiste, maintenant ; du moins suffisait-il de le prétendre. L'opium, ou son équivalent contemporain – la cocaïne de nouveau ? ou l'ecstasy ? –, circulait en masse dans les soirées, les dîners en ville et les pubs de banlieue. Ce qui faisait scandale hier méritait à peine une note en bas de page. Qui se souvenait de Jean ? Et des rares personnes qui cultivaient la mémoire de ces chapitres obscurs, qui s'en souciait ? Le dessin pouvait rester à sa place. De toute façon, il était trop lourd pour qu'elle le descende toute seule.

En face du Cocteau, dans un cadre de chêne brut, était accroché son portrait à l'huile, peint dix ans auparavant, cheveux raides, lèvres carmin, glacial. Il n'avait rien de flatteur, paraissait même menaçant, mais quelque chose en lui, peut-être sa candeur primitive ou son côté impassible et hors du temps d'icône russe – la tentation de sainte Honor, confrontée à d'innombrables et invisibles démons –, avait séduit Tad, en dépit de son antipathie viscérale pour l'artiste. Daniel l'avait peint au cours de son premier, qui s'était aussi révélé son dernier, semestre à la Slade. Sa dernière année d'études. Elle se bagarra avec le tableau pour le décrocher, maudissant les efforts que lui demandait ce simple exercice. Mais, en le posant debout contre la plinthe, elle remarqua aussitôt sur le papier peint la trace plus claire d'un rectangle, semblable à celle, poignante, qui attendait le retour du Vermeer volé au musée de Boston. L'absence du portrait pouvait intriguer davantage que sa présence. Mieux valait le raccrocher. Ce qu'elle fit non sans mal. Son cœur se mit à battre la chamade, avec un choc douloureux à chaque battement. Elle s'assit pour reprendre son souffle.

Malgré le refus initial d'Honor, son éditrice l'avait persuadée de recevoir la journaliste chez elle. Ruth Lavenham, fondatrice et responsable d'Uncumber Press, avait beau jouer la femme au grand cœur, elle avait une poigne de fer. Cette interview ferait s'envoler les ventes du nouveau livre d'Honor, lui avait-elle dit. Et, avait-elle ajouté avec un sourire lourd de sous-entendus, ce ne serait pas mauvais non plus pour Uncumber Press, vaillant David au milieu des Goliath du monde médiatique. Honor lui devait une fière chandelle. Ruth, en effet, l'avait sauvée de la ruine deux ans plus tôt, juste après la mort de Tad, grâce à une réédition du premier recueil de reportages d'Honor, *Ma vérité, ma machine à écrire et ma brosse à dents*, ouvrage sorti chez Faber dans les années 1950 et depuis longtemps épuisé. Cette réédition, qui comprenait le récit, couronné par le prix Pulitzer, de la libération de Buchenwald, avait connu un *succès d'estime** surprenant. Honor Tait avait ainsi été « redécouverte » et, ce qui lui avait fait encore plus plaisir, elle avait pu rembourser une grande partie de ses dettes. Elle espérait que son prochain livre, *Dépêches des ténèbres : les œuvres complètes d'Honor Tait*, connaîtrait le même succès.

22

Et l'année suivante, si tout allait bien, il y en aurait un troisième, dont le titre, suggéré par Ruth malgré les réticences d'Honor, devait être *L'Œil inflexible*.

« Allons ! s'était exclamée Ruth alors qu'elles discutaient de la promotion de *Dépêches des ténèbres*. Une interview pour l'un des plus grands magazines du pays ? Bien tranquille, chez vous... Où est le mal ? Et en termes de promotion, c'est beaucoup mieux qu'une double page de pub. »

Et meilleur marché. Honor avait capitulé. En son for intérieur, elle savait que c'était une erreur. Les rares fois où elle avait consenti à une interview, elle n'avait jamais reçu le journaliste chez elle. Même les mieux disposés à son égard ne pourraient s'empêcher de voir l'appartement et son ameublement comme une fenêtre sur sa vie secrète, un hublot sans rideaux éclairé dans la nuit. Sa conversation avec Melvyn pour le « South Bank Show » avait été filmée à la London Library, où elle avait en outre accepté, pour *Vogue*, de poser avant l'émission – un moment d'égarement narcissique « récompensé » par une photo d'elle effrayante ; un masque d'Halloween, Terreur dans la bibliothèque.

Les hôtels, ces lieux dépouillés de toute empreinte personnelle, de tout souvenir, voilà le cadre approprié d'un entretien. Le journaliste le plus malveillant ne pourrait vous reprocher la neutralité de la décoration intérieure, les taches sur le canapé ou l'odeur rance de votre somptueuse cambuse. Mais même dans une suite de luxe, toute de cuir beige et de chromes, où les seuls livres proposés étaient la bible Gideon et les Pages jaunes, vous risquiez de vous faire avoir, comme ce pauvre John Updike. Elle lui avait envoyé un mot pour lui exprimer sa sympathie. La journaliste venue l'interviewer ayant remarqué un slip sous un fauteuil dans sa chambre d'hôtel s'en était servie dans son article pour montrer le rôle que jouait le sexe dans les romans de l'auteur. Le culot ! C'était révoltant. Au moins ici, chez elle, grâce à la bonne, il n'y aurait aucun sous-vêtement en vue.

La technique ne datait pas d'hier : en utilisant un objet en apparence insignifiant, vous dressiez un portrait psychologique aguicheur de son propriétaire. Ce moyen était on ne peut plus pratique pour résumer une vie entière à partir des informations glanées en une heure d'entretien et des recherches documentaires effectuées au préalable. Honor y avait eu recours plus d'une fois, surtout quand l'interview n'avait presque rien donné. Les objets avaient tous une histoire à raconter. Même le nouveau journalisme ne crachait pas sur les méthodes bien rodées. Elle se rappelait ce qu'elle avait elle-même éprouvé lorsqu'elle avait aperçu le *netsuke* représentant une mule sur le bureau de MacArthur à Tokyo ; le programme d'une comédie burlesque de Max Miller dans l'antre de Beckett à Montparnasse ; les sonnets de Shakespeare au chevet du lit d'hôpital de Mme Tchan Kaï-chek et la photographie dédicacée d'Ida Lupino dans l'austère QG du général de Gaulle, à Carlton Gardens.

Les photos d'elle qui ornaient toujours la bibliothèque et les murs où Tad les avait disposées supportaient-elles d'être regardées de près ? Un cliché en noir et blanc la montrait toute jeune reporter de guerre, très élégante dans son treillis au milieu des « boys » qui souriaient en regardant l'objectif avant d'être fauchés en Normandie. À côté, une image devenue célèbre, prise pour le magazine *Collier's*, où elle était assise à côté de Franco, qui venait d'être nommé commandant militaire des îles Canaries. Au-dessus de la ceinture, elle était irréprochablement professionnelle, le calepin et le crayon suspendus en un geste qui témoignait d'une attention intense, telle une sténo des années 1930 : « Écrivez, miss Tait. » Mais, au-dessous, il en allait autrement. Ses longues jambes bronzées, mises en valeur par un joli short et des sandales à talons hauts, étaient semblables à celles d'une danseuse des Ziegfeld Follies. Cette image avait fait le tour du monde. On l'avait surnommée « la Marlène Dietrich des salles de rédaction ». Tous les journaux l'avaient publiée. Elle faisait partie du mythe. On ne reviendrait pas là-dessus.

La photo prise en traître par un habile paparazzi lors d'un souper aux chandelles – donné par le Parti progressiste pour lever des fonds – était plus gênante. D'ailleurs, lorsqu'elle était parue, avec Sinatra qui lui murmurait quelque chose à l'oreille, elle avait fait scandale. Non seulement Sinatra était marié, mais encore il s'affichait partout avec Ava Gardner. Les rubriques mondaines des journaux en avaient alors fait leurs choux gras, quoique de manière plus respectueuse qu'on ne l'aurait fait aujourd'hui, car, l'époque, les simples mortels admiraient les dieux de l'Olympe. De nos jours, les mortels étaient souvent portés au pinacle tandis que les dieux étaient cloués au pilori. Elle souleva le cadre de son clou et le tint entre ses mains, admirant – oui, pourquoi ne pas l'admettre ? – la façon dont la lumière modelait ses épaules et éclairait le gardénia à sa boutonnière. Une fleur aux pétales aussi soyeux et doux que le visage ingénu où s'épanouissait une volupté précoïtale. Comme les photos mentaient bien, parfois à notre avantage. Selon les critères de l'époque, elle n'était plus vraiment jeune ; elle avait atteint la trentaine et traînait derrière elle une guerre, un mariage raté et plusieurs liaisons malencontreuses. Deux autres guerres – trois en comptant l'Algérie – l'attendaient encore. S'étant déjà rendue à cette soirée à contre-cœur – sa vieille copine Loïs, qui faisait partie de l'équipe de campagne d'Henry Wallace, lui avait forcé la main –, elle avait trouvé que le plan de table ressemblait à une mauvaise blague : elle avait été pla-cée non pas à côté d'Alvin Tilley, le dramaturge engagé, mais du crooner kitsch Frank Sinatra. Ce der-nier, qui paraissait avoir d'autres plans pour la soirée, s'était toutefois montré courtois. Quand il s'était penché à son oreille pour lui murmurer des mots « compromettants », ce qu'avait immortalisé l'appareil photo, ils discutaient en fait de la lutte antifasciste.

Deux décennies plus tard, Tad, dans un de ses accès de jalousie, avait coupé la photographie en deux afin d'en éliminer le chanteur au sourire d'ange déchu, ainsi que l'attroupement de photographes et de fans autour d'eux. L'original, non édité, était conservé au catalogue d'une grosse agence et toujours en circulation, comme l'avait prouvé un documentaire récent. Par un de ces infernaux caprices de la postérité, Sinatra continuait à briller dans l'imaginaire collectif, alors que d'innombrables chanteurs plus doués que lui avaient fini aux oubliettes. Et si cette petite journaliste au nom sirupeux qui devait l'interviewer, Tamara Sim, repérait que son tirage avait été tronqué et en déduisait qu'Honor, s'étant pris un râteau, l'avait elle-même déchiré ? Cela pouvait-il la lancer sur une fausse piste ? Honor n'avait aucune envie d'éveiller la lubricité du *Monitor*, ni de son magazine dominical.

À l'orée d'un nouveau millénaire, malgré la vie privée tumultueuse des journalistes, entre alcoolisme et toxicomanie, et une sexualité de plus en plus débridée, les journaux, devant la plus bénigne des frasques conjugales, se conduisaient quand même toujours comme les vieilles filles du XIXᵉ siècle face à un exhibitionniste. Honor autorisait certes ce journal-ci à empiéter sur son territoire, mais seulement jusqu'à un certain point et avec un seul objectif en vue : vendre son fichu bouquin. Ou, plus précisément, ramasser un peu d'argent et payer le plus gros de ses factures. La prudence était donc de mise. La photo devait disparaître. La serrant dans son poing, de nouveau essoufflée, elle retourna à son fauteuil : il fallait qu'elle s'asseye.

\*

\*  \*

À douze kilomètres de là, dans une rue étroite d'Hornsey bordée de maisons divisées en appartements, Tamara Sim se penchait vers le miroir de sa coiffeuse, gênée par la pénombre perpétuelle de son deux-pièces en sous-sol. Des bâtons de rouge à lèvres étaient éparpillés sur sa coiffeuse telles des balles de revolver et elle avait sous le coude toute une panoplie de pinceaux tandis qu'elle se maquillait avec autant de soin qu'une jeune fille se rendant à son premier rendez-vous amoureux. Ce qu'elle était, en un sens.

Quand la rédactrice en chef du prestigieux magazine *S*nday*, le supplément dominical du *Monitor*, lui avait envoyé un mail en lui demandant si elle voulait bien interviewer Honor Tait, elle avait répondu dans la seconde, sans hésiter :

*Et comment ! Une grande journaliste de la vieille école !! C'est génial, je suis ravie !!!…*

En réalité, elle avait été étonnée d'apprendre que la célèbre reporter était encore de ce monde. Sa connaissance de l'œuvre de Tait était limitée : au cours de ses études, elle avait dû lire un article sur l'épouse d'un dictateur chinois des années 1950. D'après le prof, Tait s'était déguisée en infirmière pour s'introduire dans l'hôpital auprès de la vieille dame, qu'elle avait pu interroger pendant une heure. L'entretien, aussi rébarbatif qu'un éditorial politique dans un grand quotidien national, lui était tombé des mains, et, en fin de compte, elle avait fait une impasse dessus pour la licence.

L'histoire de la Chine, l'histoire en général d'ailleurs, n'avait jamais passionné Tamara. Pas plus, à vrai dire, que les héroïnes du journalisme d'antan. Le portrait de reporters cacochymes n'était pas *a priori* dans ses cordes et le délai – trois semaines – était serré. Il n'empêche qu'elle avait été excitée comme une puce par le mail de Lyra Moore, qui lui proposait de « rédiger un article de quatre mille mots sur la vie et l'œuvre d'Honor Tait, le délai étant fixé au 19 février, pour le *S\*nday* du 30 mars, afin que sa sortie coïncide avec le quatre-vingtième anniversaire de Tait et la publication de son dernier livre ».

Tamara travaillait quatre jours par semaine en tant que rédactrice free-lance et pigiste pour le *Monitor* et *Psst !*, le magazine people du samedi qui faisait aussi office de programme de télévision – un torchon que le *S\*nday* méprisait. Le monde décrit dans les pages de *Psst !* grouillait de stars de séries addicts au sexe, de groupes de rock déchirés par des conflits internes, de compagnes de footballeurs anorexiques et de présentateurs TV toxicos. Ce monde était en effet aussi éloigné de celui des intellectuels de *S\*nday* que la Terre de Pluton. Le magazine de Lyra Moore, d'une élégance et d'une intelligence irréprochables, était considéré comme la riposte britannique au *New Yorker*, rendu encore plus attrayant par la place plus importante réservée à l'iconographie. Ses feuillets, aussi lisses et doux que la soie, avaient récemment accueilli un essai sur l'esthétique médiévale par Umberto Eco, un essai de George Steiner sur Kierkegaard et un essai de Susan Sontag sur l'influence du Polaroïd, ce dernier agrémenté d'instantanés – mystérieux, personnels et d'une émouvante indifférence à l'égard de la composition – pris un jour de mars par les citoyens de Sarajevo assiégés. Tamara ne connaissait aucun de ces trois écrivains et, quoiqu'elle fît de son mieux pour ingurgiter leurs contributions au *S\*nday*, elle n'avait pas eu envie d'approfondir en

29

lisant leurs ouvrages. Et même si elle en avait eu envie, où aurait-elle trouvé le temps ?

Finalement, le rouge de vamp n'était pas une si bonne idée que cela – il attirait l'attention sur son bouton de fièvre naissant. Elle s'essuya la bouche avec un mouchoir en papier et opta pour un rose givre. Il fallait qu'elle ait l'air crédible. Bien fringuée mais inoffensive. Jupe trapèze bleu marine aux genoux, chemisier blanc, imper beige et ballerines – un ensemble passe-partout qui aurait convenu à lady Di en visite officielle dans un hôpital pour enfants malades.

Tamara pressentait que cet entretien allait être une épreuve d'endurance, non seulement à cause de la longue interview mais parce qu'il lui faudrait ensuite la rédiger, et pas en deux coups de cuiller à pot, dans un laps de temps forcément trop court. Quatre mille mots, cela relevait de la prouesse pour quelqu'un habitué à pondre des brèves, des Top 10 de douze lignes et des colonnes de deux paragraphes sur les tribulations des célébrités. Ses quelques rares interviews n'avaient jamais dépassé huit cents mots et le *Sunday Sphere* lui avait commandé deux papiers de mille mots chacun, le premier sur une gogo danseuse transsexuelle qui prétendait avoir couché avec le présentateur d'une émission pour enfants et le second sur le fils drogué d'un haut responsable de la police. Mais quatre fois plus long ? Cela promettait d'être interminable à taper, sans parler du travail de documentation.

Bref, elle était intimidée, mais une commande de Lyra Moore était en soi le plus beau compliment que pouvait recevoir une journaliste comme elle. Cinq ans après le lancement de *S\*nday*, même s'il arrivait que l'on bute sur la coquetterie typographique, on prononçait encore son titre avec déférence. Les snobs admiraient la revue de Lyra Moore pour son cachet intellectuel, les autres, les gratte-papier, enviaient prosaïquement son budget plus que confortable. Et en qualité de jeune ambitieuse au CV surtout riche en piges, n'ayant droit ni aux arrêts maladie, ni aux congés payés, ni à la retraite, dépourvue de fortune personnelle et ayant à charge un frère handicapé, Tamara ne pouvait guère se permettre de refuser.

Elle craignait que sa réponse, tapée sur son clavier quelques secondes après l'apparition du mail de Lyra sur son écran, n'ait été ridiculement hyperbolique : *Je suis ravie !!!!... Je la vénère !... C'est formidable de penser que je vais contribuer à vos pages lumineuses !... Un magazine que j'adore !!!!... Des écrivains incroyables !!!* La rédactrice en chef de *S\*nday* préférait peut-être de la part de ceux qui travaillaient pour elle une retenue analogue à la sienne ? Cela expliquerait peut-être le fait qu'elle n'avait répondu ni à ce mail, ni aux mails suivants, ni à ses appels téléphoniques ? Était-il possible que, comme avec les hommes, on puisse se planter par excès d'enthousiasme ?

Grâce à ses contributions hebdomadaires à *Psst !*, Tamara était une « collaboratrice extérieure régulière », un emploi aussi stable que celui d'un journalier dans le bâtiment. Mais, tant qu'elle se rendait utile et restait dans les petits papiers de la rédactrice en chef de *Psst !*, elle était rémunérée et pouvait s'asseoir à un bureau quatre jours par semaine, du lundi au jeudi, ce qui lui laissait trois jours pour trouver du travail free-lance ailleurs. Elle avait écrit quelques articles pour *Monitor Extra*, la rubrique mondaine du quotidien, surnommée *Me2*[1] et dirigée par Johnny Malkinson, un « shooté à l'adrénaline » à la mine de déterré. Les articles en question étaient plutôt des classements, des comparatifs ou des comptes rendus d'enquêtes téléphoniques et de micros-trottoirs, mais elle avait quand même fini par acquérir une réputation d'humoriste bouche-trou, au-delà même du *Monitor*, auprès d'un nombre encourageant de périodiques et de quotidiens qui cherchaient à remplir les pages intérieures de leurs canards.

Tamara était restée le temps qu'il fallait – trois mois – stagiaire rémunérée au *Sydenbam Advertiser* avant de faire un peu de tout pour des newsletters d'entreprise, dont *Dans la boîte : des nouvelles de l'industrie du packaging* ; *La Dernière Touche : la lettre trimestrielle de l'Institut des stylistes alimentaires* ; *Pressing : le bulletin des teinturiers-blanchisseurs*. Puis elle avait gravi quelques échelons en écrivant pour des gazettes de lobbyistes, d'amateurs de sports de montagne, de danses de salon, de perruches, puis travaillé pour des magazines de marques – *Glow* et *Chick's Choice* – avant de se faufiler en tant que free-lance dans les échos, les pages people, les courriers du cœur, les rubriques voyage et les suppléments week-end de nombreux journaux nationaux et régionaux, tabloïds aussi bien que quotidiens. Elle avait ainsi acquis une très vaste culture générale, puisqu'elle en connaissait autant sur les avantages du piolet en aluminium

---

1. Moi aussi.

et du pantalon en polypropylène que sur les mérites respectifs du tétrachlorure de carbone et du perchloréthylène, sur les différences entre le mambo et le merengue, sans oublier qu'elle savait orthographier Melopsittacus.

Dans l'exercice de ses fonctions, elle avait voyagé en classe affaires et vu du pays. À Mexico, où elle avait été envoyée pour couvrir l'Expo Pack 1995, elle s'était tapé pendant quelques jours des daïquiris frappés et, plus discrètement, un commercial de la grande distribution originaire du Nebraska ; à San Diego, elle était tombée amoureuse d'un photographe italien, un amour hélas non payé de retour, alors qu'elle écrivait un papier sur un stage de stylisme culinaire appliqué aux salades ; et, à l'île Maurice, elle s'était initiée à la plongée sous-marine – une expérience jamais renouvelée – pendant un congrès de vétérinaires spécialisés en médecine aviaire sur le traitement de la mégabactériose. Elle était fière de sa polyvalence professionnelle et, lorsqu'elle songeait à son statut de pigiste « régulière » à *Psst !*, elle se disait que sa vie de journaliste était à l'image de sa vie amoureuse : elle se payait du bon temps et ne se sentait pas obligée de s'engager tant qu'une publication valable à ses yeux ne lui avait pas fait de proposition intéressante. Jusque-là, elle n'était pas prête à s'engager plus sérieusement, pas plus qu'elle ne songeait à la monogamie. Si Tim Farrow, le rédacteur en chef de *Sunday Sphere*, avait tenu ses promesses, elle aurait pu se féliciter d'avoir réussi sur les deux tableaux. Hélas il l'avait affreusement déçue.

Elle ne devait plus penser à Tim. Rien que pour la tenue de son mascara. Elle avait pleuré deux semaines, c'était assez, le moment était venu d'aller de l'avant. La commande de S*nday tombait à pic. Une porte se fermait, une autre s'ouvrait. Elle avait fait son apprentissage en trimant dans les collines de la presse industrielle, avait échoué dans les latrines du campement des tabloïds et, à présent, une nouvelle étape de sa carrière s'amorçait, puisque, à l'âge de vingt-sept ans, elle pouvait viser plus haut et s'attaquer à la paroi de S*nday, l'Everest du journalisme britannique. Avec un peu de persévérance, elle ne devrait pas tarder à décrocher un CDI ou un contrat en free-lance mais bien rémunéré, dans la publication la plus prestigieuse de Grande-Bretagne.

Elle regarda son reflet dans la glace en fronçant les sourcils. Si seulement elle avait eu les moyens d'aller chez le coiffeur. Ses mèches avaient sacrément besoin d'être rafraîchies, même si sa coupe – inspirée de la coiffure de lady Di – tenait encore la route. Elle ramassa son bloc-notes, son crayon et son magnéto, et fourra le tout dans son sac.

Honor Tait était une femme intraitable, tout le monde le savait. Même son éditrice le reconnaissait, puisqu'elle avait bien précisé que tout détail sur la vie privée de l'auteur était à proscrire. Toutefois, Tamara ne partait pas sans munitions. Elle avait écumé les archives du Monitor sur la vie et l'œuvre d'Honor Tait, les dossiers de presse de ses éditeurs, les épreuves de son prochain ouvrage ainsi qu'un livre broché peu ragoûtant – un manuel de sociologie austère et touffu – datant d'une période désormais lointaine

34

et qui, apparemment, comprenait un article lui ayant valu le prix Pulitzer. Même si Tamara n'avait pas eu le temps d'étudier tout cela de près, elle avait quand même préparé une petite liste de questions. En prenant le chemin de l'arrêt de bus, elle se sentait prête à combattre.

2

HONOR SE SURPRENAIT À SE SENTIR DE MOINS EN
MOINS ÉNERGIQUE ; le laps de temps entre son premier café du matin et la première envie de dormir de
la journée se raccourcissait chaque jour dangereusement. Mais voilà, elle devait terminer ce travail.
Encore quarante-cinq minutes. Le portrait de Tad
sur le guéridon en bois de palissandre pouvait rester
à sa place. L'œil pétillant, les cheveux blancs et les
joues aussi roses qu'un père Noël de grand magasin
sans la barbe, il était l'image même de la bonne
volonté et de la constance : son irréprochable défunt
mari, le dernier. Il lui avait offert cette photo, avec cet
égocentrisme candide qui le caractérisait, en guise de
cadeau d'anniversaire de mariage. Pouvait-on imaginer quelque chose de plus tendre ?

La seule photographie de l'appartement qu'elle ait
encadrée elle-même, en la plaquant entre deux carrés
de plexi achetés à la papeterie, se trouvait à l'abri des
regards indiscrets, sur sa table de chevet. Le soleil
avait décoloré la chevelure du jeune garçon et sa chemise sortait à moitié de son short retenu par une

ceinture tressée. Honor, en robe à pois serrée à la taille par une ceinture en cuir, lui tenait la main un peu trop fort. Derrière eux se dressait Glenbuidhe Lodge, la robuste bâtisse dont la porte d'entrée s'ornait d'une profusion de fuchsias. À travers la fenêtre du salon, on pouvait voir un bateau en bouteille, autre cadeau de Tad destiné à l'apaiser. Daniel penchait la tête de côté avec une expression de défi, la paupière gauche fermée, comme s'il avait eu dans l'œil le reflet du soleil sur le loch. C'était Loïs qui avait pris la photo. Elle était partie avec Daniel en train-couchettes pour les vacances de Pâques. Par la suite, elle l'avait postée à Honor avec un mot présomptueux : *Occupe-toi bien de lui, Honor. Il est plus fragile qu'il n'en a l'air.* Honor avait jeté la lettre au feu. Finalement, Tad l'avait suppliée de détruire la photo. Aussi l'avait-elle cachée pendant des années. Elle ne pouvait pas s'en débarrasser, et cela en dépit du sentimentalisme honteux que trahissait pareil attachement. Maintenant que Tad n'était plus, elle était libre de faire comme bon lui semblait.

Sur la cheminée du salon, au-dessus de la gueule noire du poêle à gaz effet feu de charbon, était posée une carte postale où figurait une gracieuse silhouette coiffée d'un chapeau conique au milieu d'une rizière. Une carte de Saigon envoyée poliment par la filleule de Tad, qui semblait prolonger indéfiniment son année « sabbatique » après le bac. Les années saigonnaises d'Honor avaient été bien différentes. Ni jeunes insouciants trimballant leurs sacs à dos vers des destinations exotiques avec l'impérialisme inconscient de leur âge, ni promenades au fil de l'eau sur le fleuve, ni fêtes estudiantines abrutissantes dans des bars ethniques, ni danses traditionnelles, ni marchands d'objets d'artisanat. Mais le bruit, la boue, les bombes, le sang et la terreur. La camaraderie, aussi, et même la passion. Voir des confrères mourir poussait les survivants à profiter pleinement des plaisirs de la vie. Dès qu'ils n'étaient pas au travail, une fois loin du champ de bataille, ce n'était plus qu'un long raout orgiaque. De retour en Angleterre, il lui était arrivé, lors de funérailles policées, de ressentir de nouveau cette faim infernale, sauf qu'il n'y avait plus rien pour l'assouvir. Les visages graves des employés des pompes funèbres, les chuchotements et les sanglots étouffés des endeuillés, la lenteur comique du cortège, tout cela risquait de déclencher en elle des désirs inappropriés.

Elle aurait dû jeter la carte postale depuis des mois : elle ne faisait que prendre la poussière. En la déchirant, elle se rappela qu'il y en avait une autre à jeter, plus récente, toujours dans son enveloppe sur la table du vestibule. Un dessin grivois de Donald McGill, une caricature où l'on voyait des hommes reluquer une femme aux seins énormes, avec, au dos, quelques mots grinçants, entre ordre et requête, de quoi en tout cas piquer la curiosité d'une journaliste. Elle s'en chargerait plus tard. Pour le moment, elle devait se concentrer sur le salon, sa seule ligne de front.

Enroulé autour de la pendule dorée à la feuille sur le manteau de la cheminée, un *komboloï*, un chapelet de perles de jade à tourner dans la main pour se relaxer, lui rappelait les Cyclades. Il pouvait rester là,

tout comme le petit porteur de kilt en staffordshire
– il faudrait posséder une imagination vraiment sur-
développée pour en déduire quoi que ce soit. Tout
aussi banals sans doute le masque mortuaire de
Keats, cadeau de Tad pour célébrer leur réconciliation à Rome, et la petite religieuse dans sa tempête de
neige sous son dôme en verre – une blague de Loïs.
Le phallus ailé en marbre, copie d'un dieu tutélaire
pompéien – offert par Lucio, le jeune Toscan tête
brûlée que Tad, dans un moment de gentillesse, avait
trouvé amusant –, pourrait en revanche se révéler plus
problématique. Elle souleva le bloc de pierre froide.
Se montrait-elle trop méfiante ? Mais la prudence était
de mise. Elle saisit aussi la petite bonne sœur des
neiges. Des nonnes et des pénis : une journaliste sans
scrupule sauterait sur une telle occasion. En son temps,
Honor n'aurait elle-même pas hésité une seconde.

Elle avait ménagé de la place – une oubliette – dans
le placard à balais de l'entrée. Quel tas de saloperies
on accumule en une vie ; des montagnes de trésors
bons pour la décharge, et cela même lorsqu'on avait
jeté à la pelle à plusieurs reprises et qu'on détestait les
bibelots. Finalement, en dépit de ses efforts et de son
tempérament, elle se retrouvait malgré tout à la tête
d'une collection « de trucs et de machins ». Une vraie
chiffonnière. Que le plus gros ait appartenu à Tad ne
changeait rien à l'affaire. Il était à elle, à présent, ce
petit musée de fétiches nimbés de nostalgie, et elle ne
voyait pas où elle trouverait la force de le démanteler.

Les jours où elle s'échappait de son appartement
pour déjeuner avec Ruth, par exemple, ou assister à
un vernissage en compagnie de Clemency ou d'Inigo,

ou encore à un concert de musique de chambre ou passer une soirée au théâtre avec Bobby ou Aidan, il lui prenait une folle envie de continuer sur son élan, de sauter dans un taxi pour l'aéroport, de prendre l'avion pour une ville où elle n'avait jamais mis les pieds, dans un pays qu'elle connaissait à peine, et de tout recommencer à zéro. Chambres louées, un minimum de bagages, ni tableaux, ni livres, ni bibelots. Peut-être s'apercevrait-elle alors que les années avaient été effacées, tout comme les humiliations de la vieillesse. Elle aurait le droit à une seconde chance et, celle-ci, elle ne la gâcherait pas.

En déposant sa brassée d'objets sur l'étagère derrière l'aspirateur, elle se dit qu'elle ne les ressortirait sans doute jamais de là. Seul un reste d'affection pour Tad, qui avait souffert de sa technique de nettoyage par le vide, empêcha Honor de balancer le tout dans le vide-ordures.

Maintenant, les livres. Elle traîna un tabouret jusqu'à la bibliothèque et s'assit pour mieux les contempler, se défendant, même pour une seconde, de céder à la lassitude qui alourdissait ses paupières. Succombait-elle à la paranoïa ? Elle était désormais à l'affût des symptômes d'une éventuelle et insidieuse démence, d'autant qu'elle avait à peine remarqué les trous de mémoire et les idées décousues qui avaient signalé chez son amie Loïs les premiers stades de la maladie d'Alzheimer.

Jadis, alors qu'elle était trop jeune pour savoir, elle avait gobé le bobard selon lequel la vieillesse avait ses compensations, entre autres une totale indifférence à l'égard de l'opinion d'autrui. Et regardez-la maintenant, comme elle trottait, comme elle s'affairait, comme elle s'épuisait, dans l'espoir de faire bonne impression sur Tamara Sim et ses lecteurs. Rien que pour ne pas avoir l'air ridicule ; mais sa stratégie était-elle la bonne ? Personne n'aime être humilié, quel que soit son âge. Ou n'était-elle plus tout à fait elle-même ? Récemment, elle avait été troublée par une nouvelle série d'appels téléphoniques silencieux. Ce n'était pas la première fois que cela se produisait, Tad et elle avaient dû changer de numéro à deux reprises. Mais aujourd'hui, au lieu d'agir, de porter tout de suite plainte à British Telecom, elle restait passive et se contentait d'avoir peur de la sonnerie.

La semaine dernière, elle avait lu dans le journal un article sur une maladie qui touchait les personnes âgées, la paraphrénie, dont les symptômes – délires de persécution, crainte obsédante que vos voisins et vos proches, amis et famille, ou des inconnus n'en veuillent à votre vie – correspondaient assez bien à son état. De toute façon, elle était sur la mauvaise pente, même si elle pouvait se féliciter d'avoir encore toute sa tête. Cela faisait des années que s'étaient amorcés le déclin inexorable et la grotesque survenue en cascade d'infirmités. Parfois, Honor se sentait comme Job, elle attendait la prochaine éruption d'ulcères. Mais, contrairement à Job, elle n'avait personne contre qui se retourner. Elle finissait par se résigner à son rôle d'archiviste des douleurs du grand âge, accablée à force d'entendre désigner des parties de son corps dont elle aurait préféré ignorer l'existence. Mais la démence ? Cela, ce serait intolérable.

41

Elle sortit une poignée de livres de leur rayonnage et les cala plus ou moins en équilibre dans le creux de son coude. Chaque fois qu'elle était sujette à une crise d'angoisse, elle se forçait à prendre du recul afin d'évaluer son degré de santé mentale. Ses inquiétudes concernant la visite de cette journaliste étaient justifiées, et elle était bien placée pour le savoir ; elle connaissait tous les trucs pour les avoir pratiqués elle-même. Elle avait esquissé le portrait psychologique et professionnel de nombreux hommes et de quelques femmes à partir du seul contenu de leur bibliothèque. Par exemple la présence incongrue du *Petit Prince* dans celle de Raoul Salan. Elle avait sans doute fait trop de cas de l'œuvre complète de Catherine Cookson reliée de cuir d'Harold Wilson. Lorsque son article avait été publié, le Premier ministre avait protesté auprès du journal en disant que ces livres n'étaient pas les siens. Plus gratifiant, elle avait réussi à déclencher une enquête du Vatican après avoir dégoté dans la Bibliothèque apostolique *Histoire d'O* à côté du *Nuage d'inconnaissance*, un détail dont elle s'était servie dans son article pour *Collier's*. Et à la seule vue d'une première édition de *Winnie l'ourson* sur la table de chevet d'une star des années 1950, elle avait ramassé ses vêtements et s'était enfuie dans la nuit de Santa Monica.

Aujourd'hui, elle risquait une évaluation semblable. Les romans de Graham ; des premières éditions, dédicacées. Inutile de les descendre, elle n'allait quand même pas transporter quarante bouquins dans le placard à balais. Mais qu'en était-il d'*Une heure pour soi* d'Isadora Talbot ? D'abord, comment avait-il atterri là ? Tamara Sim allait penser qu'elle adhérait à ce genre de féminisme vociférant, alors qu'Honor n'avait aucune intention d'ouvrir un de ses livres. Comme si elle se plaisait en compagnie d'une grande gueule qui avait tiré un manifeste de son apitoiement sur elle-même face à l'inévitable ménopause.

Honor recevait un flot continuel de livres en service de presse, qu'elle entassait machinalement à côté de la porte de l'appartement dans l'intention de s'en débarrasser, ainsi que de vieux journaux et magazines. La bonne, une réfugiée presque mutique du Rwanda, avait dû juger que ce livre, broché à couverture cartonnée dure alors que les autres, des épreuves d'imprimerie, étaient couverts d'un fin carton souple de teinte pastel, ne se trouvait pas à sa place. Rien n'était plus déprimant que les bruits d'une lourde enveloppe matelassée que l'on enfonçait dans la fente de votre boîte aux lettres et qui tombait avec un bruit mat sur votre paillasson. Les éditeurs semblaient être persuadés qu'il ne restait plus à Honor pour occuper utilement ses dernières années qu'à lire des historiettes et à fournir – bénévolement – des dithyrambes à citer sur leurs quatrièmes de couverture.

Bon, mais où en était-elle, au fait ? Côté poésie : les œuvres complètes des auteurs préférés d'Aidan ; Tom Eliot, MacNeice et Larkin. Une « biographie critique » de Tad soutenue par le British Film Institute et aussi divertissante que la notice d'un lave-linge. Quelques albums de photos : sa propre collaboration avec Capa et Brown – l'époque Magnum. Ah ! Et ça, c'était quoi ? *Manuel pratique de culture physique de l'aviation royale du Canada*, un livre de poche à

43

tranche orange promettant santé, beauté et vie éternelle en échange d'un quart d'heure quotidien où à l'ennui se mêlerait la conscience de sa déchéance. À en croire Tad, qui n'avait jamais fait volontairement de l'exercice physique, rien qu'à le voir dans la bibliothèque, il se sentait plus mince et en meilleure santé. Passé soixante-dix ans, rien ne paraissait plus ridicule que de vouloir se remettre en forme. Non seulement on n'était pas censé s'émouvoir devant le sac à viande en putréfaction que devenait son corps, mais encore il aurait été idiot, sous prétexte que l'on pratiquait quelques contorsions par jour, d'espérer interrompre le processus et éviter la disparition imminente. Allez, ouste ! Ainsi que R. D. Laing, Alan Watts et Carlos Castaneda – des sornettes que Tad avait sans doute ramassées à sa période Haight-Ashbury.

Elle jeta le tout sur le tas des refusés. De toute façon, elle devait faire le ménage dans ces étagères. Ceux-là pouvaient être exemptés de rangement ; ils étaient bons pour le vide-ordures. Elle les fourrerait dans un sac qu'elle placerait près de la porte d'entrée avec un mot pour la bonne, sans oublier la pile des journaux de Noël et du nouvel an – sans intérêt ; s'ils croyaient qu'elle allait même ouvrir un magazine avec la tête de Bing Crosby en couverture ! Et croyaient-ils vraiment pouvoir attirer de nouveaux lecteurs en leur offrant des graines de poinsettia ou de l'aspirine ?

Elle soumit la pièce à un dernier tour d'inspection. La bonne, qu'elle avait envoyée acheter des fleurs, était revenue avec une botte de sinistres lis roses dont les gorges enflammées exhalaient un parfum qui piquait les yeux d'Honor, et qu'elle mit dans un vase à côté de la photographie de Tad. Le guéridon ressemblait à présent à un petit sanctuaire au bord d'un chemin, avec son dernier bouquin, *Dépêches*, en guise de texte sacré : *miserere mei*. Cela dit, un bouquet était susceptible d'introduire une note de féminité dans l'appartement, ce qui n'était pas plus mal. Personnellement, elle ne supportait aucune fleur coupée ; elles lui rappelaient toujours celles des salles mortuaires. Ses amis se seraient bien gardés de lui en apporter, mais, de temps à autre, de nouveaux initiés à ses dîners se pointaient avec des arrangements floraux élaborés destinés à leur gagner ses faveurs. Elle les remerciait avec un enthousiasme forcé et laissait les fleurs à tremper dans l'évier, en déclarant qu'elle leur trouverait un vase... plus tard. C'était toujours la bonne qui les sauvait, coupait leurs tiges et les disposait soigneusement, tout comme c'était elle aussi qui les jetait une fois qu'elles étaient fanées et que l'eau du vase commençait à dégager des odeurs de pissotière.

Honor s'arrêta devant la fenêtre, attirée par un cri perçant qui, telle la plainte d'un oiseau de mer, montait du jardin communautaire en contrebas. Une jeune mère, ou une nounou, poussait un enfant sur une balançoire accrochée aux branches basses d'un platane.

Le jardin privatif, situé à l'arrière de la rangée de maisons, était en principe la propriété des riverains. Mais récemment, le syndic, dirigé par une bande de gens qui n'avaient rien de mieux à faire que se mêler de tout, après une campagne rondement menée par les jeunes couples qui envahissaient le quartier, avait installé cette balançoire, en dépit de la loi séculaire interdisant jeux de ballon et autres amusements.

Le cercle de gazon lépreux était cerné par une clôture en fer forgé noir, qui, telle la cage d'une espèce en voie de disparition, donnait l'impression que tout ce qui se trouvait à l'intérieur était en péril, l'herbe dégarnie, les plates-bandes anémiques, les buissons couverts de suie et le bosquet de bouleaux rachitiques frissonnant à l'ombre de deux grands platanes. Après avoir poussé un deuxième cri – un double coup de klaxon –, l'enfant passa de la balançoire aux bras de sa mère, hors de vue d'Honor. Il ne restait plus beaucoup de temps.

Elle se rendit dans la salle de bains afin de traquer les taches et les mauvaises odeurs ; elle ne souhaitait pas confirmer les idées reçues concernant l'incontinence chez les personnes âgées et savait que, pour une journaliste malintentionnée, un petit saut aux toilettes au milieu d'un entretien pouvait se révéler payant. Même dans les suites d'hôtel impersonnelles, *sans** slip égaré, il y avait des trésors à glaner dans les salles de bains. Elle se rappelait la découverte à Saigon d'un flacon de teinture pour cheveux au bord du lavabo de Nguyen Van Minh, le chef militaire sud-vietnamien avare de confidences. Au-dessus de la cuvette, le dessin de Lowe représentant Honor en jeune Brunehilde traînant Hitler et Staline par les cheveux était inoffensif, ce qui n'était pas le cas du talc pour les pieds et du tube de crème contre les hémorroïdes (encore Tad) à côté de la baignoire, criants de ridicule. Même chose pour le pot de crème pour le visage « Éclat jeunesse », un cadeau d'une cruauté inconsciente, sans doute acheté dans une boutique d'aéroport, par la ravissante filleule de Tad.

L'armoire à pharmacie en particulier pouvait révéler quantité de vérités qu'il valait mieux ne pas divulguer. La sienne contenait des boîtes de cachets obtenus sur ordonnance, des onguents et des produits pour se teindre les cheveux, chacun racontant son histoire sordide. Honor n'était pas certaine que Tamara Sim sache la différence entre les benzodiazépines et la nicardipine, mais qui sait ? Elle fourra le tout dans un sac en plastique et ne laissa visibles que sa brosse à dents (les siennes, même si quelques-unes n'étaient plus que des chicots marron comme du caramel dur), un modeste flacon de parfum, un tube d'aspirine et une boîte de sparadraps.

Il ne restait plus que dix minutes. Elle recommençait à être essoufflée et la douleur devenait plus insistante. Elle alla chercher un verre d'eau, sortit ses cachets et en avala deux. Il eût été plus sage de s'asseoir, mais le moment était venu de passer en revue sa propre apparence. Au point où elle en était, tout ce qu'elle pouvait espérer, c'était paraître propre sur elle et digne. Elle avait jadis eu un faible pour la mode : les coupes osées, les étoffes sensuelles, les couleurs sourdes empruntées à la palette automnale des Highlands, les petits détails qui changeaient tout. À cinquante ans, en contemplant les strates de vêtements tassés dans son dressing de Glenbuidhe, un véritable musée de la mode du milieu du XXᵉ siècle qui moisissait tranquillement dans l'humidité de la campagne écossaise, elle s'était fait la réflexion que même si elle changcait chaque 'our de tenue jusqu'à la fin de sa vie, elle ne vivrait pas assez longtemps pour épuiser tout ce que contenaient ses penderies. La suite avait prouvé qu'elle avait eu tort, puisqu'elle avait largement survécu à sa garde-robe ; la purge, débutée cet après-midi-là, avait été achevée près d'un quart de siècle plus tard par l'incendie. Désormais, dans son unique placard d'Holmbrook Mansions, il n'y avait pas de quoi faire rougir une bonne sœur.

Elle choisit une robe en jersey noire, fraîchement remontée de chez le teinturier : toute droite quoique discrètement drapée, un col carré et des manches qui s'évasaient vers le bas ; portée avec des bas noirs pour cacher ses jambes aussi veinées de bleu que du stilton et des mocassins vernis gris assez larges pour épargner ses oignons. Baissant les yeux sur ses pieds, elle vit seulement des moignons de lépreux. Quel mauvais génie avait bien pu changer la belle Miranda en affreux Caliban[1] ? Tant bien que mal, elle attacha autour de son cou un collier de perles d'eau douce puis à son poignet sa montre en or au cadran entouré de marcassite. Même serré au maximum, le bracelet-montre était aussi lâche qu'une gourmette.

Elle retourna à la salle de bains et scruta le miroir embué de l'armoire à pharmacie. Le seul de tout l'appartement depuis le jour où elle s'était sentie libérée en se rendant compte que le meilleur remède contre la peur de la décrépitude consistait à cesser de se regarder ; elle pouvait toujours se planter devant le portrait monochrome de son époque Marlène

---

1. *In La Tempête* de Shakespeare.

Dietrich et se laisser envahir par les réminiscences. À condition, bien entendu, de s'entourer de quelques précautions. Suivant la lumière, le verre du cadre de la photo risquait de plaquer en surimpression de l'image de beauté insouciante le reflet de la silhouette ratatinée qui était désormais la sienne.

Elle remonta ses cheveux, gris et aussi vaporeux que la fumée d'une cigarette, et se fit un semblant de chignon. Du rouge à lèvres ? De l'ombre à paupières ? Non. Mieux valait affronter l'objectif le visage nu plutôt que grimé comme celui d'un clown par les mains tremblantes d'une malvoyante. Elle prit un flacon de parfum, acheté à Budapest par Aida, dans le placard et en déposa quelques gouttes derrière ses oreilles. Puis elle parfuma la salle de bains. Elle était prête pour l'interrogatoire.

*
* *

Attablée devant un café tiède en face de l'ensemble de belles maisons en brique de style gothique où habitait Honor Tait, Tamara feuilletait une liasse de coupures de presse. Bucknell était en retard. Quand le service photo lui avait annoncé qu'il était le seul photographe disponible, elle n'avait pas caché sa colère. Et Snowdon ? Et Brown ? Lyra Moore allait être livide en apprenant qu'ils avaient confié une mission pour *S\*nday* à ce nul. Tamara avait bien essayé de l'avertir, mais Lyra ne répondait jamais à ses courriers électroniques et, chaque fois que Tamara tentait de la joindre au téléphone, elle était toujours en réunion.

Bucknell, un individu antipathique, bizarre et désagréable, avait toujours les mains moites et ses photos étaient aussi vivantes que des portraits anthropométriques. Elle n'aurait pas pu imaginer pire collaborateur pour un travail aussi délicat que celui-ci.

Elle n'avait aucun moyen de le contacter ; Tamara était encore trop novice au *Monitor* et Bucknell n'était pas assez apprécié pour bénéficier d'un des rares téléphones portables du journal. Elle pouvait toujours trouver une cabine et appeler le service photo. Ils le biperaient (Bucknell possédait au moins un bipeur – celui de Tamara lui avait été volé dans le bus avant Noël) ou bien téléphoneraient à l'éditrice d'Honor Tait pour s'excuser et la prévenir de leur retard. Mais elle passerait sans doute vingt minutes à chercher une cabine, pour s'apercevoir qu'elle avait servi d'urinoir à un ivrogne et que le combiné avait été arraché. Elle maudit Bucknell. D'un autre côté, ce contretemps lui permettait de réviser son dossier.

Honor Tait avait été une journaliste prolifique. Tamara se demanda à quoi ressemblerait dans vingt ans une pochette rassemblant ses propres coupures de presse. Pour le moment, elle était plus astucieuse que prolifique, et s'était spécialisée dans le recyclage de ses articles. Elle avait des leçons d'économie d'énergie à donner au lobby écologiste. Il lui arrivait de réécrire, en se contentant de changer d'angle, le même article quatre ou même cinq fois, si bien qu'elle réussissait à vendre à plusieurs canards son papier en pièces détachées. Son interview de Lucy Hartson, par exemple, lui avait été commandée l'année précédente par *Psst !* et avait été organisée par le service de presse de la télé pour la promotion de la nouvelle série grand public en costumes d'époque, *Lady of Quality*. Bref, un truc tout ce qu'il y avait de plus simple – « J'ai toujours été fan des romans de Georgette Heyer », lui avait déclaré Lucy. « J'ai beaucoup de chance d'avoir travaillé avec des comédiens aussi doués… Ensuite, j'aimerais interpréter un rôle très différent, peut-être dans une série policière. » Tamara avait eu beau insister, l'actrice avait refusé de parler de son ex-petit ami, Tod Maloney, le bassiste narcoleptique des Broken Biscuits, se contentant de déclarer qu'ils « avaient des tempéraments très différents », que « le moment était venu de suivre chacun sa route » et que la rupture s'était faite « à l'amiable » – ce que contredisaient les photos de leur première dispute devant une boîte de nuit de Soho prises le mois précédent par un paparazzi. Pourtant Tamara avait réussi, primo, à en tirer quelques lignes pour un article sur le nouvel appartement de l'actrice à Islington – « La salle de bains, un havre de fraîcheur carrelé de pierre crème avec de belles finitions en acier chromé, s'inspire du décor luxueux d'un spa » – pour les pages immobilier du *Telegraph* ; deuzio, à écrire le texte d'un reportage photo sur les histoires d'amour sulfureuses dans le rock'n'roll pour la rubrique people du *Courier* ; tertio, à allonger la sauce grâce à ce que lui avait confié Lucy Hartson en aparté : elle allait à Los Angeles pour se faire injecter du Botox – « Toutes les stars le font, là-bas, c'est dingue » –, ce qui lui avait permis de remplir une pleine page de l'*Evening Standard*.

51

Le plus juteux dans cette affaire, toutefois, avait été les suites. Avant la publication de l'interview dans *Psst !*, Tamara avait téléphoné à Maloney, en liberté conditionnelle après une descente des stups pendant un de ses concerts. Après quelques compliments flatteurs sur son dernier album, elle l'avait informé que Lucy Hartson leur avait « tout dit » à propos de leur rupture, et lui avait proposé de faire connaître son point de vue. Elle était bien tombée, car il était défoncé, mais plus euphorique que comateux. Il avait parlé pendant quarante-cinq minutes d'affilée. Une fois élaguée, débarrassée des commentaires et des délires paranoïaques les plus criants, l'interview avait fait une double page dans le *Sunday Sphere*, sous l'intitulé UNE SALOPE DE QUALITÉ : *« Lucy m'a brisé le cœur », déclare le pilier du groupe des Broken Biscuits*. Ce papier avait attiré sur elle l'attention de Tim, alors récemment promu au poste de rédacteur en chef du *Sunday Sphere*. Il était à la recherche de « nouveaux talents », lui avait-il confié deux mois plus tard au cours de leur première nuit ensemble, après le succès de FILS DE SUPER-FLIC – elle s'était fait poser un micro sous ses vêtements, avant d'aller proposer du cannabis au fils du préfet de police.

En pensant à Tim, Tamara sentit les larmes lui piquer les yeux. Comme si elle était solidaire, la pluie cinglait les carreaux du café. Ou bien se moquait-elle ? Elle tamponna ses yeux avec une serviette. Son mascara paraissait avoir tenu. Elle retourna aux coupures de presse en se demandant comment les combats de toute une longue vie menée avec intelligence pouvaient se réduire à ces quelques bouts de papier. Honor Tait avait été très belle et, sur les premières photos, prises avec des soldats et des politiciens, elle avait une allure de star et un sourire éclatant. On racontait que, même aujourd'hui, elle aimait exclusivement la compagnie des hommes et supportait mal de côtoyer des femmes. Simon, qui était son rédacteur en chef et son allié à *Psst !*, avait rencontré Tait à un gala de charité, deux ans plus tôt, et prétendait qu'elle avait manifesté à son égard un intérêt qui dépassait le plan strictement professionnel.

« Une vieille bique en chaleur, avait-il précisé à Tamara en apprenant qu'elle allait interviewer Honor Tait. Une mangeuse d'hommes. Plus ils sont jeunes, mieux c'est. Mais elle n'est pas si difficile que ça ; elle m'a fait un de ces gringues ! »

À en croire Simon, elle était plus hautaine que Martha Gellhorn et tellement imbue d'elle-même qu'elle avait fait faire sa photo de passeport par lord Snowdon.

« On la surnomme la Messaline de Maida Vale, avait-il ajouté. Il paraît qu'elle se paie des gigolos. »

Tamara avait froncé le nez – à son âge ? C'était trop dégoûtant –, quoique la référence à Messaline fût curieuse. Était-ce la petite ville portuaire où s'était réunie l'an passé, aux frais de la princesse, la rédaction du *Monitor* ? Honor Tait draguait-elle des éphèbes dans des villégiatures de bord de mer ? Tamara avait décidé que le mieux était de ne pas demander de précisions – dans le doute, abstiens-toi. Autant de temps gagné, et de toute façon les faits parlaient d'eux-mêmes.

« Non ! Elle paie ? Vraiment ?

« —Je t'assure. Comment crois-tu qu'elle ferait, autrement ? »

Tamara avait ri, un peu gênée. Simon aimait les ragots – qui ne les aimait pas ? Il avait toujours des anecdotes amusantes, impossibles à vérifier.

Elle consulta sa montre – toujours aucun signe de Bucknell – et feuilleta de nouveau le dernier livre d'Honor Tait. S'étalant sur une soixantaine d'années, ces articles avaient été écrits pour des journaux dont certains avaient disparu – le *News Chronicle*, *Reynold's News*, *Collier's Weekly*. Ils couvraient la guerre civile espagnole, l'après-guerre à Berlin, la Corée des années 1950, l'Algérie et la Chine pendant les années 1960, le Vietnam pendant les années 1970... Tamara bâilla. L'effet cumulé de toutes ces dates et de tous ces noms de lieu était mortel comme la consultation des horaires de train de l'année dernière.

Se penchant de nouveau sur les coupures de presse, elle fut agréablement surprise de voir qu'il y avait des articles sur Honor Tait et pas seulement des articles écrits par elle. En outre, ils étaient plus courts, plus faciles à lire et à décortiquer, et illustrés de photos. Un portrait de Tait quarante-cinq ans auparavant – sa silhouette de sirène rendait son twin-set sage presque provocant –, après qu'on lui eut remis le prix Pulitzer pour ses reportages sur la libération des camps de la mort nazis. À peu de chose près, l'âge de Tamara aujourd'hui. Il y avait même une photographie antérieure, prise dans un café au bord de la mer ; elle portait un dos-nu et un short minuscule qui mettait en valeur ses jambes de mannequin. L'homme qu'elle interviewait, un officier en uniforme tiré à quatre épingles et qui avait l'air d'un douanier, regardait les genoux d'Honor avec une admiration non dissimulée. On lisait en guise de légende : *La golden girl du journalisme Honor Tait s'entretient avec le gouverneur militaire des îles Canaries, Francisco Franco, deux semaines avant que celui-ci prenne la tête de la rébellion militaire contre le régime, laquelle a déclenché la guerre civile qui a déchiré l'Espagne.*

Sur une autre coupure datant de la même époque, on la voyait sur un hors-bord, la main en visière sur les yeux, scrutant l'horizon, son bikini blanc rehaussant son bronzage, un éclat de rire découvrant des dents parfaites, ses cheveux blonds flottant dans le vent tandis qu'elle se tenait à la barre au côté du « fils de l'ambassadeur américain, Joseph Patrick Kennedy, Jr ».

Sur les pages mondaines jaunies, des coupures aussi friables que du papyrus, elle figurait auprès d'Ava Gardner, Rita Hayworth et Jane Russell, et avait été photographiée dans des réceptions à Hollywood et lors de premières à Broadway. Sur l'un des clichés – scintillant, pris au flash, noir et blanc –, elle sortait d'un restaurant de Bel Air avec « les jeunes mariés Arthur Miller et Marilyn Monroe ». Au premier coup d'œil, il n'était pas évident de savoir qui de ces deux femmes ravissantes était la déesse du grand écran et qui était la reporter intrépide.

On disait qu'elle était sortie avec Sinatra – il y avait une photo d'eux, « s'offrant un dîner intime », qui paraissait aussi peu naturel et aussi lisse qu'une photo de plateau des années 1950. Elle était vêtue d'un corsage imprimé de fleurs blanches et ses lèvres humides s'ouvraient en un sourire délicieux alors qu'il lui murmurait quelque chose à l'oreille. Liz Taylor comptait parmi ses amies, grâce au troisième mariage de Tait avec Tad Challis, le réalisateur américain de comédies très british, dont le public avait naguère raffolé mais que l'on ne donnait plus guère dans les salles obscures. Elle avait passé des vacances avec Noureev, fait la fête avec Picasso, elle avait été photographiée, rieuse, prenant une cigarette un peu trop dodue pour être honnête, dans un club de jazz, à Paris, au milieu d'un groupe d'amis qui comptait Louis Armstrong, et, moulée dans une robe de satin – *Un gros QI en robe décolletée*, commentait la légende –, blottie contre Orson Welles pendant une soirée orgiaque d'Hollywood.

Avec Hollywood, Tamara se sentait en territoire connu. Ses connaissances en la matière, son diplôme d'études médiatiques et des nuits entières, sinon des week-ends passés à regarder de vieux films en noir et blanc à la télé allaient finalement payer. Même à *Psst !*, le collège des érudits en télé, pop et cinoche, elle était considérée comme la dépositaire d'un savoir précieux – elle avait écrit son mémoire sur la comédie romantique hollywoodienne, elle en savait long sur les arcanes du showbiz et pouvait prétendre au titre de grande prêtresse de la rubrique potins. Impossible de survivre une semaine à *Psst !* si l'on n'avait pas une maîtrise plus qu'honorable de la culture populaire contemporaine, mais Tamara, quant à elle, avait sur ces sujets de véritables antennes. Elle en savait plus long sur la vie privée des stars – les rivalités chez les Spice Girls, la liaison tempétueuse de Madonna avec Carlos Leon et ses colères au cours du tournage d'*Evita*, ou encore la maladie de peau de Michael Jackson et sa récente union avec une infirmière moche – que sur la vie de ses proches.

On aurait dit qu'elle absorbait ces informations par une sorte d'osmose ; il lui suffisait, chez le marchand de journaux, de poser les yeux sur la rangée bigarrée des magazines TV et people pour que leur contenu se transvase aussitôt en totalité dans son hippocampe. Qui sortait avec qui ? Qui allait décrocher tel ou tel rôle dans tel ou tel film ? Qui ferait mieux de suivre une cure de désintoxication ? Qui était en train d'en suivre une ? Qui s'était fait faire un lifting ? Qui aurait dû s'en faire faire un ? Qui était gay mais n'avait pas encore fait son « coming out » ? Qui était secrètement hétéro ? Voilà ce qui non seulement alimentait ses conversations avec ses amis et collègues mais aussi rendait son travail divertissant, voire passionnant. Son expertise était appréciée à sa juste valeur et à *Psst !* plus que dans n'importe quel journal jusqu'ici, elle était parvenue à associer son plaisir personnel à sa vie professionnelle.

Outre la rédaction du top 10 (« Les dix meilleurs/Les dix pires ») et des comparatifs du style « Ce qui est branché/Ce qui est dépassé », « Ce qui monte/Ce qui descend », « Bonne semaine/Mauvaise semaine », elle révisait les copies de ses confrères et consœurs, inventait des lettres de lecteurs quand ils n'en avaient pas reçu ou quand les vraies étaient trop idiotes pour être publiées, légendait les photos de stars avinées grimaçant sur le seuil des boîtes de nuit. Et, de temps en temps, Simon lui refilait une interview.

*Psst !* était plutôt cool au sujet des notes de frais, des appels téléphoniques personnels, de la papeterie, des ordinateurs pour lesquels ils avaient une réserve inépuisable de disquettes, de l'usage du fax, de la photocopieuse, de la banque de données d'articles de presse (l'équivalent d'un passe 24/24 à la Bibliothèque nationale), ou encore de la cantine (où Tamara dînait parfois sous prétexte qu'elle faisait des heures supplémentaires). Il était également indispensable que les collaborateurs aient des liens étroits entre eux et puissent élargir leurs réseaux de relations. Il était donc aussi important de passer du temps au bar du pub après le travail que d'être vu pendant la journée derrière son bureau.

La commande de *S\*nday* était la preuve que l'assiduité au bureau servait à quelque chose. Elle avait reçu un mot très agréable de Johnny, le rédacteur en chef de la rubrique people, la complimentant sur son top 10 des coiffures shag dans les séries et, le mois précédent, il l'avait invitée à lui remettre sur le pouce la tribune de *Me2* – huit cents mots sur le « comment » et le « pourquoi » à pondre en quarante-cinq minutes chrono en y joignant un photomaton couleur de sa trombine, tout ça parce que la journaliste attitrée, Liselotte Selsby, l'experte en matière de séries, une soi-disant intellectuelle (elle avait un jour claironné que *Les Damnés de la terre* était son livre de chevet) abusait de la cocaïne et n'avait pas rendu sa copie. Une tribune signée Tamara Sim en bonne place dans le journal où on la payait grassement pour remuer des idées d'un cœur léger en jouant avec les mots, c'était pour elle l'apothéose de sa carrière de journaliste, et elle espérait qu'elle deviendrait une rubrique hebdo-madaire de *Me2*.

Hélas, Johnny n'avait pas pu la caser dans le jour-nal, pour la simple raison que Selsby, ou plutôt celle qui écrivait ses articles à sa place, s'était repentie de son absentéisme et mise à respecter scrupuleusement les délais. Mais ces choses-là ne passant pas inaperçues, la réputation de Tamara avait grimpé de quelques degrés et finalement atteint, au-dessus de l'étage du rédacteur en chef de la section people, celui de *S\*nday*, tout là-haut dans le penthouse du *Monitor*. Lyra Moore cherchait sans doute une plume capable d'alléger un sujet potentiellement mortel ; car quelle personne saine d'esprit pourrait s'intéresser aux mémoires d'une vieille qui avait vu la guerre du Viet-nam ? Simon avait dû chanter les louanges de Tamara à la conférence de rédaction, à moins que Johnny n'ait émis quelque compliment sur son top 10 des coiffures shag à portée de voix de Lyra.

Il y avait des inconvénients à son job ; il était pré-caire, elle ne pouvait pas y développer tous ses talents et le salaire était une misère – les rémunérations des pigistes comme des salariés au *Courier*, le principal rival du *Monitor* sur les stands des quotidiens, étaient royales, en comparaison. Seuls *S\*nday* et les tabloïds – *The Sun*, *News of the World*, *Sunday Sphere* et *The Daily Mail* – payaient autre chose qu'un dédommage-ment. Obtenir un poste dans n'importe lequel de ces canards reviendrait à gagner à la Loterie, et, jusqu'au courrier électronique de Lyra Moore, elle n'y pensait même pas. Un travail régulier et bien payé, et la vie de Tamara serait transformée. Ainsi que celle de son frère. Comme toujours dès qu'elle pensait à lui, elle sentit l'angoisse monter. Il n'avait pas donné signe de vie depuis deux semaines. Et le silence, chez Ross, était rarement d'or. Il allait falloir qu'elle aille le voir dans son sinistre logement social. De sa part, le désir de résoudre les problèmes de son frère n'était pas totalement altruiste. Elle n'avait pas envie de passer son temps à se ronger les sangs.

La pluie s'était arrêtée. Si le photographe n'arrivait pas tout de suite, la vieille dame risquait d'annuler purement et simplement le rendez-vous. Tamara était convaincue que le service photo lui envoyait Bucknell parce qu'elle travaillait pour *Psst !*, que snobait la majorité des journalistes du *Monitor*. Mais elle était coûte que coûte solidaire du magazine et de son supérieur hiérarchique, Simon Pettigrew, un patron idéal devenu un ami. Il avait démarré comme reporter spécialiste du showbiz, et s'était taillé une réputation de type sympa qui ne ferait jamais d'entourloupes sous son nom propre. Depuis, après un incident embarrassant impliquant la maîtresse d'un rédacteur en chef, il avait été blacklisté dans tous les grands journaux d'Angleterre mais avait toujours trouvé le moyen, grâce à son charme, de se refaire une place au soleil. Il avait tenu des chroniques, des rubriques, des colonnes, il avait été rédacteur en chef délégué, directeur éditorial, responsable de la publicité, directeur du personnel et chef de projet. D'allure juvénile, un James Stewart au menton fuyant qui avait des poches sous les yeux et bégayait avec un accent à la Bertie Wooster, il était enclin à avoir des accidents et faisait rire les gens. Leurs relations étaient chastes – la vie amoureuse de Simon était assez compliquée comme cela et Tamara ne l'avait jamais trouvé séduisant, même le soir où elle avait été ivre morte après son premier cocktail avec ses collègues de la rubrique people. Elle n'était pas non plus son type, sans aucun doute. Il aimait les femmes dangereuses. Et riches.

Cela dit, il était devenu son mentor, passant généreusement l'éponge sur le fait qu'il l'avait engagée par erreur, ayant pris *Dans la boîte* pour un magazine de potins sur la télévision[1]. Il lui avait appris davantage sur le journalisme et la gestion complexe des notes de frais qu'elle n'avait pu le faire en trois ans d'études supérieures et en pas mal d'années passées dans le monde du travail. Par ailleurs, il avait été très gentil avec elle au moment de l'affaire Tim, la renvoyant chez elle en taxi après qu'elle eut passé la matinée à pleurer dans le bureau. En dépit de sa relative jeunesse, il semblait avoir adopté Tamara comme confidente de ses turpitudes sentimentales dont il lui exposait de long en large les péripéties et les conséquences.

Ce n'était pas un rôle difficile. Il ne lui demandait pas son avis. Tout ce qu'elle avait à faire, c'était l'écouter en s'efforçant de ne pas bâiller, et encore moins de rire. En outre, elle possédait un autre talent extra-journalistique qui lui plaisait beaucoup : elle était capable de forger des faux en écriture. En réalité, cela relevait de la patience plutôt que d'un don pour l'imitation en calligraphie. Tous les mois, Tamara rentrait chez elle avec une grande enveloppe en papier kraft pleine de reçus vierges, récoltés par

1. *The box* : argot pour poste de télévision.

61

Simon auprès de chauffeurs de taxi, de restaurateurs et d'hôteliers accommodants, et, armée d'un assortiment de stylos, de feutres et de crayons de couleur, elle passait plusieurs soirées à les remplir, inventant des courses en taxi, des repas pantagruéliques, d'excellentes bouteilles de vin pour des « sources » imaginaires, en prenant soin de varier, passant des arabesques penchées en avant aux pattes de mouche penchées en arrière. Elle trouvait cette occupation délassante et Simon lui en était si reconnaissant qu'il signait ses notes de frais à elle sans même y jeter un regard.

Elle feuilleta de nouveau le dossier de Tait. Il y avait là plus d'horreur que de glamour, des reportages rageurs depuis le front, sans un pet d'humour, sans ragots. Honor Tait avait, apparemment dans un accès de masochisme, quitté le confort matériel extravagant de Beverly Hills pour dormir à la dure avec les GI à Quang Tri. Des récits qui vous soulevaient le cœur – enfants brûlés, jeunes soldats mortellement blessés –, et puis les statistiques, litanie prévisible, analphabétisme en Inde, mortalité infantile en Afrique. Après quoi ses papiers dans la presse quotidienne se faisaient plus rares, remplacés par de longs articles dans les magazines.

Pour *Time Magazine*, elle avait fait un reportage sur un orphelinat allemand ; dans les pages de *Granta*, elle avait fulminé contre les changements qui affectaient le grand reportage, puis elle en avait été réduite à faire des critiques, d'une longueur invraisemblable, d'ouvrages sur la Seconde Guerre mondiale, le Vietnam et la Corée pour la *New York*

*Review of Books*. Pour le *New Yorker*, elle avait pondu un truc encore plus long, heureusement ponctué de petits dessins d'outils de jardin et de chiens, sur un homme politique américain à la calvitie dissimulée par une mèche de cheveux ramenée sur le crâne appelé McGovern et avait pris parti pour l'écrivain irlandais Dominic Behan dans l'affaire de plagiat qui l'avait opposé à Bob Dylan. Bob Dylan ! Le nom du chanteur sauta aux yeux de Tamara comme un visage amical dans la foule d'une heure de pointe.

Des coupures plus tardives estampillées de la photo d'Honor Tait provenaient de revues encore plus prestigieuses, sans illustrations, où d'énormes pavés – des réflexions sur l'Asie, le Moyen-Orient et l'Amérique latine – étaient entrelardés de strophes énigmatiques portant la signature de poètes obscurs. Enfin, se dit Tamara, tous les poètes étaient obscurs. Faudrait-il, pour son article, qu'elle potasse en plus la poésie ? Ou au moins qu'elle fasse semblant ? Honor Tait avait la réputation de fréquenter les artistes.

Dans une chronique des années 1960, on la voyait, élégante et majestueuse en manteau de fourrure et chapeau, parmi un groupe d'hommes souriants en complet, fades comme des banquiers, dans le bureau d'une maison d'édition. L'un d'eux, révélait la légende, était T. S. Eliot. Au moins Tamara, qui était fan de comédies musicales, avait-elle entendu parler de celui-là, puisqu'il était l'auteur de *Cats*. Toujours est-il que la perspective d'avoir à plancher sur la versification ancienne et l'histoire de conflits tout aussi antiques ne la réjouissait aucunement.

Toutefois, cela allait sans doute se révéler nécessaire. *S\*nday* faisait travailler de grands écrivains et hissait très haut le niveau de la barre culturelle. « L'éthique du *S\*nday* », avec quelle piété grave Johnny avait prononcé ces mots, elle en frémissait encore. Serait-elle capable de saisir le ton du magazine, tout à la fois révérencieux et d'un scepticisme hautain, saupoudré de vocables compliqués et de mots étrangers en italique ?

Même les pubs dans *S\*nday* étaient intimidantes : austères natures mortes de montres serties de joyaux sur des poignets délicats, photographies léchées de voitures aussi grosses que des chars perchées tels des bouquetins dans de grandioses paysages de montagne. On disait qu'il s'agissait d'une revue pour écrivains écrite par des écrivains et qu'il ne fallait en aucun cas s'attendre à être diverti. Tamara, quant à elle, avait, en la lisant, l'impression qu'il fallait se conformer à une sorte de code vestimentaire, « chic décontracté ». Elle n'envisageait pas de gaieté de cœur – même s'il y avait à la clé une hausse de salaire appréciable – de se plier sur un rythme hebdomadaire à ces cours de perfectionnement. Car Tamara, même si elle ne s'était jamais considérée comme un écrivain pour écrivains (mais plutôt comme un écrivain pour lecteurs), n'avait pas peur des mots. Ils figuraient, dans le barda du reporter, au titre d'armes indispensables.

Elle avait l'*Oxford English Dictionary* de sa mère, pillait régulièrement le *Roget's Dictionnaire des synonymes* et, ayant dans son enfance guerroyé contre son frère au Scrabble, elle collectionnait les mots, les notait dans son bloc-notes, se délectait de leur originalité et tentait de les glisser dans ses papiers ou, plus fréquemment, dès que les secrétaires de rédaction sans inspiration avaient le dos tourné, dans ses classements et ses comparatifs. La semaine dernière seulement, elle était tombée sur « transgressif » (dans le compte rendu d'un procès pour meurtre qui avait exercé sur elle une fascination morbide), « crépusculaire » (dans un papier fashion chichi sur les paillettes), « chtonien » (dans le dernier album de Tod Maloney, *Chtonic the Hedgebog*) et « herméneutique » (dans une manchette qui lui avait accroché l'œil sur la page musique consacrée aux Spice Girls).

Lectrice assidue de romans policiers bien ficelés et de romans à l'eau de rose, ainsi que de quantité de journaux et de magazines, dotée d'un esprit curieux, d'un vocabulaire assez riche et d'un certain bagage intellectuel – un bac option théâtre et français (qu'elle avait eu l'occasion d'approfondir pendant son séjour à Lyon comme jeune fille au pair chargée d'un pré-ado hystérique qui s'automutilait) et une licence en arts médiatiques (elle avait loupé d'un cheveu la mention bien) –, connue pour son humour malicieux, ses bons mots cinglants et sa connaissance encyclopédique des peccadilles intimes des principales icônes de la fin du XXᵉ siècle, Tamara était toute désignée pour rejoindre l'équipe de *S\*nday*. Lyra Moore, rédactrice en chef au service des écrivains sérieux, séduite par sa pêche et son côté gavroche dont le magazine *S\*nday* était sacrément dépourvu, avait flairé chez elle du potentiel et était prête à lui donner sa chance.

Au bas de la pile des coupures de presse, il y avait un portrait, vieux de dix ans et plein de respect, extrait du défunt *Sunday Correspondent*. Tamara n'avait pas le temps de le lire en entier, mais vers la fin elle découvrit une série de faits bruts relatifs à la biographie de Tait présentés de manière fort commode en style télégraphique. « Enfance : château dans les Highlands ». Ah, une aristo ! « Formation : préceptrice à la maison, puis pensionnat catholique en Belgique, internat en Suisse et études à la Sorbonne. » Une aristo catholique qui parlait français. « Expérience professionnelle : *Agence France-Presse*, *L'Express*, *Collier's Weekly*, *Der Spiegel*, *Picture Post...* » Une aristo catholique polyglotte pourvue d'un bon carnet d'adresses. « Mariage : trois. Le marquis Maxime de Cantal, agent artistique de théâtre belge ; Sandor Varga, éditeur hongrois, et Tad Challis, réalisateur américain. » Une mangeuse d'hommes, Simon n'avait pas menti ; et pour trois maris, combien d'amants ? Trente au moins.

Quant aux citations d'Honor Tait, il n'y en avait aucune qui fût intéressante, hormis des prêchi-prêcha du style : « Grâce à l'observation patiente, à l'accumulation méticuleuse de détails et à une soif inextinguible de vérité, vous comprendrez tout. Le devoir d'un reporter est de défendre les faibles et de sonder les recoins les plus sombres de l'humanité. » Pompeux, en plus.

Le prétexte, abscons, de ce profil était la publication d'une des dépêches de Corée de Tait dans une anthologie au titre répulsif : *Les Classiques du grand reportage*. Pas étonnant que le *Sunday Correspondent* ait coulé.

Elle avait aussi sous la main un article plus récent, vieux de sept ans seulement, du *Monitor* : LA MAISON D'UNE GRANDE JOURNALISTE INCENDIÉE. La maison en question, qui n'avait rien à voir avec l'appartement de Londres, était en fait un ancien pavillon de chasse du fameux château en Écosse où elle avait passé son enfance. Le pavillon, à cause d'un court-circuit, avait brûlé jusqu'aux fondations. Une photo ancienne montrait une maison de belle taille bien entretenue – trois étages, rehaussés d'un étage sur les côtés –, peinte en blanc, sauf les fenêtres et la porte d'entrée cintrée en noir. Si ça c'était un pavillon, qu'est-ce que devait être le château ! Quelles que soient les conclusions que l'on puisse tirer à propos de la vie d'Honor Tait, ce n'était pas le récit d'une ascension sociale. Sur la seconde photo, plus récente, on ne voyait plus qu'un mur carbonisé troué d'une fenêtre sans vitres tel un œil crevé levé vers le ciel au milieu d'un champ de cendres et de bois charbonneux évoquant les images d'une catastrophe nucléaire.

Cet article ne citait pas non plus Tait, quoiqu'il fût spécifié qu'elle était soutenue dans cette épreuve par son troisième mari, Tad Challis, réalisateur de comédies cultes dont *The Pleasure Seekers* et *Hairdresser's Honeymoon*. Selon une « amie » bien utile, elle vivait une « tragédie ». Tamara observa derrière la fenêtre les façades bourgeoises d'Holmbrook Mansions, de l'autre côté de la rue. Elle avait consulté les vitrines des agences immobilières du quartier : ces appartements se vendaient à prix d'or. Honor Tait avait peut-être été anéantie par l'incendie de sa maison de campagne, mais elle était loin d'avoir tout perdu. Elle n'avait pas sombré de la richesse à la pauvreté.

Quelques autres articles, plus courts, donnaient une vague idée du tour qu'avait pris la vie d'Honor Tait, ces dix dernières années. Elle était mentionnée en passant dans les journaux d'actualité comme militant dans les groupes de pression au Parlement pour le droit des enfants, contre l'exploitation des travailleurs du tiers-monde et le trafic sexuel ; elle avait été ambassadrice de bonne volonté de l'ONU pour les réfugiés et, à ses moments perdus, participait à la promotion de livres, assistait à des vernissages, à des premières théâtrales en compagnie d'écrivains, d'artistes et de comédiens, tous masculins, en majorité jeunes et très séduisants. Il y avait un bon nombre de photos de Tait prises lors de ces événements, le dos voûté mais royale, la prunelle fixée sur l'objectif, la flûte de champagne levée juste ce qu'il fallait, entourée de beaux acolytes. « La doyenne des journalistes », c'était en général sous cette étiquette qu'elle était présentée, quoique le *Mail* préférât « la chérie des dîners en ville ». Un an plus tôt, elle était passée à la télévision (Tamara avait reçu la vidéo mais n'avait pas encore eu le temps de la regarder) et l'émission avait été annoncée par le communiqué de presse de son éditeur sous le titre : L'HONNEUR MÉRITÉ D'HONOR TAIT.

Pour *Vogue*, Annie Leibovitz avait fait d'elle un portrait en noir et blanc dans une pièce tapissée de livres, l'air d'une vieille dame furieuse d'avoir été dérangée par une intruse qui, si elle avait eu un peu de jugeote, aurait décampé sur-le-champ. L'article, une série sur les « salons littéraires », présentait aussi un poète qui organisait sur Primrose Hill des pique-niques hebdomadaires où on lisait de la poésie et un couturier qui, dans son entrepôt au bord de la Tamise, recevait des artistes à qui il offrait « gâteaux et conseils ». Honor Tait était décrite comme « une Mme de Staël des temps modernes », qui avait ras-semblé autour d'elle un groupe d'admirateurs comp-tant parmi « les jeunes gens les plus dynamiques de la scène artistique britannique ». Ils se retrouvaient le dernier lundi de chaque mois et se faisaient appeler, tournant en dérision le groupe de réflexion conserva-teur du même nom, le Monday Club. Les discussions orchestrées par Tait, « doyenne des journalistes bri-tanniques, amie des plus grandes stars d'Hollywood, jadis muse des plus célèbres artistes du XX$^e$ siècle », allaient « d'Hegel à la musique concrète, de l'intérêt d'une monnaie unique européenne à l'avenir de l'intelligence artificielle ».

Tamara but une gorgée de café, à présent tiédasse, en espérant que, outre la poésie, la politique et l'his-toire, aucun de ces sujets ne viendrait sur le tapis pendant son interview.

*

* *

La petite était en retard. Honor alla se chercher un petit verre, s'installa dans le fauteuil et ramassa la chemise en plastique que Ruth lui avait fait parvenir par coursier : le dossier de presse de celle qui devait l'interviewer. Était-ce pour la rassurer, pour lui montrer que cette journaliste n'avait pas la plume assassine,

69

qu'elle ne profitait pas de toutes les occasions pour tourner en ridicule les gens dont elle faisait le portrait ? Honor renversa le contenu de la chemise sur ses genoux. Ces coupures étaient-elles des originaux ou des photocopies couleur ? Difficile à dire. La technologie avait progressé à un rythme effréné depuis le temps de sa petite machine à écrire portable Olympia, du papier carbone et des téléphones mastoc avec leurs cordons aussi tire-bouchonnés que des cordons ombilicaux.

Ses propres coupures, découpées et collées au fil des ans par une kyrielle de secrétaires dans d'énormes albums à couverture rouge – en tout quatorze volumes d'articles, reportages, carnets mondains, interviews –, occupaient autrefois autant de place dans la bibliothèque qu'un grand dictionnaire encyclopédique. Car, comme tout le reste, elles étaient parties en fumée dans l'incendie de Glenbuidhe. Les archives des journaux les conservaient dans des enveloppes en papier kraft avec une étiquette indiquant le nom de l'auteur. Il vous suffisait de secouer l'une de celles-ci pour vous rappeler que vous étiez mortel ; quelques mois après la publication, les coupures n'étaient plus que des bouts de papier jauni, une poignée de feuilles sèches.

Alors, qu'en était-il de ce dossier aussi maigre que bigarré ? Une coupure d'un journal TV, l'interview d'une jeune actrice inconnue d'Honor mais qui, d'après l'article, s'était fait remarquer pour s'être déshabillée entièrement dans une adaptation télévisuelle récente d'un roman historique insipide et avoir rompu en public avec la pop star tatouée avec laquelle elle sortait. Sur la photo, la comédienne, une blonde au corps de liane, était adossée à une cheminée en marbre. On devinait son désespoir, sa folle envie de plaire, dans son sourire forcé et les petites rides à peine visibles au coin de ses yeux. Elle avait l'air fatiguée, vidée, usée. Il y avait aussi le portrait de la journaliste ; un photomaton de la taille d'un timbre-poste, une blonde au nez pointu qui fronçait les sourcils en rongeant un stylo pour se donner une contenance. Elles étaient toutes blondes, aujourd'hui. Cette petite ressemblait à un rongeur, non ? Une caricature d'un de ces charmants animaux de Beatrix Potter ? Tamara Trotte-Menu. Ou était-elle plus perverse ?

Parmi les coupures, elle trouva une double page sur la « *café culture* » londonienne, une autre sur le « *flyposting* », le collage d'affiches publicitaires pour des boîtes de nuit sur des supports interdits : réverbères, palissades… présentée dans le chapeau comme « une enquête en profondeur de notre reporter Tamara Sim ». Hum, pas tout à fait le Watergate. Les yeux d'Honor se fermèrent et sa tête plongea en avant, irrésistiblement : elle était gagnée par le sommeil.

Quelques minutes plus tard, la plainte d'une alarme de voiture la réveilla. Elle jeta un coup d'œil à l'horloge. Cette petite avait un certain toupet d'être aussi en retard. En se massant les tempes, Honor regarda de nouveau les articles sur ses genoux. Le même portrait d'idiote illustrait « La tribune de Tamara Sim ». Huit cents mots, dont un grand nombre en lettres capitales séparés par des paquets de points d'exclamation, commentant l'intrigue d'un soap opera, les frasques de stars du football et le

« problème numéro 1 de notre époque », qui n'était apparemment ni la pauvreté dans le tiers-monde ni les risques d'extension du sida, mais « la pénurie à Londres de célibataires masculins corrects, fiables et sexy ». Il y avait longtemps qu'Honor était revenue de la frivolité de la presse. Mais que cette petite-là ait été choisie pour l'interviewer, ça, c'était inconcevable.

## 3

TAMARA SURSAUTA AU BRUIT D'UN POING tapant de l'autre côté de la vitre. Bucknell était arrivé, essoufflé. Elle le regarda entrer, furieuse.

« Où t'étais ?

— Un autre boulot. Pour le desk.

— Le desk ? Mais ça, c'est pour le magazine ! Pour S*nday ! C'est prioritaire.

— Essaie de leur dire ça, au service photo. »

Secouant la tête d'un air désapprobateur, elle ramassa le bouquet de lis rose Barbie qu'elle avait acheté au supermarché du coin de la rue, histoire de se faire bien voir. Elle ferait passer ça en note de frais (et si elle ajoutait la facture des roses rouges qu'elle avait fait envoyer à *Sphere* pour Tim, elle y gagnerait). Ils gravirent en silence l'escalier du perron.

Elle frissonna et se rassura en se disant qu'elle s'en tirerait très bien en se servant des ficelles du métier qui avaient fait leurs preuves. Avant tout, il fallait de la méthode. Parler avec elle, s'informer sur son milieu familial, ses amours, les célébrités qu'elle avait côtoyées, Sinatra, Liz Taylor, des noms qui faisaient tilt, qu'il suffirait ensuite d'assaisonner de références culturelles (Picasso, un must pour les lecteurs de S*nday, et Marilyn, idolâtrée par les snobs comme par les ploucs) et de couleur locale (description de son apparence physique, de son appartement) : à cela, ajouter entre guillemets les commentaires des amis de Tait qu'elle serait parvenue à persuader de participer et emballer le tout entre deux courts paragraphes de son propre cru. Ce serait bien le diable si, avec l'aide de son dictionnaire des synonymes, elle ne dénichait pas quelques mots savants, et grâce au Larousse un peu de français pour faire bonne mesure. Ce n'était pas plus compliqué que ça, une fois qu'on avait réussi l'entrée en matière. Tamara était déjà en train de cogiter sur son premier paragraphe.

> *Avec trois quarts d'heure de retard, nous sommes arrivés à bout de souffle devant le luxueux immeuble où loge Honor Tait. La doyenne des journalistes britanniques nous a aussitôt mis à notre aise.*

Bucknell poussa la porte tambour d'Holmbrook Mansions et, roulant des épaules dans sa veste en cuir, se dirigea sans hésiter vers la réception. Le portier, qui, dans sa livrée, ressemblait à un dictateur sud-américain en pleine déconfiture, leur indiqua l'ascenseur.

« Merci, mon vieux », lui lança le photographe, hautain, en lui montrant ses pouces levés.

Tamara lui emboîta le pas à regret et pria le ciel que le portier ne les ait pas pris pour un couple. Un silence hostile les accompagna jusqu'au troisième étage. Elle eut beau retenir sa respiration, dans l'atmosphère confinée de l'ascenseur l'odeur âcre de tabac froid qui se dégageait de chaque pore de la peau du photographe la prit à la gorge. Dans le couloir, ses talons claquèrent solennellement sur le dallage. Une fois devant la porte, elle le devança et appuya sur la sonnette. En attendant que la vieille dame leur ouvre, Tamara récrivit son intro.

*Avec un quart d'heure de retard, nous sommes arrivés assez confus sur le seuil du somptueux appartement d'Honor Tait. La doyenne des journalistes britanniques nous y accueillit avec un charmant sourire.*

Un cliquetis de chaînes et de verrous précéda l'ouverture de la porte sur une femme plus petite et plus frêle qu'elle ne paraissait même dans ses photos les plus récentes.

« Vous êtes en retard », laissa-t-elle tomber.

Tamara se tourna d'un air de reproche vers le photographe, lequel se mit à tripoter les rabats et les boucles de son sac.

« Je suis désolée, répondit Tamara en adressant à la vieille dame un sourire penaud. Il y avait des embouteillages dans St John's Wood. On a essayé de vous appeler… »

Elle lui tendit son bouquet, qu'Honor Tait prit en soupirant.

« Bon, puisque vous êtes ici, entrez. »

Ils suivirent son dos voûté dans le couloir, enjambèrent un tas de vieux journaux et un cabas de supermarché rempli de bouquins. Sous sa robe de veuve méditerranéenne, sa colonne vertébrale pointait comme les vertèbres d'un animal marin préhistorique.

*Le temps d'arriver à l'appartement défraîchi d'Honor Tait, nous avons cinq minutes de retard et la doyenne des journalistes britannique nous dévisage sévèrement.*
*« Savez-vous que vous êtes très en retard ? »*

La vieille dame les fit entrer au salon puis, les laissant plantés là, disparut dans la cuisine avec les fleurs. Un appartement de personne âgée, sans l'ombre d'un doute – décor vieillot, encombré et un peu sale. Ou était-ce l'odeur de la mort ? Tamara, déjà au travail et tous les sens en éveil, piqua droit sur la bibliothèque et examina les photographies. Pas vraiment des photos de famille. Ni enfants en uniforme d'école au sourire édenté, ni lauréats coiffés du traditionnel chapeau carré plat en équilibre sur une coupe de cheveux moins classique. Il y avait là surtout des photos d'Honor Tait, datant de Mathusalem. À cet instant, la vieille dame revint et lui indiqua d'un geste brusque un fauteuil couvert d'une housse. Non sans avoir rabattu par-derrière sa jupe contre ses cuisses, Tamara s'assit avec un petit sourire qu'elle s'imaginait évoquer le charme de femme soumise de lady Diana avant son divorce. Honor Tait, de ses mains aussi maigres et tordues que des pattes de poulet, empoigna les bras du fauteuil en face de celui de Tamara et entreprit de s'y asseoir tout doucement.

Dans le dos de la vieille femme, une grande fenêtre flanquée de rideaux en velours vert bâillant sur leurs anneaux donnait sur l'immeuble d'en face et sur la cime d'arbres dépouillés de leurs feuilles.

*Dans le jardin en contrebas, les branchages dénudés par l'hiver oscillent dans le vent comme les bras des orphelins jadis décrits d'une plume alerte par la doyenne des journalistes britanniques.*

Il fallait qu'elle le note tout de suite. Tamara plongea la main dans son sac et, après en avoir brassé le contenu à grand bruit, en sortit son stylo, son bloc-notes et un dictaphone.

Honor la fixait intensément en plissant les paupières, sans cacher son scepticisme. Un bien grand sac, aussi vaste et profond que la valise de Gladstone[1], pour une si petite jeune femme. Elle avait besoin de tout ça... Cette miss Sim n'était pas désagréable à regarder, même si elle avait presque de l'embonpoint et si l'on voyait les racines foncées de ses cheveux. Elle était plutôt jolie même, dans un style pincé, les seins impertinents à l'étroit sous son corsage, elle devait plaire à des hommes à la sexualité peu raffinée.

Entendant un bruit de toux discrète, Honor leva les yeux. Le photographe était toujours campé devant

---

1. Célèbre mallette rouge dont le chancelier de l'Échiquier se sert pour transporter son projet de budget jusqu'à la Chambre des communes.

elles, essayant de capter l'attention qu'il ne méritait pas, simple figurant qui avait la prétention de s'accaparer le premier rôle. Honor le toisa d'un air irrité.

« Oui ? »

Il se mit à danser d'un pied sur l'autre comme s'il s'essuyait les pieds après avoir marché sur une crotte de chien.

« Je vais vous prendre en train de discuter toutes les deux, si c'est OK pour vous.

— Ce n'est pas *OK* pour moi », riposta la vieille dame.

Tamara ouvrit son bloc-notes et lança un regard outré à Bucknell. Si c'était une question de prix et si le service photo tenait absolument à employer quelqu'un de la maison, pourquoi ne pas lui avoir envoyé Tom, qui, au moins, était sympa et poli, et, en bon Irlandais, savait par la flatterie charmer n'importe qui ? Ou alors la timide Milly, l'héritière d'une grande famille de brasseurs qui s'aplatissait devant tout le monde, y compris Tamara ? Tom n'aurait pas snobé le portier, et Honor Tait n'aurait pas été tentée d'annuler l'interview avant qu'elle ait commencé si la petite Milly avait été ici, rouge écrevisse, se confondant en excuses.

« Qu'on en finisse tout de suite, puis vous pourrez partir », continua Honor Tait.

Bucknell découvrit ses dents jaunes dans un sourire abject, installa son pied photo et ouvrit son parapluie réflecteur d'un coup sec.

« N'en faites pas trop, dit Honor. Toute cette panoplie. Des objets fétiches, c'est tout ce que c'est. Inutiles. Vous n'êtes pas Cartier-Bresson. Prenez

78

votre appareil, appuyez sur le bouton et qu'on n'en parle plus. »

À la fois détendue et ragaillardie par la déconfiture de son collègue, Tamara nota en douce :

*« Vous vous fichez du monde ? » nous lance d'un ton peu amène Honor Tait, la doyenne des journalistes britanniques, ex-femme fatale et amie des stars, lorsqu'elle nous ouvre la porte de son appartement somptueusement lugubre.*

Le photographe se frotta les mains et, avec un large sourire, fléchit le buste dans un geste de soumission servile. Son visage mal rasé, luisant et d'une propreté douteuse, semblait moins couvert de barbe que de moisi. À le regarder, Honor, saisie d'une subite envie de propreté peu coutumière chez elle, se prit à songer qu'elle ne devait pas oublier de rappeler à la bonne de désinfecter le fond du frigo. Les yeux fuyants du photographe paraissaient capables de se fixer sur elle uniquement lorsqu'il la regardait dans son viseur.

Autrefois, Honor s'amusait à séduire les hommes rien que par l'intensité de son regard. Leurs yeux croisaient les siens, étonnés, et ils rendaient les armes. La première fois qu'elle s'était aperçue de ce pouvoir, c'était à Glenbuidhe, où elle était rentrée de son couvent pour les vacances. Le régisseur timoré, le cousin d'Aberdeenshire qui bégayait, l'oncle trop affectueux de Londres : c'était tellement drôle de les voir perdre contenance à cause d'un simple regard ou d'un geste spontané. Par la suite, libérée des cloîtres belges et de l'ascétisme écossais, lancée dans le monde à Paris où elle avait commencé à travailler, elle avait fait la connaissance d'hommes à femmes qui ne se laissaient pas impressionner, ce qui l'avait obligée à perfectionner sa technique. Au cours de sa carrière de journaliste, passant des tranchées les plus crasseuses aux hôtels les plus luxueux, de conférences internationales à des soirées hollywoodiennes, elle s'y était adonnée comme d'autres à la chasse au cerf – une mise à mort sans l'horreur ni le sang.

Quand avait-elle perdu ce pouvoir ? Juste avant ses soixante ans ? Après ? Au début, ils ne lui rendaient pas ses regards, baissant les yeux ou les détournant, ce qui lui semblait le comble de l'insulte. Plus tard, les hommes avaient carrément cessé de la voir. Elle n'existait plus, un point c'est tout. Elle parvenait quand même à se procurer des amants – des ivrognes, des impuissants, des masochistes et des gérontophiles –, mais il s'agissait davantage d'un acte d'avilissement réciproque que de plaisir charnel.

« Mrs Tait, si vous pouviez vous rapprocher de la fenêtre. »

Quel culot avait ce freluquet ! Lui donner des ordres, à elle...

« Mrs Challis. Miss Tait, rectifia-t-elle. Vous n'avez qu'à me prendre ici, comme je suis. Sans flash. La lumière naturelle suffira. »

Si nécessaire, elle pouvait toujours payer. On obtenait ce qu'on voulait en échange d'une poignée de billets. Il n'y avait pas de honte à ça ; c'était l'avantage d'être indépendante financièrement, car, en cette seconde moitié du siècle, les femmes avaient les moyens de profiter d'un service auquel les hommes ne se privaient pas d'avoir recours depuis des millénaires. Mais la discrétion était de mise. Les préjugés étaient encore puissants. Le vieillard riche se pavanant avec une belle jeune femme était un stéréotype accepté, peut-être même envié par les autres hommes, sachant que les femmes, par réflexe de défense, avaient tendance à le railler ; mais que l'on ose inverser les genres, et le dégoût était unanime.

Le photographe, cet humble troglodyte, s'accroupit. Ses genoux craquèrent.

« Magnifique, magnifique », répéta-t-il en cadence avec le clic-clac de son appareil.

Indépendamment des questions d'argent, Honor n'avait jamais été à court d'« admirateurs », jadis un euphémisme pour loups lubriques, aujourd'hui à prendre *stricto sensu*. L'ivresse que lui procurait sa sensualité débridée, l'impression merveilleuse de pouvoir séduire le monde entier si ça lui chantait, tout cela avait disparu, broyé par le temps, cette machine dévoreuse de plaisirs.

« Ce n'est pas la peine de chercher à m'amadouer », dit-elle au photographe.

Bucknell continuait à mitrailler, avec l'œil froid du sniper.

Ce devait être l'absence de la substance chimique de la fertilité – évaporée depuis des lustres – qui la rendait invisible aux yeux de la majorité des hommes. Parfois, cependant, elle avait l'impression de ne pas l'être assez, invisible ; à une ou deux reprises, elle s'était surprise à observer un beau jeune homme, un inconnu, et à imaginer son corps nu pressé contre le sien, ses muscles saillants, son sexe palpitant, son souffle sur sa joue à elle et ses mains contre ses seins. Eh bien, lorsque l'objet de sa rêverie érotique, sentant un regard peser sur lui, avait levé les yeux et l'avait aperçue, il avait eu un mouvement de recul, incapable de dissimuler son dégoût. Craignait-il que la vieillesse ne soit contagieuse ? Elle pouvait le lui confirmer : elle l'était. La mort prématurée était la seule issue, si on voulait l'éviter.

Au moins, dans le cas de cet imbécile à genoux devant elle, la répulsion était mutuelle.

Tamara ne quitta pas Honor Tait des yeux tandis qu'elle faisait face à l'objectif avec un sourire énigmatique, telle une Mona Lisa fossilisée. Un sourire de contentement de soi ou de mépris ?

> *Le photographe, un homme taciturne, lui demande s'il peut appuyer sur le bouton pendant que nous discutons au coin du feu.*
> *« Non, lui répond Miss Tait d'un ton catégorique. Je préfère que vous en finissiez tout de suite. »*
> *Alors qu'il déballe son appareil, elle se montre de plus en plus impatiente.*
> *« Et n'en faites pas toute une histoire. Ce n'est qu'un fétiche. Prenez vos photos et qu'on n'en parle plus. »*

Bucknell, qui s'était redressé, gesticulait à présent comme s'il cherchait à repousser un assaillant. Miss Tait voudrait-elle bien poser sa joue sur sa main ? Pourrait-elle, s'il vous plaît, lever un peu son livre ?

Envisagerait-elle de poser avec le chapeau tyrolien qui était accroché dans l'entrée ?

« Vous voulez que je me ridiculise ? »

Après avoir pris, pour la forme, quelques photos, il remballa son matériel d'un air renfrogné.

*La doyenne des journalistes britanniques nous ouvre la porte de son appartement de deux cent mille livres, les yeux lançant des éclairs...*

« L'ennui, de nos jours, c'est qu'ils se prennent tous pour des artistes », commenta Honor d'un ton complice, ignorant le photographe courbé sur ses sacs.

Tamara lui sourit. Elles allaient bientôt être débarrassées de Bucknell. Honor Tait s'adressait à elle de femme à femme, de journaliste à journaliste. Tamara ne put s'empêcher d'en tirer une certaine fierté. Décidément, travailler pour la revue intellectuelle la plus respectable de Grande-Bretagne augmentait son prestige personnel.

*Sous sa froideur apparente, Honor Tait, l'intrépide grand reporter, qui a aussi été en son temps une femme fatale, cache un cœur généreux.*

La vieille dame dévisagea Tamara avec un sourire rusé.

« J'espère que vous ne vous prenez pas vous aussi pour une artiste. Rien n'est plus risible qu'un reporter qui se croit créatif. »

Bucknell était-il en train de rire sous cape ? Tamara émit un murmure approbateur et, penchée sur son carnet, elle griffonna en suivant la ligne. Lifting ? écrivit-elle. Les joues d'Honor Tait lui paraissaient trop lisses ; en plus, elle avait du mal à sourire, même si c'était peut-être dans son caractère.

« Un dictaphone *et* un carnet ? » s'étonna Honor en levant ses sourcils dégarnis, les yeux fixés sur l'appareil miniature.

Cela dit, elle pouvait quand même les lever, ses sourcils – on ne pouvait pas en dire autant de Lucy Hartson.

« Une ceinture et des bretelles. On ne sait jamais ce qui risque de vous lâcher », répliqua Tamara.

Honor se pencha vers elle, comme si elle s'apprêtait à lui faire une confidence.

« Sage précaution, dit-elle. Quelle catastrophe si jamais un de vos papiers venait à s'égarer avant d'atteindre votre lectorat. On n'aurait rien connu de tel depuis la bibliothèque d'Alexandrie. »

Tamara se sentit en butte à son hostilité mais, comme elle ne voyait pas à quoi elle se référait, elle lui sourit – un sourire faussement ravi. Bon, d'accord. Elle commençait à comprendre son numéro. Honor Tait n'allait pas lui faciliter la tâche, ni même la traiter avec amabilité. Mais Tamara était une pro. Si elle se trouvait là, c'était pour écrire un article et prendre du galon, non pour se faire une nouvelle amie.

« Oui. Sans doute », répondit-elle avec un petit rire, afin de montrer qu'elle avait compris mais qu'elle n'était pas vexée.

Sur son bloc-notes, elle nota· *Vérif : Qui est Alexandrie ? Qu'est-il arrivé à sa bibliothèque ?*

« Allons, terminons-en », déclara Honor.

Son sourire moqueur se crispa, remplacé par une moue de mécontentement tandis qu'elle se renfonçait dans son fauteuil.

Tamara endossa sa verve de Mme Météo.

« Mes félicitations ! s'exclama-t-elle. C'est un livre superbe. »

Cette petite avait le même accent londonien que John Major, criant d'hypocrisie.

« Un livre ? Vous croyez vraiment ? Ce n'est pas ce que j'appelle un livre, répliqua-t-elle. *Si c'est un homme* est un livre. *Ulysse* est un livre. *La Mort d'Ivan Ilitch* est un livre. Ce dont vous parlez est un recueil d'articles accumulés au cours de nombreuses années de journalisme – un petit bloc de granit représentant le travail de toute une vie de tailleur de pierre.

— Mais pas du tout, insista Tamara. C'est un livre magnifique. Un classique.

— Ainsi, vous l'avez lu ?

— Bien sûr. Super.

— Dans ce cas, vous savez tout et n'avez rien de plus à apprendre sur moi.

— Pas tout à fait. Et puis votre livre soulève des questions. »

Tamara regretta aussitôt cette phrase. Dans quoi s'embarquait-elle ?

« Ah, quelles questions, je serais curieuse de savoir ? demanda Honor Tait.

— Oh, d'ordre général... La politique internationale. L'histoire. La nature du journalisme. Ce que vous écrivez fait réfléchir.

— Quels éléments dans mon livre, précisément, vous ont fait autant réfléchir ?

— Difficile à dire. Tous, je crois. »

Tamara se demandait comment se sortir de ce guê-pier ; elle ne voulait surtout pas parler du livre. Elle avait beaucoup hésité sur la façon dont elle devait mener cette interview ; la première question donnait souvent le *la* et se révélait déterminante pour le dénouement de l'entrevue. Devait-elle attaquer de front, se passer de préambule et interroger le vieux crocodile sur les seuls aspects vraiment intéressants de sa vie, à savoir ses amours ? Les soirées à Hol-lywood ? Son enfance dans la soie et le velours devrait aussi produire quelques anecdotes utilisables. Elle pourrait toujours par la suite y introduire quelques détails poussiéreux sur sa carrière glanés dans ses vieux articles. Cette méthode, d'après son expérience, présentait l'avantage de désarçonner les naïfs, pris de court par le culot, voire la grossièreté, du journaliste. Plus la question était brutale, plus la réponse était franche et plus l'autre se tirait une balle dans le pied. Mais Honor Tait n'était pas née de la dernière pluie, et la politesse ne l'étouffait pas. Il y avait de fortes chances qu'elle réagisse en montrant la porte à Tamara.

Comme pour enfoncer le clou, la vieille dame répliqua avec un sourire venimeux :

« Tous ? Vraiment ? Vous me flattez.

— Je suis votre plus grande admiratrice », lui affirma Tamara.

Le sourire d'Honor s'évanouit et elle cligna des yeux.

« Ça, c'est à moi d'en juger.

— Non, c'est vrai. Je suis votre plus grande fan. Je suis votre carrière et lis vos articles depuis toujours.

— Vous m'en direz tant. Vous avez quel âge, exactement ?

— Vingt-sept ans.

— Vous êtes née en 1970 ? »

Tamara confirma d'un signe de tête prudent.

« Voyons, reprit Honor. Cette année-là, je couvrais la fusillade de Kent State University dans l'Ohio. Je suppose qu'entre deux changements de couche vous lisiez mes reportages sur les manifestations contre la guerre du Vietnam ? Vous me lisiez dans votre berceau, n'est-ce pas ? Vous m'applaudissiez à coups de hochet ? »

Les joues de Tamara virèrent au rouge vif, de colère plutôt que d'embarras. Cette vieille voulait-elle la provoquer ? Elle avait l'air en tout cas de la chercher.

« Non, non, je veux dire que j'ai lu votre œuvre à la fac. Elle était au programme des arts médiatiques.

— J'ai toujours pensé qu'il y avait une contradiction entre ces deux termes : "médias" et "arts"... »

Tamara sentit sa gorge se serrer et toussa. Cette vieille bique était pathologiquement irritable. Depuis combien de temps étaient-elles assises là ? Elle n'avait pas encore pu lui poser la moindre petite question. Mais par où commencer ? Tait n'était pas du style à échanger des platitudes. Surtout avec une femme. Si Tamara avait été un beau et jeune journaliste, ou même un type de l'establishment, même moche comme Simon, les choses se seraient peut-être passées autrement. Le mieux était de ne pas prendre de gants.

« Quel est le reportage qui vous a semblé le plus mémorable ? »

Honor la regarda avec un sourire en coin. Elle n'était pas fière de se montrer si peu coopérative, mais cette petite était tellement bête, et sournoise avec ça, que c'était irrésistible.

« Le plus mémorable ? Je me plais à penser qu'ils méritent tous de demeurer dans les mémoires.

— Je veux dire… historiquement. Votre prix Pulitzer, par exemple. Cela a dû être extraordinaire, un honneur pareil, alors que vous n'aviez même pas trente ans.

— Étant donné le sujet, à côté des choses que j'avais vues, ça me semblait sans importance. Une bagatelle.

— Oui, bien sûr. »

En fait, elle ne parvenait pas à se souvenir du sujet du reportage récompensé. Si seulement elle avait eu le temps de le lire, au moins. Était-ce la Corée ? Le Vietnam ?

« Mais si cela a pu encourager un plus grand nombre de gens à le lire, poursuivit Honor en tirant sur un fil de l'ourlet de sa robe, ce prix aura quand même eu son utilité. Et maintenant qu'il a été réimprimé, vous l'avez lu, et une nouvelle génération peut tirer les leçons des erreurs de ses aînés.

— En effet… Mais, à part ça, quel est l'événement historique le plus important que vous ayez couvert ? »

Honor soupira.

« Nuremberg ? La Pologne ? Berlin ? La Corée ? À quoi pensez-vous, exactement ? »

Tamara craignit soudain le pire. Elle avait déjà interviewé des personnes âgées. Alors qu'elles oubliaient aisément ce qu'elles avaient dit quelques minutes plus tôt, tout ce qui concernait le passé était gravé, intact, dans leur mémoire. La dernière chose qu'elle voulait, c'était réveiller ses souvenirs ; un torrent de noms de lieux et de dates, sans une seule phrase bonne à citer. Aussi écarquilla-t-elle les yeux et freignit-elle l'enthousiasme.

« À moins que vous ne pensiez à Madrid ? s'enquit Honor. Ou au Vietnam ? À la révolution culturelle ?

— Madrid… La révolution culturelle vietnamienne. Génial. À vous de choisir. »

Le plaisir qu'Honor prenait à taquiner la petite journaliste menaçait de s'émousser. Cela lui rappelait ces jeux absurdes qu'on leur imposait à Noël, quand ils étaient petits, à ses frères et à elle. Des concours de mots : une séance de torture pour les enfants, une bonne partie de rigolade pour les adultes. Ou bien les charades. Les grandes personnes étaient tellement m'as-tu-vu.

« Vous pourriez vous servir d'un extrait du livre, suggéra Honor.

— Ah non, je ne veux pas me contenter de recopier des passages, protesta Tamara alors que c'était exactement ce qu'elle comptait faire. Ce serait plus intéressant si on entendait votre voix dans une conversation à bâtons rompus, détendue, chez vous… »

Qu'elle était chez elle, cela, Honor ne pouvait pas le nier. Mais détendue ? Et conversant de choses et d'autres ? Avec cette gamine ?

« Pour moi, une interview n'a rien à voir avec une conversation. Vous devriez peut-être continuer avec vos questions. »

Tamara mordilla son stylo et jeta un coup d'œil à son Sony. Le voyant rouge était toujours allumé ; l'appareil enregistrait son humiliation. Bucknell, qui prenait un temps fou pour remballer son matériel, était de nouveau à genoux en train de tripoter son sac. Sa déconfiture n'allait pas tarder à faire le tour du *Monitor*.

« C'était comment d'être une femme reporter dans les années 1940 et 1950 ? interrogea Tamara avec un regain de vivacité.

— Comme être un homme reporter, répondit Honor. Même si l'absence de serviettes hygiéniques sur les champs de bataille ne leur posait aucun problème, à eux. »

Au bruit d'une toux de fumeur, accompagnée de gargouillis de fond de gorge, Honor et Tamara se tournèrent vers le photographe, debout, penaud mais toujours impatient.

« Quand ce jeune homme voudra bien nous laisser, dit Honor, nous pourrons prendre une tasse de thé. Cela vous aidera peut-être à y voir plus clair. »

Avant de se diriger vers la sortie, Bucknell lança à Tamara un regard de solidarité qui déplut à celle-ci.

« Vous connaissez le chemin, n'est-ce pas ? » continua Honor en se levant péniblement.

Alors que la vieille dame entrait dans la cuisine, Tamara aperçut du formica beige et des tubes au néon. Bucknell, surveillant la porte du coin de l'œil, sortit un petit appareil photo de sa poche et mitrailla la pièce, puis il se rapprocha de la bibliothèque et du mur pour prendre des détails, sans oublier le portrait du vieux monsieur souriant sur le guéridon à côté du fauteuil d'Honor Tait. Au magazine, ils auraient forcément besoin d'images supplémentaires pour illustrer l'article et ce modeste vol à la sauvette leur économiserait d'onéreuses heures de recherche iconographique. Tandis qu'Honor remplissait la bouilloire et entrechoquait les tasses, il adressa un clin d'œil à Tamara – ce qu'elle trouva encore plus vulgaire que le geste qu'il avait fait tout à l'heure avec ses pouces. Après une halte sur le seuil de la chambre dans le couloir pour un ultime cliché, il sortit en fermant doucement la porte derrière lui.

« Lait et sucre ? demanda Honor de la cuisine.

—Juste du lait, s'il vous plaît », lui répondit Tamara en appuyant sur le bouton pause de son dictaphone et en se levant pour voir les photographies de plus près.

Elle reconnaissait celles de la Golden Girl pour les avoir déjà vues sur les coupures de presse. Était-ce elle, vraiment, Honor Tait, si belle et pulpeuse dans son short, souriant à un soldat moustachu ? Franco ? Ou était-ce Castro ? Elle avait du mal à croire que la vieille peau qui faisait des bruits d'eau dans la cuisine avait été cette beauté aux yeux de velours qui, d'après les articles, avait réussi à piéger et à ensorceler les hommes les plus célèbres du XXe siècle.

Tamara tressaillit. Elle avait envie de vieillir – c'était mieux que l'autre solution. Le cancer du sein de sa mère avait immunisé Tamara contre l'idée romantique, prônée par des copines sans cervelle, qu'une mort prématurée alors qu'on avait encore la peau lisse était préférable à une après-ménopause où tout foutait le camp. Sa mère, morte à quarante-six ans, aurait voulu vivre à tout prix. Pourtant, à contempler cette jeune femme radieuse sur la photo tandis qu'elle entendait celle qu'elle était devenue traîner la savate dans la cuisine, Tamara se dit qu'elle ne voulait en aucun cas vivre *aussi* vieille. Il y avait des limites.

*En contemplant la photographie d'Honor Tait radieuse de jeunesse, exposée orgueilleusement dans son appartement londonien à deux cent cinquante mille livres et en la voyant telle qu'elle est aujourd'hui, on songe à cette scène de* Last Horizon, *ce chef-d'œuvre du cinéma, quand la beauté chtonienne (son nom ?) fuyant la protection de la vallée magique voit son corps se flétrir, vieillir de mille ans en quelques minutes devant le regard terrifié de son amoureux.*

Un cliquetis de vaisselle précéda le retour d'Honor Tait, les bras chargés d'un plateau avec une théière, deux tasses aux couleurs criardes au bord souligné d'un filet d'or, un pichet de lait et une coupelle contenant des tranches de citron. Elle le posa en tremblotant entre leurs fauteuils sur le tabouret en cuir. Tamara, se disant que lui offrir son aide pourrait la vexer, vit d'un œil inquiet le jet brun de Darjeeling et sa vapeur légère osciller dangereusement au-dessus des tasses.

À l'aide d'une pince, Honor déposa une tranche de citron dans la sienne et tendit le lait à Tamara. La jeune femme n'avait qu'à se servir elle-même.

« Bon, où en étions-nous ? » demanda Honor en levant son thé à ses lèvres.

La tasse colorée tangua un peu dans la soucoupe inondée. Tamara faillit, dans un instant d'égarement, glisser à la vieille dame qu'elle devait avoir été distraite par ses souvenirs de Sinatra au lit, mais elle se retint et feuilleta son bloc-notes pour relire les questions qu'elle avait préparées, histoire de gagner encore du temps.

« Vous me parliez des problèmes que rencontraient les femmes dans le journalisme. »

Honor pinça ses lèvres sur le bord de sa tasse puis, de crainte de se brûler, se redressa vivement.

« Ah oui ? Eh bien, le journalisme, comme bien d'autres métiers, était à cette époque strictement masculin. La salle de rédaction était saturée de testostérone. »

Était-ce cela qui l'avait attirée vers ce métier ? Ce n'était pas la première fois qu'Honor se le demandait. Il lui avait permis, sans aucune doute, d'échapper à sa famille, aux rôles conventionnels que la société destinait aux femmes, bref à la cage dorée de son milieu, pour embrasser la liberté et l'aventure, pour poursuivre un but dans la vie. Ses parents se seraient contentés qu'elle épouse un garçon appartenant à leur caste – un hobereau fortuné et béotien – et les sœurs de l'internat lui avaient inculqué la modestie et l'esprit de sacrifice. Le tout présentant un haut degré de compatibilité. Mais comme ces options lui avaient paru repoussantes, contraires à sa curiosité, à sa passion, à son ambition ! Elle voulait tracer son propre chemin, se forger un autre genre d'existence, dévorer la vie à belles dents. Avait-elle en outre éprouvé du plaisir à forcer la porte de ces tristes *gentlemen's clubs* – mi-casernes, mi-monastères – qu'étaient les journaux dans les années 1930 et 1940 ? Un peu comme si elle s'était rendue au mont Athos en maillot de bain ? Quand elle traversait la salle de rédaction, impeccable dans son tailleur en crêpe de soie, ses talons martelant le parquet tandis que les machines à écrire crépitaient, s'était-elle délectée des regards de ses confrères qui se tordaient le cou pour la suivre des yeux, fascinés par la ligne mouvante de la couture de ses bas ? Peut-être avait-elle savouré, plus que le reportage en soi, l'air sidéré de ces messieurs les rédacteurs en chef quand ils s'apercevaient que l'auteur des papiers remarquables qui atterrissaient sur leur bureau était une femme, et une jolie femme qui plus est. Puis il y avait eu la dureté extrême et, indéniablement, les plaisirs du travail sur le terrain – à combattre avec eux, à partager leurs repas, à dormir à côté d'eux –, seule femme au milieu d'hommes d'action et de soldats.

« Cela a été dur, sûrement, avança Tamara.

— J'imagine qu'aujourd'hui, au *Monitor*, ce n'est plus que rouges à lèvres et eaux de toilette », répliqua Honor.

Ignorant l'insulte, Tamara consulta de nouveau sa liste de questions.

« Pourriez-vous me parler avec vos propres mots des histoires vraies qui ont inspiré votre livre ? »

La vieille dame plissa les yeux, laissant filtrer une lueur de mépris. Si elle avait été prête quelques instants plus tôt à octroyer le bénéfice du doute à cette petite, c'était terminé : sa question était grotesque.

« Des histoires vraies ? Avec mes propres mots ? Vous croyez peut-être que j'ai tout inventé ? À votre avis, de qui ai-je employé les mots ? Vous m'accusez de plagiat ?

— Oh non, pas du tout, bien sûr que non, répliqua Tamara avec un rire qu'elle aurait voulu léger mais qui trahissait plutôt sa panique. Je voudrais juste pouvoir vous citer directement et éviter de recopier ce que vous avez déjà écrit dans votre livre !

— Vous voulez que je me paraphrase ? »

Tamara fit signe que oui.

Honor contempla un moment sa tasse, comme si elle cherchait à lire l'avenir dans les feuilles de thé, puis elle prit son livre sur le guéridon, et l'ouvrit au hasard.

« *Chapitre 7. Hotel Deutscher Hof. 1938.* »

Elle referma le volume d'un coup sec et défia Tamara du regard.

« Un thé avec Hitler. Ça vous irait ?

— Super ! »

Pour les amuse-gueules, ça ira, rectifia Tamara en son for intérieur. Hitler n'était pas Sinatra, mais c'était quand même une célébrité, d'une certaine manière. Au moins tout le monde avait entendu parler de lui. Elle se pencha sur son bloc-notes et écrivit : *Vérif chap. 7.*

Honor se renfonça dans son fauteuil et se mit à parler d'une voix d'une monotonie accablante :

« L'armée allemande occupait la Tchécoslovaquie et Hitler refusait de rencontrer les hommes d'État étrangers qui s'étaient réunis à Munich. La presse du monde entier était là. Soudain Ribbentrop a annoncé qu'un thé était donné en l'honneur d'Hitler à 4 heures de l'après-midi. Nous étions tous invités. »

Elle marqua une pause.

« C'est ce genre de chose que vous voulez ? »

Le signe de tête affirmatif de Tamara était encourageant, mais manquait totalement de sincérité.

« J'étais à la même table qu'Unity Mitford[1] et Robert Byron[2]. Unity faisait les yeux doux au Fürher, qui était assis à côté de lord Brocket[3], à la table voisine ; tous les deux riaient, mais Hitler ne cessait de jeter des regards à Unity. »

Honor s'animait en parlant ; en prononçant les noms de ces fantômes du passé, elle retrouvait un regain de jeunesse.

« Je l'ai accompagnée à la table d'Hitler et quand Brocket s'est levé, sans doute pour fumer un cigare dehors – Hitler détestait l'odeur du tabac –, j'ai pris sa place... »

À part Hitler, Byron était le seul nom que Tamara connaissait, et les poètes, vivants ou morts, ça n'était pas vendeur. Pour s'occuper en attendant qu'Honor Tait sorte quelque chose d'utile, Tamara continua à récrire son premier paragraphe.

---

1. Amie anglaise d'Hitler.
2. Robert Byron, auteur de *La Route d'Oxiane*, traduit par Michel Petris (Petite Bibliothèque Payot).
3. Sympathisant nazi.

*J'ai dix minutes de retard, ce qui, comme vous le dira n'importe quel Londonien, vu la circulation dans la capitale, revient à arriver en avance. Mais Honor Tait, doyenne des journalistes britanniques et vieille douairière de Maida Vale, est mécontente. « Vous avez vu l'heure ? » grommelle-t-elle en m'ouvrant la porte de son appartement encombré des vestiges de sa glorieuse jeunesse.*

Cette petite était-elle en train de noter tout ce qu'elle racontait ? se demanda Honor.

« Mais bien sûr vous avez déjà lu cette histoire », dit-elle.

Tamara leva des yeux étonnés.

« Dans le livre, ajouta bêtement Honor.

— Oui, oui, bien entendu. »

Il fallait à tout prix que Tamara détourne l'attention de la vieille dame.

« Et qu'est-ce que vous avez pris ? lança-t-elle.

— Pris ?

— Pour le thé. Du gâteau ? Des sandwiches ? »

Honor n'en revenait pas ; elle sentit ses lèvres trembler un peu puis, fermant les yeux, elle agrippa les bras de son fauteuil.

« Voyons... Unity, si je me souviens bien, a pris des scones avec de la crème et de la confiture de framboises. Non. De prunes. Elle n'aimait pas les pépins. Et Hitler a pris de la Sachertorte, au chocolat et à la pâte d'amandes, deux parts, mais il n'a pas voulu de *crème anglaise*\*... »

Et voilà qu'elle s'était remise à hocher la tête – ce tic insupportable. Quand elle ouvrit les yeux, elle vit que Tamara prenait consciencieusement des notes.

« Pour l'amour du ciel ! s'exclama Honor. Comment voudriez-vous que je me rappelle ? C'était un moment d'importance historique. L'Europe était au bord de la guerre. Tout le monde, sauf les nazis, espérait pouvoir l'éviter. La dernière chose à laquelle on pensait, c'était bien ce qu'on nous servait pour le thé. »

Tamara se redressa, très tendue.

« Oui. Vous avez raison. Votre interview d'Hitler…

— Vous avez lu ça ? »

Le visage de la jeune femme était aussi expressif que celui d'une poupée. Elle avait décidément l'air stupide.

« Évidemment », répliqua Tamara d'un ton catégorique qui ne trompait personne.

Elle se trémoussa un peu dans son fauteuil. Son dos était calé par un coussin ergonomique d'un rose Elastoplast douteux. Il y avait quelque chose de peu hygiénique chez les vieux. Elle eut soudain légèrement mal au cœur.

« Je suppose que vous avez bien travaillé, que vous avez épluché les archives, potassé les coupures de presse ?

— J'ai lu tout ce que j'ai pu, oui, protesta Tamara. Cela fait seulement une semaine qu'on m'a commandé cet article et, entre-temps, j'en ai eu d'autres à écrire. Pourrions-nous revenir au thé avec Hitler ? »

Elle vérifia son Sony : il enregistrait toujours.

Honor se reprocha d'avoir baissé sa garde, même pour une minute. Cette petite n'avait rien d'une

98

admiratrice buvant ses paroles, enchantée de recueillir ses souvenirs ; elle était au contraire hostile, son scepticisme semblant être sa seule qualification professionnelle.

« Je n'ai rien à ajouter sur ce sujet. Vous n'avez qu'à lire – relire – le passage du livre. Question suivante ?

— Pouvez-vous me parler de votre enfance ? »

Honor leva les yeux au ciel.

« Est-ce vraiment nécessaire ? »

La dernière fois que Tamara s'était heurtée à un mur pareil, c'était le jour où elle avait interviewé une star de la télé américaine de troisième zone qui allait remplacer la vedette d'une de ces comédies musicales qui s'éternisent à l'affiche dans les théâtres de Londres. Après avoir attendu vingt minutes dans le couloir devant sa suite avec une demi-douzaine d'autres journalistes, Tamara avait été précipitée devant lui par des larbins qui lui avaient donné cinq minutes chrono pour lui soutirer les trois cents mots destinés à la rubrique spectacles du *Sydenham Advertiser's*. Avachi dans un canapé, un casque de cheveux laqués sur la tête, si bronzé qu'on l'aurait cru atteint d'insuffisance hépatique, il fumait le cigare en buvant une coupe de champagne. À chacune de ses questions, il l'avait envoyée sur les roses. Mais elle avait tenu bon.

Elle s'arma donc de courage et regarda Honor Tait d'un air décidé.

« L'enfance. C'est par là qu'on commence une interview en profondeur, d'habitude », dit Tamara.

Honor hocha la tête.

« Désolée, Tara. Nous sommes là pour parler du livre. Je suis une journaliste, pas une comédienne qui cherche à se faire remarquer. Et vous n'êtes pas l'animatrice d'une émission télévisée. »

Tamara se demanda si la vieille dame avait écorché son prénom volontairement. Baissant la tête, elle fit un gribouillis dans son bloc-notes afin de se donner le temps de réfléchir.

« Pourtant c'est tout à fait dans notre sujet, finitelle par dire en levant les yeux. Votre passé. Qu'est-ce qui vous a incitée à vous lancer dans cette existence nomade ? Vous vouliez rompre avec la tradition, les attentes de votre milieu ?

— Mon Dieu ! Une marxiste ! Que c'est *recherché** !

— Votre mère était une aristocrate, non ? Elle n'aurait pas… à cette époque… Cela a-t-il affecté vos relations ?

— Ah, l'approche psychanalytique, en plus ? »

Honor rit. Elle s'était souvent émerveillée devant la résilience de la plus grande pseudo-science du XXᵉ siècle. Elle se rappelait le décor spartiate de la pièce avec sa bimbeloterie bouddhiste, semblable à l'entrée d'un restaurant thaï, où elle avait rendu visite au Dr Kohler, cinq jours par semaine, pendant des années difficiles pour elle. C'étaient les années 1960. Ils avaient parlé du fait qu'elle n'avait pas d'enfants, de sa mère, de son père, de sa nounou, des sœurs de l'internat et de ses rêves ; de l'argent fichu en l'air et une vraie perte de temps. Elle n'en voulait pas au Dr Kohler, qui entretenait gentiment son fonds de commerce sans que l'on puisse l'accuser de charlatanisme, mais elle, à quoi avait-elle pensé ? Une adulte qui geignait parce qu'elle n'avait pas d'enfants – un choix qu'elle avait fait à vingt ans et qui, à quarante, s'était transformé en une réalité biologique implacable – ni de mère, la sienne étant morte déjà depuis longtemps ? Et ses rêves ? Depuis, Honor pensait que les progrès des neurosciences auraient déboulonné tous ces bobards. Mais non, les lecteurs d'horoscope continuaient à y guetter présages et sagesse. Et cette petite rien du tout, manifestement, appartenait à cette catégorie.

« Ce sont des questions standard, on les pose à tout le monde, argua la jeune journaliste avec une autorité inattendue.

— Des questions standard ? Comme la taille unique dans le prêt-à-porter ? Vous ne vous demandez jamais pourquoi vos interviews sont si inintéressantes ? »

Tamara se raidit. Elle n'allait pas capituler. Honor Tait ignorait que Tamara avait plus de caractère qu'elle ne l'avait montré jusque-là.

« C'est une formule, d'accord, mais qui marche. Vous avez dû poser les mêmes questions, de temps à autre, aux soldats, politiciens, acteurs, artistes, ou écrivains que vous avez interviewés. Les questions ont beau être identiques, les réponses sont toujours différentes. Et l'on écrit un article à partir de ces réponses. »

Elle avait marqué un point. Mais Honor n'était pas disposée à l'admettre. Au contraire, cela ne fit que stimuler son agressivité.

« Dans ce cas, pourquoi vous être donné la peine de venir me voir ? Pourquoi ne pas m'envoyer un questionnaire à choix multiples ? Comment se présenterait-elle, votre "interview standard" ? Primo : Enfant, avez-vous été a) maltraitée ? b) heureuse ? c) témoin d'une

101

tragédie familiale traumatisante ? Deuzio : Adulte, avez-vous eu – a) dix amants ou moins ? b) vingt amants ou moins ? c) un nombre incalculable ? »

Tamara rougit. Elle repensa à son entretien avec la star américaine à l'arrogance pathologique. « Je déteste la série dans laquelle vous jouez, avait-elle eu envie de lui dire. Et surtout je vous déteste, vous, vous êtes ridicule, vous n'êtes qu'un *has-been* qui se prend pour je ne sais pas quoi. » Mais, elle s'était rappelé qu'elle avait besoin de son salaire. Elle avait serré les poings et demandé : « Quel effet vous fait Sydenham ? Vous avez l'intention d'explorer le coin ? »

Et à présent, elle se retenait de déclarer à Honor Tait qu'elle ne s'intéressait aucunement à elle, ni à son travail, ni à sa famille, ni à son prétendu livre.

« Pardonnez-moi, grommela Tamara. Je sais que ce qui compte le plus, c'est votre travail… la politique, l'histoire et tout ça. Mais pour rendre la lecture vivante, il nous faut aussi faire partager le côté humain de notre enquête. Nos lecteurs doivent pouvoir se faire une idée de qui vous êtes en tant que personne. »

Une fatigue existentielle enveloppa Honor telle une brume d'automne.

« En tant que personne ? Ce que je suis aujourd'hui, par rapport à ce que j'ai été ? Suis-je une grand-mère gâteau ou une vieille femme acariâtre ? Est-ce que je sens bon ou me trouvez-vous malodorante ? Suis-je une raconteuse d'histoires captivante ou une vieille enquiquineuse ? »

Tamara écrivit : *malodorante, vieille enquiquineuse.*
Elle serra les lèvres pour esquisser un sourire attristé.

« Non, non. Nous avons juste besoin de détails sur votre vie en dehors du travail. Vos parents... Comment étaient-ils ? Quelques phrases, cela suffira. Quel genre d'enfant étiez-vous ? Votre vie amoureuse, vos espoirs, vos rêves, vos peurs... Ensuite, on pourra attaquer le vrai sujet.

— Je crains, Tara, dit Honor qui bouillait d'impatience, que, comme la plupart des journalistes de ma génération, je ne sois allergique à la première personne du singulier. Vous ne pouvez pas comprendre, bien sûr. Vous êtes une partisane du "grand déballage", n'est-ce pas ? C'est encore ce que l'on dit, non ? Eh bien, mon point de vue, c'est : "Remballez. Ce n'est ni intéressant ni convenable. Personne n'a envie de savoir ça."

— Mais si, ça intéresse les lecteurs ! Vous avez vu beaucoup de choses. Nous avons tellement à apprendre de quelqu'un comme vous. »

Honor se demanda quelles leçons on pourrait bien tirer d'un récit de sa vie amoureuse, passée et présente. Ses liaisons avaient aussi été exposées sur le divan de l'analyste, mais ses monologues pénibles, parfois ponctués des murmures neutres mais néanmoins encourageants du Dr Kohler, ne lui avaient apporté ni la sagesse ni même le moindre plaisir. Elle aurait mieux fait de dépenser cet argent en s'offrant les services d'un gigolo à plein temps.

« "Celui qui reconnaît consciemment ses limites est le plus proche de la perfection", énonça Honor. Goethe. Voilà une leçon de sagesse. Mais si on veut en tirer quelque chose, cela exige une certaine intelligence, que vous ne possédez peut-être pas. »

Les yeux de Tamara lui piquaient. Elle aurait dû se lever et partir. Après tout, est-ce qu'elle tenait tellement que ça à ce contrat ?

« Juste quelques questions basiques, supplia-t-elle. Que faisiez-vous, une fois que vous aviez envoyé votre papier au journal et que vous rentriez chez vous ? Où et quand avez-vous été la plus heureuse ? Avec qui ? Vos passe-temps. Votre famille. Ce qui vous énerve le plus. Les moments les plus embarrassants. Vos maris, vos amoureux. Oh, juste un mot ou deux. Pour avoir une idée de votre entourage. Ce genre de chose, vous voyez.

— Vraiment ? Regardez donc un peu autour de vous l'état du monde, les injustices, les souffrances, énuméra Honor en ouvrant des bras tremblants comme si son salon contenait la somme des douleurs du monde. Et vous voulez employer vos talents, ceux que vous avez, à décrire les joies et les chagrins d'une enfance évanouie ou les amours défuntes d'une vieille dame qui occupe un coin minuscule et privilégié d'un vaste monde en proie à la détresse ? Quel intérêt cela peut-il bien présenter ?

— Il y en a un pour nos lecteurs », répliqua Tamara sans conviction.

En réalité, elle se fichait des lecteurs du *S\*nday*, avec leur complexe de supériorité, leurs causes généreuses, leurs maisons luxueuses et leurs vacances exotiques. D'un autre côté, elle savait qu'elle ne pouvait pas continuer à bosser pour *Psst !* très longtemps. Elle n'en avait pas les moyens.

104

« Si leurs préoccupations se résument à ces sornettes, vos lecteurs ne sont pas dignes de respect », commenta Honor en reprenant sa tasse.

Tamara regarda son bloc-notes et se demanda si le prix de la réussite n'était pas parfois trop élevé. Comme elle baissait de nouveau le nez, Honor se figura un instant qu'elles échangeaient leurs places : Honor se retrouvait en jeune reporter, nerveuse mais déterminée, bravant les rebuffades d'une interlocutrice aussi célèbre que revêche.

« Tout ce que je veux, c'est mieux connaître votre personnalité, argua Tamara, au bord de la capitulation.

— Si c'est d'une notice biographique que vous avez besoin, vous la trouverez sur le rabat de la jaquette de mon livre. »

Saisissant le volume sur la table, elle lut : « "Honor Tait naît en Écosse et fait ses études à Bruxelles et à Genève. Elle travaille dans une agence de presse à Paris avant de partir pour l'Espagne où elle couvre la guerre civile. Elle est avec les forces américaines au moment du débarquement, elle couvre la libération de Buchenwald et les procès de Nuremberg", etc. Vous voulez prendre des notes ou cela vous suffit d'enregistrer avec votre appareil ? »

Tamara écrivit furieusement : *Au cours de mon entretien avec cette femme glaciale, l'appartement lugubre et encombré de vieilleries de miss Tait s'est transformé en congélateur.* Elle la méprisait de tout son cœur. Pas question de rendre les armes. D'un autre côté, avait-elle vraiment envie de passer le reste de sa vie à faire de la lèche à des égocentriques ? Elle songea à Tim et son cœur se serra. À *Sphere*, son boulot aurait consisté à descendre ces gens en flammes.

« Des frères et des sœurs ? s'enquit Tamara.

— Et vous ? » riposta la vieille dame.

Tamara serra les poings de rage.

« Ils n'ont rien à voir avec mon article, dit-elle.

— Les miens non plus. Mais Tara, voilà un beau prénom irlandais. "La harpe qui jadis à travers les salles de Tara[1]..." Je suppose qu'on vous cite toujours ce poème.

— Non, en fait je m'appelle Tamara. Un prénom russe. Mais je ne suis pas russe.

— Russo-irlandais, entonna Honor, saisie de nouveau par le démon de la provocation. Un mélange puissant. Vous parlez le gaélique ? *À chailín mo chroí ?* Ou le russe est-il votre langue maternelle ? *Dorogaya Moya ?*

— Non, ni l'un ni l'autre. Je ne suis pas irlandaise. Ni russe, d'ailleurs. Maintenant, si nous pouvions...

— Alors, d'où êtes-vous ? continua la vieille dame. Racontez-moi un peu d'où vous venez. N'est-ce pas ce qui vous intéresse de nos jours, vous autres, les jeunes journalistes ? Vous-même, votre passé, vos sentiments, votre communication *relationnelle*. »

Honor regarda la jeune femme baisser de nouveau le front. Refoulait-elle ses larmes ? Il lui arrivait de songer à ce qu'aurait été sa vie, si elle avait eu une fille. De toute évidence, elle n'aurait pas su s'y

---

1. *The Harp that once through Tara's halls / The sould of music shed, / Now hangs as mute on Tara's walls / As if that soul were fled.* Thomas Moore. Tara est le château des rois d'Irlande. La harpe est le symbole du peuple irlandais.

prendre – les peluches, les contes de fées, les robes de princesse, l'heure du bain, les trucs dans les cheveux, les caprices...

Lorsque la petite journaliste releva la tête, Honor crut apercevoir une lueur de haine dans ses yeux. Voilà qui était plus intéressant.

« Je ne suis pas la personne interviewée. C'est vous, le sujet de mon article », souffla Tamara.

N'empêche qu'elle voyait son contrat avec *S\*nday* lui échapper. Comme si la double gifle reçue récemment ne suffisait pas : son copain l'avait larguée et un boulot en or à *Sphere* lui avait filé entre les doigts.

« Ah oui, vraiment ? Ce n'est pas sur vous ? ironisa Honor en penchant la tête de côté et en plongeant son regard dans celui de la jeune femme. Je croyais que les journaux actuels raffolaient des interviews de quidams écrites par des quidams. »

Même si l'endroit et le moment étaient mal choisis, Tamara ne pouvait plus se retenir. La vérité la frappa en pleine figure : il n'y avait plus d'échappatoire, elle serait obligée de continuer à établir des classements et des comparatifs pour *Psst !* et de grappiller des piges dans des provinces de plus en plus obscures de la presse industrielle spécialisée, elle ne parviendrait pas à aider son frère, si bien qu'il s'enfoncerait encore plus, hors de sa vue, et elle terminerait seule et fauchée, dans une location miteuse. Ce n'était pas professionnel, elle le savait, mais c'était plus fort qu'elle, les larmes jaillirent, coulèrent sur ses joues, gouttèrent sur son bloc-notes où elles tremblotèrent comme de petits lacs de mercure.

Honor se sentit affolée. Les larmes lui avaient toujours inspiré de la répulsion. Tad avait été un pleurnichard invétéré au point d'en être comique. Il était capable de sangloter devant une pub à la télévision – ces romances sans paroles pour des compagnies immobilières ou des assurances, où des familles d'une jeunesse improbable évoluaient sans soucis dans un flou artistique vers une maturité pleine de grâce et une vieillesse opulente. Peut-être souffrait-elle d'une malformation. Elle s'était parfois demandé si son absence apparente de glandes lacrymales représentait une force ou une faiblesse. Était-elle aveugle aux émotions comme d'autres aux couleurs ?

La petite s'efforçait de se ressaisir. Qu'est-ce qui avait bien pu déclencher cette fontaine ? Un chagrin caché ? Honor était gênée pour elle ; en être réduite à pleurer, en plein reportage qui plus est, c'était une forme d'incontinence. Elle se donnait en spectacle et Honor voulait que cela cesse immédiatement.

« Que voulez-vous savoir ? » s'enquit-elle avec douceur.

Tamara leva les yeux et les essuya avec sa main.

« Pardon ?

— Ou préférez-vous que je vous parle, tout simplement ? poursuivit Honor. Et vous me direz si cela vous intéresse… »

Tamara renifla. Avait-elle emporté une manche ?

« Pourrions-nous commencer par vos souvenirs d'Hollywood ? avança-t-elle d'une voix de plus en plus hésitante et chuchotante tandis que Tait fronçait les sourcils. Marilyn ? Ou Sinatra ? »

Honor Tait porta une main à son front.

« Liz Taylor ? » ajouta Tamara en sortant un paquet de mouchoirs de son sac et en épongeant sa feuille.

Le regard de Gorgone de la vieille dame était inquiétant. D'un autre côté, elle opinait de la tête vigoureusement. Encouragée, Tamara poursuivit :

« En fait, n'importe quels détails sur n'importe quelle star, ça m'irait. »

Quoique continuant à approuver de la tête la question de Tamara, Honor continuait à se taire.

« Votre cercle de jeunes amis masculins ? »

Honor était soulagée de voir que la petite s'était ressaisie. Seules des traces de mascara autour de ses yeux trahissaient son moment de faiblesse. Mais ses questions ? Si elle ne s'était pas montrée aussi indiscrète et si cette interview ne lui faisait pas perdre un temps précieux, cela aurait été plutôt comique.

« Vous êtes un modèle pour les femmes qui s'engagent dans la voie du journalisme, reprit Tamara, tâtant un autre terrain.

— Une voie encombrée, sans l'ombre d'un doute. »

Tamara fit marche arrière. La prudence était toujours de mise. Il fallait battre la vieille dame à son propre jeu. Flatter son snobisme intellectuel, l'encourager à se détendre et quand elle se mettrait à pérorer sans arrière-pensée, hop, lui sauter à la gorge. Sinatra. Picasso. Liz Taylor. Marilyn. Elle jeta un coup d'œil à la photo d'Honor jeune en compagnie de Castro. Ou était-ce Franco ?

« Et l'Espagne ? » lança-t-elle de but en blanc. Il y avait eu quelques cours sur la guerre civile espagnole à la fac. Même si Tamara avait choisi de suivre des cours sur le cinéma d'Hollywood à la place, elle avait étudié la table des matière et les photos du manuel d'histoire.

« Oui, que voulez-vous savoir ? »

Tamara mâchonna son stylo. Soudain la mémoire lui revint et elle s'exclama, comme s'il n'y avait eu aucun doute dans son esprit :

« Par exemple, vos relations avec Ernest Hemingway lorsque vous étiez tous les deux correspondants de guerre ! »

Tamara se félicita. Le grand chasseur barbu et ivrogne qui avait écrit le scénario du film avec Spencer Tracy, *Le Vieil Homme et la Mer*. Ils devaient former un couple spectaculaire, ces deux-là, Hemingway et Tait.

Honor fronça les sourcils comme si elle avait mal quelque part. Elle était à bout.

« Je crois que vous me confondez avec Martha Gellhorn.

— Je me dem... »

Tamara laissa sa phrase en suspens. La vieille dame, de toute façon, l'interrompit :

« Je suis désolée. Je n'aurais jamais dû accepter. Vous perdez votre temps avec moi et moi avec vous. Vous feriez mieux de partir. »

Là-dessus, Honor se leva et se dirigea vers le couloir. Tamara fit marcher ses neurones à deux cents à l'heure : il fallait qu'elle revienne sur un terrain plus sûr. Pas question de renoncer sans un dernier assaut.

« Dites-moi, dit-elle en s'adressant au dos d'Honor Tait. Quelles questions voudriez-vous que je vous pose ?

— Comment ? »

Cette petite était tenace, elle devait au moins lui reconnaître cette qualité. Outre sa stupidité.

« Je me demandais à quelles questions vous répondriez volontiers », dit Tamara.

Honor s'arrêta devant la porte. À ce stade, elle pouvait jeter la journaliste dehors et qu'on n'en parle plus – au prix de quelques lignes incendiaires dans le *Monitor* et de l'hostilité de ce journal jusqu'à son dernier jour et au-delà –, ou bien se rasseoir et s'interviewer elle-même, en se servant de cette dinde comme sténo. Ainsi, au moins, elle n'aurait pas à subir de questions gênantes ou douloureuses. Elle entendait la voix de Ruth lui disant que si elle voulait vendre son livre, elle n'avait pas le choix. Bon, mais à quelles questions aimerait-elle répondre ? En fait, ce n'était pas une affaire de sentiment. À quelles questions était-elle disposée à répondre ? Si elle avait été d'une humeur à polémiquer, et non fatiguée et écœurée par toute cette histoire idiote, elle en aurait peut-être profité pour attirer l'attention sur les victimes des inondations au Bangladesh, ou sur l'exploitation éhontée des intouchables, ou bien encore sur les enfants des rues brésiliens.

« Des questions sur le livre ? s'enquit Honor afin de s'assurer des clauses du contrat.

— Sur le livre, votre vie, votre famille, vos amis célèbres. Ce que vous voulez. »

Honor leva les yeux au plafond, comme pour implorer le ciel. Elle était longue, la liste des questions inappropriées qu'elle-même avait en son temps posées. Elle avait arpenté avec ses gros sabots des tragédies humaines, grandes et petites, en quête de matière pour un reportage : la mère avec son enfant mort dans ses bras à Madrid ; le père en deuil à Alger ; les victimes de viol à Calcutta ; les rescapés des camps de concentration. N'avait-elle pas, elle aussi, exploité le malheur des autres ? Elle avait provoqué volontairement des manifestations de désarroi, sachant que, grâce à elles, elle serait plus proche de ce qu'elle cherchait. Le spectacle de leur chagrin pimentait son papier. Qu'il ait été important de le raconter n'enlevait rien à l'outrage.

« Sur le livre, entendu, répondit-elle.

— Quel est le reportage, dont vous êtes le plus fière ? »

Honor s'en retourna à son fauteuil très lentement, comme en transe. Elle craignait que ses certitudes morales ne soient en train de s'effondrer doucement, comme tant d'autres choses. Pourtant elle aimait les observer à l'œuvre chez son ami Paul. À la limite, elle éprouvait de la nostalgie devant la colère vertueuse qui le poussait à sillonner la planète afin d'y débusquer l'injustice et de pourfendre les mensonges des puissants, à se mobiliser pour prendre le parti des faibles. Aurait-elle aussi perdu son esprit combatif ?

« Fière ? » répéta la vieille dame en s'asseyant de nouveau dans son fauteuil.

Sa voix était soudain blanche, sans timbre.

« Il faut se méfier de l'orgueil. »

Tamara éprouva un regain de détermination, comme si, en laissant couler ses larmes, elle s'était débarrassée du même coup de son moi complexé et battu d'avance, un moi de troisième classe, pour se glisser dans la peau d'une journaliste habile et sûre d'elle, collaboratrice d'une revue prestigieuse, à qui rien n'échappait, infatigable traqueuse de vérités et productrice d'idées originales.

« Alors quel a été votre reportage le plus risqué ? Celui qui vous a mise le plus en danger ? »

Tout en contemplant la jeune femme avec antipathie, Honor se rappelait l'avertissement de l'irascible Ruth. Finalement, avec un profond soupir de résignation, elle s'attela à la tâche. Sa réponse, longue et détaillée, engloba Berlin, Tokyo, la Corée, le 38ᵉ parallèle. (Parallèle à quoi ? se demanda Tamara.) Sans livrer la moindre révélation personnelle ni parole méritant d'être citée. Même les lecteurs les plus érudits de Lyra allaient piquer du nez dans leur cappuccino dès le deuxième paragraphe. Honor Tait faisait marcher sa petite bouche dure avec une énergie surprenante et Tamara, devant son débit pesant et monotone, eut l'impression d'être tombée par erreur sur une de ces émissions-débats de Radio 4 qui abordaient les grandes questions actuelles.

Dans la lumière déclinante de l'appartement d'Honor Tait, Tamara sourit, exprima sa compréhension par des hochements de tête à des moments où son interlocutrice pesait sur certains mots, et fit semblant de prendre des notes.

*Honor Tait, la doyenne des reporters de guerre, la grande prêtresse du journalisme, est loin d'être heureuse. À quatre-vingts ans, elle est toujours en possession de toutes ses facultés quoique vivant, comme beaucoup de gens de son âge, dans le passé. Mais on est en peine de retrouver chez elle des traces de sa célèbre beauté chtonienne. Honor Tait nous met face aux horribles ravages du temps tels qu'incarnés par (nom ?) que joue (nom ?) dans le grand classique du cinéma,* Last Horizon.

« Vous devez comprendre, dit Honor, que nous travaillions sans filet. Il n'existait pas de réseaux d'information fiables, nous n'avions aucune autre source que nous-mêmes. Vous ne vous imaginez pas la peur. Obligés d'aller voir de nos propres yeux, nous notions tout ce qui se passait sur le terrain, précisément. »

Tamara, alertée par un éraillement de la voix de Tait, émettait une série d'exclamations de surprise ou d'admiration, d'angoisse ou de désapprobation.

« Bien sûr !

— Les obus éclataient autour de nous, j'ai couru vers la Jeep.

— Terrifiant ! »

*Les femmes de son âge, en général des mamies gâteaux et des veuves dévouées à la mémoire de leurs maris défunts, sont trop contentes d'avoir l'occasion de feuilleter avec vous leurs albums de photos. Mais, pour Honor Tait, les anecdotes touchantes et les pics de bonheur, ses rhapsodies temporelles, ne concernent ni sa famille ni ses amours*

*– au sujet desquelles elle garde un silence résolu –,*
*mais seulement son travail.*

Tara, observa Honor, prenait en tout cas conscien-cieusement ses notes. Avait-elle été trop dure avec elle ? Cette jeune femme était le fruit d'une époque où l'histoire avait été jetée aux orties en même temps que l'esprit de sérieux. Les jeunes étaient tous des francs-tireurs ou plutôt des Goebbels en herbe, qui sortaient leur revolver dès qu'ils entendaient le mot « culture ». La vérité réduite à n'être qu'une entité subjective. Ceci est ma vérité ; quelle est la tienne ? Au moins Tara semblait-elle avoir conscience du gouffre qui les séparait, un sens instinctif de ce qui avait été perdu ainsi que des signes d'aptitude, du moins de bonne volonté, à prêter une oreille attentive à ce qu'on lui disait.

Honor continua :

« La panique a gagné la foule. Les Nord-Coréens qui fuyaient vers le Sud se sont précipités. Ils espé-raient pouvoir traverser la rivière. C'est alors que les tirs d'artillerie ont commencé. J'ai pris ma machine à écrire et je l'ai posée sur le capot de notre véhicule radio...

— Non ! »

*Les journalistes sont prévenus d'avance qu'il est*
*interdit d'aborder ses célèbres* amours*. Sa vie pri-*
*vée est taboue. À toute question relative à son*
*enfance dans un château en Écosse, Honor Tait*
*répond par le silence.*

115

« La seule solution consistait à parcourir les vingt-cinq kilomètres de sentier de montagne jusqu'à Suwon, plus au sud.

— Non ! »

Courbée en deux sur son carnet, Tamara paraissait passionnée, ses doigts peinant à suivre le rythme, palpitant à l'évocation d'un autre temps, plus authentique, d'une vitalité plus exacerbée. Honor se surprenait à être touchée par cette enfant ignorante, gavée depuis le berceau par les inepties des médias et formée à la médiocrité, qui tressaillait sous l'aiguillon de la vraie vie, de l'histoire en marche. Sous des dehors vulgaires, songeait Honor, elle avait l'étoffe d'une bonne journaliste qui, à une époque moins indolente, aurait pu couvrir tout à fait correctement, mettons, les procès d'assises.

*À propos de ses trois maris, elle est mutique ; de ses nombreux amants, bouche cousue. Mais dès qu'il s'agit de sa présence dans les zones de combat, où elle a couvert les guerres les plus marquantes du siècle, elle est intarissable.*

« Vraiment ? C'est top ! » s'écria-t-elle, enthousiaste, avant de s'apercevoir qu'elle avait mal interprété les intonations d'Honor Tait, qui, en réalité, racontait la mort des premières troupes américaines en Corée.

« C'étaient des adolescents, ils sortaient à peine du lycée. Ils étaient arrivés quelques heures plus tôt seulement. Un des gamins, horriblement blessé, suppliait

116

son camarade de l'achever d'une balle dans la tête… », dit Honor avant de s'interrompre.

Avait-elle bien entendu cette petite dinde s'exclamer : « C'est top ! » ?

La situation était délicate. Après avoir gratifié son interlocutrice d'un regard pénétrant, elle se leva tant bien que mal pour aller prendre un verre d'eau à la cuisine. Seule dans le séjour, Tamara chercha des yeux une piste plus tangible susceptible de la mener à la « vraie » Honor Tait, et non à l'oratrice en manque d'audience. Près du bouquet, elle aperçut un tas de courrier ouvert. Elle ramassa une carte, ornée d'un arbre dessiné par un enfant, et la retourna. C'était une invitation à une réunion sur « le travail des enfants » prévue pour le mercredi suivant dans le but de créer une nouvelle organisation caritative, Kids' Crusaders. Honor Tait figurait parmi les intervenants. Ce n'était pas exactement révélateur, mais cela pouvait se révéler utile. Tamara notait les détails quand elle entendit la vieille dame revenir.

Le monologue reprit. Honor était allée trop loin pour s'arrêter. Elle but un peu d'eau et se laissa de nouveau emporter par sa verve.

« C'est le lieutenant-général Walker, commandant de la 8e armée, qui m'a ordonné de quitter la Corée, en décrétant qu'une femme n'avait rien à faire sur le champ de bataille. Au départ, MacArthur refusa de s'en mêler, arguant que la décision dépendait de Walker. Mais une fois que j'eus interviewé à Tokyo le commandant de la force internationale, je vous parle de MacArthur, l'interdiction faite aux reporters femmes a été levée. »

Écrire quoi que ce soit de vivant à partir de cette mortelle séance d'autocongratulation, se dit Tamara, voilà qui serait une gageure même pour un des prix Nobel de S*nday. Alors, pour elle...

Le jour tombait, Honor Tait continuait à parler. Elle en était à la libération d'un camp de concentration.

« Quatre jours après, les rescapés se sont réunis pour fêter leur liberté retrouvée et pleurer leurs morts. Ils avaient confectionné des drapeaux aux couleurs de leur patrie avec des chiffons et des bouts de papier. »

Tamara regardait les fenêtres s'éclairer les unes après les autres dans l'immeuble d'en face : un calendrier de l'avent sur le thème de la décoration intérieure. Honor Tait, en revanche, semblait indifférente à la nuit qui arrivait.

« La guerre, voyez-vous, c'est le chaos. Vous ne vous figurez pas tout ce dont nous avons été témoins. Nous étions tous animés, y compris les journalistes accrédités, par une colère monumentale. »

Tamara était épuisée d'écouter cette femme se vanter, et la cessation provisoire des hostilités avait ouvert la porte à d'autres angoisses. Sans la moindre confidence d'Honor Tait sur ses maris, ses amants, ou sur Hollywood, comment allait-elle pouvoir pondre quatre mille mots ? Surtout qu'elle avait deux papiers people à rendre cette semaine avant même de songer à attaquer l'article de S*nday.

« Je suis vraiment désolée, miss Tait, dit-elle en jetant un coup d'œil à sa montre dont le cadran lumineux se voyait pourtant à peine dans la pénombre.

C'est si passionnant que je n'ai pas vu l'heure passer. Il faut que je parte. »

Elle ferma son bloc-notes.

Honor ressentit une pointe de déception. Il y avait si longtemps qu'elle n'avait pas reparlé de tout ça, ni même repensé à tous ces événements. C'était trop douloureux. Pour le prochain livre, sur l'insistance de Ruth, elle avait un peu vite accepté de se replonger dans le passé et de rédiger une postface au reportage sur Buchenwald qui lui avait valu le prix Pulitzer. Puis, rien qu'à cette idée, elle avait été glacée d'effroi. Ne sachant par où commencer, elle avait cherché des prétextes pour s'y soustraire. Et voilà que, devant la couche d'ignorance que trahissait le regard de cette petite journaliste, quelque chose en elle s'était débloqué et elle voyait à peu près comment aborder une question qu'elle évitait depuis un demi-siècle. Tara n'allait quand même pas la laisser, alors qu'elles venaient de démarrer ?

« Déjà ? fit Honor. J'allais justement refaire un peu de thé. Je dois avoir des biscuits quelque part. »

Tamara glissa son bloc-notes et son dictaphone dans son sac.

« Ce serait avec plaisir, répondit-elle en se levant aussitôt. Vraiment. Mais il faut que je file. J'ai deux articles à remettre… demain. »

Devant ce refus, Honor se sentit sceptique.

« Des articles ? Sur quoi écrivez-vous d'autre ?

— Oh, un papier culturel, sur un festival. L'autre traite d'un thème plus féministe. »

Le féminisme. Ce sujet rebattu. Bien sûr. Pourtant Honor voyait mal en Tara, à l'allure de vendeuse et au décolleté rebondi, une militante de la cause, ni une soldate de la cohorte d'Isadora Talbot. C'était peut-être une pose : la petite sotte voulait « être prise au sérieux ».

« Bien sûr, je ne voudrais pas interférer avec la cause, dit Honor en s'appuyant sur les bras de son fauteuil pour se lever.

— Je vous remercie infiniment, lui assura Tamara. C'était un plaisir. »

Elle avait hâte de quitter cette vieille dame acariâtre et son sinistre logis.

« Je vous raccompagne », répliqua Honor, glaciale.

La soudaineté de ce départ avait un côté insultant.

Tamara se dirigea d'un pas vif vers la porte, pressée de s'extraire de l'atmosphère étouffante de l'appartement et de respirer l'air pur de la rue. Quel délice d'entendre le bruit des voitures plutôt que le robinet d'eau tiède d'une femme méprisante. Cela dit, elle savait qu'elle n'avait pas terminé son travail.

« Je me demandais, puisque nous avons été prises de court, si vous accepteriez de me recevoir une seconde fois.

— Je ne crois pas que cela sera possible.

— Juste une demi-heure ? J'ai appris énormément de choses, aujourd'hui, mais je sais que nous n'avons fait qu'effleurer la surface, et ce serait dommage de s'arrêter là. Voudriez-vous me retrouver pour prendre un verre quelque part ?

— Je ne crois pas, non.

— Je trouve votre conversation tellement riche, tellement passionnante. Vous êtes l'héroïne des jeunes femmes journalistes d'aujourd'hui. Celles qui veulent que ça change. Et j'adore votre dernier livre.

— En entier ?

— Chaque mot. Je ne sais pas comment vous faites. » Tamara posa la main sur la poignée de la porte.

Honor souriait de nouveau, le visage penché d'un air faussement modeste vers un paquet de journaux posé par terre.

« Je me suis moi-même posé la question à propos de mon article sur Bing Crosby, répondit Honor en haussant les épaules.

— C'est vrai ? dit Tamara, sidérée par ce subit accès de modestie et par cette source potentielle d'informations alléchantes – Bing avait-il été un de ses amants ?

— Pourquoi ? ajouta-t-elle.

— Vous ne l'avez pas trouvé un peu baroque ? » lança Honor.

Attention, se dit Tamara.

Elle foulait un terrain dangereux. Tamara connaissait mal les termes architecturaux et ne voyait pas du tout comment celui-ci pouvait s'appliquer au crooner dont les chansons immortelles avaient enchanté plusieurs générations de téléspectateurs de la soirée Nostalgie spéciale Noël. Elle n'avait lu aucune allusion à Crosby dans les coupures et, une fois de plus, elle regretta de n'avoir pas eu le temps de regarder de plus près le livre de Tait.

« Que voulez-vous dire ? Pour moi, votre travail a toujours été parfait.

— C'est très gentil à vous. Mais, à mon avis, j'en ai fait un peu *trop**…

— Oh non ! Au contraire, c'était si vivant. Si *vrai** ! »

Tamara savait qu'elle aurait dû se débrouiller pour retourner au salon, rallumer son Sony et encourager la vieille dame à lui faire des confidences, mais elle n'avait qu'une envie : s'échapper de l'espace confiné de ce mausolée.

Honor se pencha vers elle et lui chuchota comme une petite fille :

« J'avais peur d'en avoir révélé plus que je n'aurais dû. Peur d'avoir outrepassé mes droits. Avec Bing, je veux dire.

— Pas du tout. C'est un truc d'avant-garde, lui affirma Tamara en appuyant ses paroles d'un hochement de tête. C'est l'un des meilleurs chapitres de votre livre. Et de loin ! »

Puis, après un instant de réflexion, elle conclut par une question :

« Il était comment, *en vrai*, Bing ?

— Divin ! Tout simplement divin ! »

Le rire d'Honor Tait sonna tel un carillon d'une gaieté surprenante.

Tamara lâcha la poignée de la porte.

« Il a chanté pour vous ? Quand vous étiez ensemble... tous les deux, seuls ?

— Oh, tout le temps. Un vrai rossignol. Toujours en train de chanter. Et il adorait danser ! »

Zut, pensa Tamara. Les premiers mots dignes d'intérêt et elle avait rangé son bloc-notes et son dictaphone.

« Vraiment ?

— Je ne vous ai pas raconté quel danseur merveilleux il était ? Un virtuose ! » s'exclama la vieille dame, le regard soudain lointain.

Zut, zut et zut.

122

« Vraiment ?

— Dans ses bras, on avait l'impression d'être un papillon. »

Tamara plongea la main dans son sac, afin de reprendre son carnet. Peine perdue. S'adossant à la porte, elle posa son sac sur son genou replié et chercha mieux. Il fallait qu'elle prenne des notes. Mais trop tard : Honor Tait était déjà partie dans une autre direction, ensorcelée par une nouvelle apparition qui la conviait à regagner la gloire étincelante du passé.

« Elizabeth Taylor ? Et elle ? Pensez-vous que j'ai été trop loin dans mon livre ?

— Oh non, soupira Tamara en abaissant son sac et en posant de nouveau la main sur la poignée de la porte. C'est incroyable. »

Encore une info qu'elle avait loupée. Décidément, ces articles taisaient beaucoup de choses, elle n'avait vu qu'une photo d'elles ensemble à une réception hollywoodienne. La bonne nouvelle, c'était qu'Honor Tait se décidait enfin à parler ; si elle continuait sur cette lancée, elles allaient passer la nuit debout sur le paillasson. Elle semblait aussi réticente à la laisser partir qu'elle l'avait été à la faire entrer lorsque Tamara était arrivée. C'était un grand pas en avant, se félicita Tamara. Mais, en ce qui la concernait, elle avait encaissé assez de gracieusetés gériatriques pour la journée.

« Ce serait génial si nous pouvions nous revoir. Je serais ravie de savoir comment vous êtes parvenue à ce résultat, et surtout comment vous avez réussi à le faire passer. C'est vrai, je ne demande qu'à tout réexaminer avec vous, tout décortiquer... Bing

Crosby, Liz Taylor, tout ça. Et Berlin aussi. La Corée… Pour moi, c'est comme une master class. Nos lecteurs vont être très intéressés, c'est sûr. »

Honor hésita.

« Téléphonez à mon éditrice. Nous verrons ce que l'on peut faire. »

Après avoir fermé la porte et mis la chaîne de sûreté, Honor soupira. Une victoire à la Pyrrhus. Elles s'étaient séparées en bons termes. Ruth allait être contente. Et Honor n'avait trahi les secrets de personne, elle n'avait strictement rien livré. Pourtant elle avait été dangereusement proche du faux pas, sotte et vieille qu'elle était, à pérorer dès qu'elle se trouvait en présence de quelqu'un qui l'écoutait, ou feignait de l'écouter. En plus, cette petite était d'une bêtise ! Tara Sim n'avait pas lu son livre. Ça, au moins, c'était certain. Ce n'était pas pour rien qu'elle avait mentionné Elizabeth Taylor ; dans *Dépêches*, son nom n'apparaissait même pas. Honor jeta un coup d'œil au tas de journaux de Noël destinés à la poubelle. Quant à son article sur Bing Crosby, le ténor onctueux et républicain qui faisait la couverture du supplément télé sous ses yeux, il n'avait rien de baroque. Elle pouvait toujours chercher le chapitre qui le concernait, il n'existait pas. Elle ne l'avait jamais rencontré, ni n'avait écrit une seule ligne sur lui.

# 4

LE *MONITOR* ÉTAIT UN JOURNAL D'INFORMATION, un quotidien auquel s'était greffé un supplément du dimanche combinant la robustesse d'un tabloïd dans ses pages people et la rigueur intellectuelle de la presse d'opinion dans ses pages politiques et son magazine en couleur sur papier glacé *S\*nday*. Contrairement aux autres journaux, qui visaient un type de lecteurs bien précis, le *Monitor*, en bon pionnier, jouait sur les deux tableaux.

Le journal avait été fondé au XIX$^e$ siècle par un aristocrate forcément whig qui espérait accumuler en un temps record une vaste fortune. L'homme s'était ruiné en dix ans et depuis lors, fidèle à sa tradition, le journal perdait de l'argent. Au début du XX$^e$ siècle, entre les mains d'un industriel du Nord, un parvenu, il s'était repositionné en qualité de « journal international de prestige », dans l'espoir d'attirer les lecteurs distingués du *Times* et du *Courier*. Mais dans sa formule la plus récente, sous le règne d'un nouveau propriétaire issu de l'ancienne Union soviétique, le *Monitor*, afin de stimuler les ventes, avait étendu agressivement son champ d'action. D'un point de vue politique, même si le rédacteur en chef actuel penchait plutôt à droite, le journal s'efforçait de ne pas prendre parti, estimant qu'au cas où les élus conservateurs usés par le pouvoir seraient vaincus par les nouvelles têtes travaillistes – ou inversement – lors des prochaines élections, le *Monitor* ne devait pas être assimilé au perdant. Par conséquent, il ne se privait pas d'attaquer, avec un sens remarquable de l'équité, les politiciens de tous bords. Son objectif étant de convenir au tout-venant, à la manière d'une tour de Babel du XX$^e$ siècle, il hébergeait quantité de voix dissonantes sur les cinq étages d'un cube en béton gris-brun.

La structure hiérarchique d'ordre intellectuel du *Monitor* se reflétait dans l'organisation de ses bureaux, une ancienne usine d'impression sur étoffes reconvertie à peu de frais et située à moins de deux kilomètres de son vieux fief de Fleet Street – désormais le siège fastueux aux piliers de marbre d'un cabinet d'avocats spécialisé dans la diffamation. Au sous-sol, le bunker du *Monitor* qui accueillait *Psst !* et le magazine télé, dirigés par l'affable et inepte ancien élève d'Eton, Simon Pettigrew, ressemblait à un couloir sans fenêtres avec des bureaux disposés en L, aménagés dans une partie du réfectoire et séparés à gauche par une mince cloison de toilettes atteintes de dysfonctionnements chroniques.

Le bureau voisin de *Psst !*, dans la courte barre horizontale du L, était occupé par la rédaction Web du journal, une entreprise expérimentale tournant vingt-quatre heures sur vingt-quatre grâce à son équipe d'infatigables adolescents, la figure criblée de

126

piercings, et dirigée par Tania Singh, diplômée de l'université d'Oxford, qui à un visage de fée aux traits d'une exquise finesse associait l'ambition dévorante de Bonaparte.

Au rez-de-chaussée dont les fenêtres s'ouvraient sur le vrombissement des embouteillages du quartier et les fumées des gaz d'échappement, les galériens au teint blême du *Monitor* s'affairaient dans la salle de rédaction. C'était là, avec contre le mur du fond une demi-douzaine d'écrans de télévision allumés, que le desk des affaires intérieures récrivait les papiers qu'on lui expédiait et s'acharnait à l'aide du téléphone et du fax à traquer les scandales politiques, les tueurs en série et les catastrophes naturelles à Londres comme aux quatre coins de la Grande-Bretagne.

Le desk de la politique étrangère officiait au même étage avec, pour sa part, en toile de fond, des horloges aux heures de New York, de Los Angeles, de Sydney et – à cause d'un plaisantin qui venait d'empocher le chèque de ses indemnités de licenciement – de Stoke Newington. Dans ce coin-ci, les téléphones et les fax sonnaient à la poursuite de scoops sur la guerre, les scandales politiques, les tueurs en série et les catastrophes naturelles dans des régions au-delà de la Manche et de la mer d'Irlande (à l'exception de l'Irlande du Nord, classée aux confins de Grande-Bretagne et donc du ressort des affaires intérieures).

Toujours au rez-de-chaussée, de l'autre côté de la réception où les spécimens importuns du lectorat étaient tenus à distance par des agents de sécurité en costume-cravate, il y avait la salle du courrier. Là, d'anciens typographes, recyclés comme coursiers depuis l'avènement des nouvelles technologies, grillaient des cigarettes, buvaient du thé et discutaient sport entre deux joyeux assauts, sac des postes à l'épaule, dans les entrailles du bâtiment. Un peu plus loin, on trouvait le service publicitaire, dont les membres du personnel se distinguaient des collègues de la rédaction par leur apparence soignée et leurs regards brillant d'autant d'enthousiasme que ceux des fanatiques religieux du sud des États-Unis.

Au premier étage, le service des sports avait pour rédacteur en chef Ricky Clegg, dont le récent débauchage de *Sunday Sphere* avait provoqué en représailles de la part du tabloïd le débauchage de l'éminente rédactrice en chef du service politique du *Monitor*, Bernice Bullingdon. Le service des sports partageait un tiers d'une parcelle de moquette grise crasseuse, et, de temps à autre, la vue gratifiante sur les fenêtres des salles de bains de l'immeuble d'en face, avec les ressources humaines, les commerciaux et le marketing. On y trouvait aussi Miles Denbigh, le directeur administratif et financier, un personnage tourmenté que l'on apercevait rarement en dehors de la cabine de verre de son bureau semblable à un confessionnal transparent planté au milieu de l'espace ouvert de la section sports. Responsable des dépenses, des budgets, des questions administratives et du personnel, il était censé ces jours-ci s'occuper de réclamer une salle de prière multiconfessionnelle, que le rédacteur en chef du service politique, qui venait de se convertir au catholicisme, appelait de ses vœux à la place du fumoir du troisième étage. Mais Denbigh avait la réputation de passer ses journées enfermé dans sa cage de verre, le téléphone coupé, attelé à l'adaptation des pièces d'Aristophane en drames contemporains injouables. Socialement, il était du genre laconique et quand il ouvrait la bouche, c'était en général pour s'excuser. On racontait qu'il s'était fait poser un cathéter pour éviter d'aller aux toilettes hommes, où l'on tombait trop facilement sur des mécontents, des fumeurs et de nouveaux convertis au catholicisme.

Au deuxième logeaient la rubrique people et son rédacteur en chef, le visionnaire Johnny Malkinson. Y régnait une ambiance feutrée propice aux cachotteries – une prépa juste avant un concours –, mais la jeunesse de l'équipe et sa vivacité typiquement londonienne trouvaient parfois un exutoire dans des accès de travail endiablés. Un visiteur non averti aurait eu alors l'impression de s'être égaré dans la garderie du journal ou dans un atelier pour adolescents souffrant de troubles de l'attention. Ce visiteur aurait été obligé, mettons, de se frayer un passage parmi une marée de ballons rouges ou de gueuler pour se faire entendre au milieu des sifflets de mardi gras, par exemple, le jour où ils fêtaient la sortie d'un numéro spécial sur les directeurs de campagne électorale. Ou il aurait dû encore tenter de parler à Malkinson pendant que celui-ci, cramponné à un parasol, essayait de marcher sur une corde tendue entre les bureaux de deux secrétaires de rédaction, pour une double page sur la démocratisation du cirque.

De temps à autre, un envoyé des ressources humaines montait demander aux employés de la rubrique people de cesser ce raffut. Et pendant tout ce ramdam, Vida Waldman, la grincheuse adjointe du rédacteur en chef du cahier people, restait vissée devant son clavier, son espace de travail pareil à un îlot de désapprobation silencieux tandis qu'autour d'elle la fête battait son plein.

L'ambiance était tout autre au troisième étage, dont les fenêtres donnaient sur les cimes d'une rangée de sycomores atteints de la maladie des taches noires. Ici, les doctes lettrés des pages culturelles, artistiques et littéraires cohabitaient paisiblement, quoique sans les comprendre, avec les créatures bizarrement attifées des pages mode. Cet étage était le relais principal des coursiers qui, lorsqu'ils ne fumaient pas des cigarettes en buvant du thé et en commentant les derniers résultats sportifs, passaient le plus clair de leur temps à former un cortège depuis leur salle au rez-de-chaussée, telle une interminable colonne de fourmis, apportant des paquets de livres au rédacteur en chef de la section littéraire et des sacs de vêtements à la responsable de celle de la mode. Des gazouillis de plaisir, un chant d'oiseau printanier accueillaient chaque livraison côté mode. Tandis que, côté livres, l'arrivée de tout nouveau sac provoquait des soupirs et des grognements. Un jour, un stagiaire stressé, qui avait été aussitôt escorté hors du bâtiment, en était même venu à déchirer des vêtements.

Au même étage se trouvait aussi la bibliothèque, surnommée « la morgue », en fait le service le plus affairé de tous, un quadrillage serré d'étagères du sol au plafond pleines à craquer de dossiers contenant des enveloppes de photos et des liasses de coupures de presse sur tous ceux dont le nom était paru dans les journaux.

« Voilà le compost qui nourrit nos plus belles fleurs, la merde qui est la clé de notre succès », avait déclaré Simon à Tamara en lui faisant visiter les locaux, lors de son arrivée au *Monitor*.

Le bruit de turbine des grands esprits au travail sur des questions majeures était presque audible lorsque l'ascenseur vous déposait au quatrième. Les fenêtres donnaient sur un parking à étages qui, avec son enchevêtrement de rampes et de travées, ressemblait à s'y tromper à un dessin d'Escher. Ici, des hommes et des femmes d'âge mûr, ayant depuis longtemps laissé à d'autres fêtes de mardi gras et numéros de cirque, vivaient, paraît-il, selon la loi de la gravitation du journaliste : « Tout éditorial attaque tout autre éditorial avec une force proportionnelle au produit de leur masse et inversement proportionnelle au carré de la distance qui sépare... » Seuls ceux, disait-on, qui entendaient cette loi et se révélaient capables d'en transcrire l'équation de mémoire avaient le droit de travailler pour les pages opinion.

Ils partageaient leurs confortables locaux avec la rédaction du service politique, une équipe présentant un assortiment d'âges plus variés, comprenant des petits génies observateurs passionnés de statistiques et de science politique ainsi que d'augustes têtes grises – par exemple Bullingdon, récemment partie à la retraite, et le journaliste qui avait pris sa place, Toby Gadge – à la mémoire défaillante mais au carnet d'adresses rebondi, qui ne se sentaient chez eux qu'à Westminster (et dans le cas de Gadge, dans la cathédrale aussi bien qu'à la Chambre des communes). Au même étage, derrière des panneaux d'isolation acoustique au demeurant superflus, officiaient les rubriques nécrologique et mots croisés, dont les membres vénérables travaillaient dans un tel silence, sans prêter la moindre attention aux directives des autres services, que beaucoup les croyaient sourds-muets et soupçonnaient Denbigh de chercher à améliorer son quota de salariés handicapés.

Au-dessus des pages opinion, des rubriques nécrologique, politique et mots croisés, et bien au-dessus de la circulation automobile, des trottoirs, des arbres souffreteux et du parking à étages, au cinquième, on ne voyait plus qu'un ciel sans fin ; et des nuages. L'élégante Lyra Moore y dirigeait l'équipe de S*nday, séparée de ses employés par de grands bouquets de fleurs coupées toujours fraîches, et s'employait à solliciter discrètement de belles pages aux plus grands noms de la littérature contemporaine, dont elle peaufinait la prose afin de la hisser jusqu'à des sommets de perfection que rehaussait encore une sélection de photographies d'une si grande beauté, aux lignes si pures, qu'elles ne demandaient qu'à être découpées dans le magazine, montées dans des cadres de chêne cérusé et accrochées au mur de votre loft des Docks.

C'est là aussi que, derrière une herse coulissante en acier chromé, une porte à deux battants en verre blindé et le regard inquisiteur de sa secrétaire, Hazel, trônait le directeur de la rédaction, Austin Wedderburn, quand il était entre les murs. Hazel gérait l'agenda de Wedderburn et était capable minute par minute de surligner chaque jour son parcours dans Londres et le Grand

Londres plus sûrement que n'importe quel système de positionnement par satellite. Ce qui n'était pas une mince affaire, Wedderburn n'étant pas homme à tolérer que les tracas de la vie de bureau interfèrent avec un carnet mondain bien rempli. Le *Monitor* était depuis toujours le journal des capitaines d'industrie, des politiciens, des pontes de la culture, des ténors du barreau, des archevêques et des débris de l'aristocratie, en bref, des gens influents auxquels Wedderburn se frottait lors de ses dîners en ville. Que le journal soit lu aussi aujourd'hui par les coiffeurs, les vendeuses, les chauffeurs de taxi, les policiers, les teinturiers et les cuistots de tout poil, si ceux des services des ventes et du marketing s'en réjouissaient tout bas, il eût été mal avisé de le rappeler à Wedderburn.

Il s'était approprié un ancien ascenseur monte-charge qui avait en son temps transporté des palettes de papiers depuis le sous-sol où se trouvait l'atelier de typographie jusqu'aux presses au dernier étage. Avec ses parois en aluminium à présent tendues de similidaim, l'ascenseur servait de capsule isolée à Wedderburn pour se propulser directement de la place de parking de sa voiture avec chauffeur à son bureau du cinquième, afin qu'il ne risque pas d'être contaminé par des rencontres inopinées avec la piétaille de *Psst !*, les galériens du desk, les sportifs des pages sports ou les gamins de la rubrique people. Cela lui permettait de passer ses heures de bureau en connivence avec les travailleurs du chapeau de *S\*nday* et, s'il se sentait d'humeur expansive, d'engager avec des délégués des pages opinion et du service politique des dialogues socratiques sur les points d'actualité les plus graves du

133

jour – les restrictions draconiennes de stationnement à Londres, par exemple, ou l'immoralité de l'imposition sur les plus-values. Ceux des autres étages qui parvenaient à obtenir une audience auprès de Wedderburn – ils n'étaient qu'une poignée – vous diraient qu'il tenait de l'Esquimau : il avait à sa disposition cinquante mots pour dire non.

Dans leur majorité, hormis les élus du cinquième, les salariés du *Monitor* aspiraient à monter en grade. Certains, toutefois, comme Simon Pettigrew et Miles Denbigh, pratiquaient la mobilité descendante. En tant qu'ancien chef de projet du magazine, Simon avait été autrefois le patron de Lyra Moore, jusqu'au fâcheux incident qui avait impliqué la nouvelle chef de la section agriculture, Aurora Witherspoon, une pimbêche bien roulée qui débarquait de sa cambrousse. Simon lui avait fait des avances en se servant du courrier électronique interne du journal et avait commis l'erreur de cliquer sur envoyer avant de s'apercevoir que, grâce à la correction automatique en cours de frappe qui complète dès les premières lettres le nom du destinataire par celui avec lequel vous correspondez le plus, c'était Austin Wedderburn qui venait de recevoir un billet doux le complimentant sur sa poitrine opulente et ses jambes de reine et l'invitant à « se rouler dans le foin et à rentrer ses blancs moutons ». Le message concluait par un : « Je sais que tu en meurs d'envie, ma belle ! » qui avait aussi mis un terme à sa carrière dans la gestion du projet de développement du magazine.

Miles Denbigh, qui jouissait depuis quinze ans de la vue sur le parking à étages depuis les fenêtres de la rédaction, avait été exilé au premier quand il était apparu que, s'il devisait volontiers de la politique et des problèmes sociaux de la Grèce antique, toute analyse de questions plus contemporaines le plongeait dans des crises d'angoisse.

Jusqu'au mail inattendu de Lyra Moore, Tamara n'avait jamais visé plus haut que le deuxième étage. Il y avait longtemps qu'elle avait mis une croix sur Vida, qui n'avait jamais donné suite à ses propositions pour les pages people. Johnny s'était montré plus accommodant. Dans son cahier *Me2* du quotidien, il publiait très souvent des papiers, primo, sur la pop music et le cinéma, ce qui avait le don d'agacer ceux de *Fr!day*, la section dédiée justement à la pop et à la toile, qui n'appréciaient guère de voir des scoops leur passer sous le nez ; deuzio, sur la mode, ce qui n'en exaspérait pas moins les pages *L(oo!)k* du jeudi ; et tertio, sur la cuisine, des papiers à propos desquels le patron du supplément du mercredi, *F<oo>d*, hors de lui, disait qu'il était de plus en plus convaincu que Johnny les pompait directement dans son agenda électronique. Simon n'adressait plus la parole à Johnny depuis que ce dernier avait devancé le numéro spécial de *Psst !* sur la toxicomanie chez les enfants stars en publiant un *spoiler*[1] de quatre pages dans *Me2* sous le titre « Le petit Micky arrêté pour détention de crack » avec tout un développement sur les jeunes junkies dans l'industrie du spectacle et du cinéma.

---

1. Un article qui dévoile l'intrigue d'une œuvre. Littéralement « gâcheur ». Les Canadiens parlent d'« émécheur », puisque le spoiler « vend la mèche ».

Tamara avait fait preuve de diplomatie et était restée neutre. En principe, sa loyauté envers Simon et *Psst !* l'emportait, mais, d'un autre côté, les actes de piraterie de Johnny étaient toujours agrémentés d'encadrés pétulants et de témoignages de stars, qui étaient sa spécialité à elle, Tamara. Elle avait espéré qu'ayant prouvé ses capacités à *Psst !* grâce à ses papiers sur les coiffures shag dans les séries, et ayant pondu pour la rubrique de Johnny trois micros-trottoirs de stars (« Les petits-déjeuners préférés des stars » ; « Ma chaise et moi – les petits secrets du mobilier des riches et célèbres » ; et « Mon questionnaire spécial célébrité préférée ») ainsi qu'une chronique Tamara Sim tonique et bourrée de jeux de mots rigolos, elle avait une chance de se voir proposer un poste permanent. Au lieu de quoi, elle avait joué à saute-mouton. Elle s'était engouffrée – au figuré – dans l'ascenseur aux parois en similidaim, la porte s'était refermée, l'aiguille verte du panneau s'était mise à clignoter vers le ciel et la voilà montant tout en haut ; plus haut que *Psst !*, ses top 10 télé et ses potins sur les stars, plus haut que le cahier people du deuxième. Hop, hop, toujours plus haut !

Mais, pour commencer, Tamara avait du pain sur la planche. Le bureau du sous-sol était plongé dans la pénombre et agréablement vide. Seul un geek aux dents en avant – un des drones du site Internet de Tania – était planté devant son écran à l'autre bout de la pièce. Tamara acheta un sandwich fromage-fromage à la cafétéria où les seuls clients étaient deux réfugiés de la rédaction en service de nuit qui complotaient autour d'un café. Devant elle, sur sa table, à côté de son bloc-notes et de son dictaphone, elle aligna ses stylos dans le sens nord-sud.

Elle avait sous la main tout ce dont elle avait besoin pour travailler : la solitude, des vivres, un attirail pour écrire et, surtout, un silence que rien ne venait troubler, une denrée rare chez elle où les voisines du dessus, deux étudiantes en droit stagiaires chez des avocats, se transformaient le week-end en gothiques possédées par l'esprit du heavy metal.

Tamara avait passé ici de nombreuses nuits fructueuses, et pas toujours pour le *Monitor*. Elle y avait même dormi une fois, afin d'honorer les délais de *Sphere*, dans le plus grand confort, ayant poussé de côté son clavier pour poser sa joue sur l'enveloppe A4 rembourrée des reçus de Simon.

Mais, en l'occurrence, il allait lui falloir quelque chose de plus que des conditions de travail idéales pour mener cette mission-ci à bien. De la détermination, de l'énergie et du flair, certes, mais aussi quelques commentaires entre guillemets bien placés. Et c'est justement ce qui l'inquiétait. Tamara se tourna vers ses notes où était consignée la trace écrite de la poussive interview, qui devait constituer son seul filon exploitable.

Qu'avait dit exactement la vieille dame ? Rien d'intéressant jusqu'à son aveu de dernière minute alors qu'aucune des coupures du dossier de presse ne mentionnait une quelconque liaison entre elle et Bing Crosby. Elle tenait là un scoop. Mais quelle était la phrase, déjà ? Tamara vérifia dans son bloc-notes ce qu'elle avait griffonné en quittant l'immeuble. « Des pieds magnifiques. Quand il m'a prise dans ses bras, j'ai eu l'impression d'être une chroniqueuse mondaine. » Ces mots n'avaient ni queue ni tête. Mais on pouvait leur trouver un sens. Et puis c'était original. À part ça, et son allusion à Liz Taylor, il n'y avait pas une seule phrase utilisable. Il lui faudrait obtenir un autre rendez-vous avec la vieille chouette, et interviewer d'autres gens, ses amis (si tant est qu'elle en eût) et ses confrères. Par ailleurs, il y avait toujours les articles – ceux du dossier et ceux du bouquin – dans lesquels elle pouvait puiser pour fournir le contexte et le remplissage.

Et puis, pour rendre son papier plus vivant, elle avait heureusement ses propres impressions, riches en détails révélateurs et bien observés. C'était déjà ça. Elle ouvrit son dictionnaire des synonymes. Les faits et les citations entre guillemets pourraient toujours être ajoutés plus tard.

> *À la suite d'un contretemps, nous arrivâmes honteux et confus avec quinze minutes de retard devant la porte d'un appartement cossu. La doyenne des journalistes britanniques nous réserva un accueil poli mais glacial.*
> *« Vous êtes en retard », nous dit-elle en nous précédant dans un ravissant salon encombré de reliques.*

Tamara sentait qu'elle n'avait pas encore trouvé le ton qui convenait au style de *S*\**nday* ; à la fois soutenu et décontracté. Avec, en bonus, une pincée d'autodérision qui était sa marque de fabrique à *Psst !*

*Mon appréhension à l'idée de me trouver en tête à tête avec la légendaire miss Tait était déjà à son comble. Mon petit ami m'avait larguée la semaine précédente, j'avais laissé passer la date limite de paiement de ma taxe d'habitation. Ma lèvre s'enflait d'un bouton de fièvre qui me faisait ressembler à une victime de la peste bubonique et voilà que le matin où je devais rencontrer la grande dame qui depuis toujours me sert de modèle, la doyenne des journalistes britanniques, nous nous sommes retrouvés coincés dans un embouteillage monstre jusqu'à Regent's Park. Le pire était atteint. Et pourtant, non.*

Elle fit la grimace en se rappelant ses larmes, tellement antiprofessionnelles. Un moment de relâchement qui lui avait sans doute procuré un avantage temporaire – au final, la vieille dame ne l'avait pas jetée dehors –, mais Tamara n'aimait pas cette sensation d'être à la merci de ses émotions et que même son travail pouvait souffrir de la muflerie de son amoureux. Cela faisait une semaine et elle n'était toujours pas remise. La colère l'enflamma en pensant à Tim. Il n'avait même pas donné signe de vie. L'amour triomphe de tout sauf de la lâcheté. Sa femme commençait à se douter de quelque chose ; il n'avait pas envie de supporter les frais d'un divorce supplémentaire avec, en plus, l'éventualité d'une troisième nichée d'enfants. (Non que Tamara souhaitât en avoir. Pas encore, en tout cas.) Évidemment, ce n'était pas ainsi qu'il lui avait présenté la chose. Ils avaient besoin de « mettre de la distance », avait-il dit.

« J'en ai assez, avait-elle rétorqué. Je te vois une fois par semaine, deux heures chez moi, et parfois le samedi après-midi pendant que ta femme emmène les jumelles à la danse, quand tu n'es pas au bureau en train de boucler un article urgent, ou de jouer au cricket à la campagne, ou de buller autour d'une piscine avec ta famille en Andalousie. Il me semble qu'il y a assez de distance dans tout ça. Il y a de quoi aller sur la lune. »

Elle aurait dû le voir venir. Un mois plus tôt, alors que Noël, l'apocalypse annuelle du célibataire, se pointait à l'horizon, il lui avait promis une escapade le lendemain de ce jour affreux, une nuit dans un hôtel à la campagne qui lui permettrait d'envisager plus sereinement l'idée de passer deux jours dans une ville de banlieue du Leicestershire entre son père, sa belle-mère, la ridicule Ludmilla, et leur fils de six ans, le demi-frère de Tamara, le petit génie rondouillard pourri-gâté, Boris.

Le premier Noël qu'elle passait en compagnie de son père depuis la mort de sa mère avait bien été le cauchemar prévu – Boris avait commenté des coups spéciaux aux échecs ; Boris avait récité des poèmes russes en russe ; Boris avait trouvé la solution du Rubik's Cube en un temps record ; Boris avait joué sur sa clarinette le programme de deuxième année du conservatoire, applaudi par des parents extatiques au milieu d'une décharge de papiers cadeaux. Quelque part sous cet amas de feuilles déchirées et froissées, de rubans scintillants dorés, de nœuds argent, était enfoui le dernier cri en matière de jouet électronique, un Tamagotchi, un animal de compagnie virtuel que Tamara avait eu du mal à trouver et que Boris, dès qu'il avait ouvert le paquet, s'était empressé d'écarter avec un rapide « Merci ». Ross, son frère « entier », l'aîné de leur père, le fils perturbé, avait été banni de la maison à la suite d'une connerie méphistophélique. Pas un seul coup de fil de Tim, pas d'hôtel campagnard, pas d'escapade.

Le nouvel an avait lui aussi été une catastrophe. Elle n'avait pas voulu aller à la fête de son amie Gemma, préférant attendre chez elle un hypothétique coup de fil, néanmoins promis, comme lui avait été promise la nuit de passion. Ni l'un ni l'autre n'avait eu lieu.

À El Vino, la semaine précédente, Tim avait tenté de l'amadouer en lui caressant la main. Leur liaison avait été si intense, avait-il chuchoté tendrement. Ils avaient besoin de prendre du temps et de réfléchir.

« Réfléchir ? À quoi ? Est-ce que tu as un jour pensé à autre chose qu'à toi ? »

Cela n'avait rien arrangé qu'elle ait déjà bu une bouteille entière avant son arrivée : il était en retard, une fois de plus. Et elle savait que les larmes n'aidaient pas dans ce genre de situation, pourtant elle s'était mise à renifler comme une gamine qui vient de recevoir une gifle. Existait-il quelqu'un capable de pleurer esthétiquement ? Elle voyait bien que, même s'il lui tendait une serviette en papier et poussait un soupir de sympathie, il trouvait répugnants ses yeux rouges tout gonflés et les bulles qu'elle faisait avec son nez, et n'avait qu'une envie : s'enfuir en

courant. N'était-il pas ironique que le *coup de grâce**
à leur liaison fût assené dans le bar même où, six
mois plus tôt, au lendemain de son scoop sur le fils
drogué d'un policier haut placé, tout avait commencé ? Tout ce qu'il avait fallu pour persuader le
garçon de seize ans, costaud pour son âge, de lâcher
son argent de poche, c'était deux rendez-vous « amoureux », une petite séance de pelotage dans la voiture
et la promesse d'une fellation.

« D'accord, avait gémi le garçon. Voilà le fric.
Donne-moi la drogue. Ensuite, tu peux refaire ce truc
avec ta langue ? »

La dernière phrase avait été coupée de la transcription publiée par *Sphere*.

Pour fêter son triomphe, Tim avait invité Tamara à
déjeuner avec trois de ses supporters. Quand elle
avait senti sa main lui caresser la cuisse sous la table,
elle avait été transportée de joie, sachant que leur flirt
timide – les discrets sourires dans les bureaux des
secrétaires de rédaction, le frôlement de leurs mains
au-dessus des photos volées – allait aboutir l'après-
midi même.

Cela avait été amusant. Plus qu'amusant, s'était-
elle dit en se persuadant que leur liaison avait le profil d'un grand amour. Il était le Bogie fin de siècle de
sa Bacall, le Hugh Grant de sa Liz Hurley, le Rod
Stewart de sa Rachel. N'avait-il pas ressenti une émotion poignante lorsqu'ils avaient dû se séparer, après
l'euphorie de leur long week-end à Paris ? Il y allait
en mission professionnelle et avait réussi à faire passer en note de frais le billet de première sur l'Euro-
star de Tamara. Ils auraient aussi bien pu être à

Scunthorpe, pour ce qu'ils avaient vu de la Ville lumière. Se sustentant de champagne, de cocaïne, d'ecstasy, de ce qu'il y avait dans le minibar et de ce que leur montait le room service, ils n'étaient pas sortis de leur chambre pendant quarante-huit heures somptueuses.

Elle avait mis dans sa valise une robe moulante en velours noir et emprunté à Gemma un collier en brillants en prévision d'une soirée dans un grand restaurant, où un dîner pour deux coûtait trois fois le revenu mensuel de Tamara, mais elle aurait très bien pu ne pas prendre cette peine. De même la chemise de nuit lilas transparente, garnie de petits nœuds en satin et fendue sur les cuisses, s'était révélée superflue. Ils avaient passé le week-end dans le plus simple appareil, à la stupéfaction de l'individu craintif qui livra leur commande quand il était entré la première fois dans leur chambre en poussant son chariot. Ensuite, chaque fois qu'il apparaissait, ils restaient couchés raides comme des gisants, retenant un fou rire, la couette remontée jusqu'au menton.

Ils avaient aussi beaucoup parlé. Tim lui avait raconté (avec moult détails – la faute à la cocaïne) ses malheurs au pensionnat, les mauvais traitements, le sadisme du prof de gym. Elle lui avait décrit le divorce de ses parents, la série de belles-mères ridicules, la maladie de sa mère et le naufrage progressif de Ross. C'était la première fois qu'elle se confiait ainsi. Et lorsque, à la gare de Waterloo, le moment de se séparer était arrivé, à l'instant où elle l'avait vu s'éloigner, en suivant des yeux sa silhouette adorablement râblée

143

qui rapetissait au loin, elle avait éprouvé une tristesse qui pouvait passer pour de l'amour.

Mais c'était toujours une erreur de coucher avec son rédacteur en chef. Après six ans de métier, elle aurait pourtant dû le savoir. Au départ, en dehors des satisfactions sur le plan sensuel et émotionnel, il y avait eu de nets avantages professionnels. Tim lui avait commandé trois gros papiers pour la section people de *Sphere*. Elle avait ainsi passé un week-end hilarant dans un hôtel avec une danseuse transsexuelle de lap dance qui affirmait avoir couché avec un ministre ; pendant quinze jours elle n'avait pratiquement pas quitté une combinaison en latex pour une enquête en profondeur sur les goûts pervers d'une star de soap opera sur le retour ; elle avait interviewé un masseur junkie qui prétendait avoir été l'amant d'un gardien de but renommé. Lorsqu'un des reporters de *Sphere* avait échoué en cure de désintoxication dans une clinique de South London, elle avait été engagée une ou deux fois pour tenir le desk du journal. Puis il y avait eu la promesse d'un poste permanent.

« Il faut juste que j'arrange ça avec notre manager », lui avait déclaré Tim.

Et à présent, tout était annulé, y compris le grand amour. Lorsqu'une liaison avec un rédacteur se termine, vous vous retrouvez aussi sur la sellette. Tim avait marmonné quelque chose à propos des « effectifs » et des « restrictions budgétaires », ce qui ne l'avait pas empêché de trouver des sommes astronomiques pour débaucher la rédactrice de la section politique du *Monitor*, une dame caparaçonnée de tweed qui parlait comme une présentatrice de la BBC d'avant-guerre. Bernice Bullingdon serait aussi à sa place au *Sunday Sphere* que Margaret Rutherford dans un porno.

Pourquoi Tim voudrait-il faire de Tamara un élément permanent de son bureau, quand il l'éjectait de son lit ? Ou, plus précisément, il s'éjectait lui-même de son lit à elle. Son dernier papier people pour le *Sunday Sphere*, sur l'épidémie du sac tueur – « la mode des sacs à main surdimensionnés qui menacent la posture et la vie d'une génération de jeunes femmes » –, devait être transmis la semaine suivante à *BioSphere*, la section santé et beauté du tabloïd. Maintenant, elle savait qu'il allait passer à la trappe. Elle recevrait un généreux dédommagement, négocié par la secrétaire de Tim, et jamais plus elle ne travaillerait pour le journal, du moins pas tant que Tim lui-même n'aurait pas été mis sur la touche lors d'un prochain putsch à la rédaction. Tous les soirs, elle priait, avec une ferveur rare chez une agnostique, pour que survienne un de ces coups d'État.

Avant que ça ne tourne mal, le bureau de *Sphere* avait été à ses yeux un lieu de fête perpétuelle, où un personnel guilleret pointait moins qu'il ne se joignait aux réjouissances. Elle avait du mal à imaginer comment la pontifiante Bullingdon, qui ne trouvait rien de plus distrayant qu'une soirée à jouer au bridge avec des ministres, s'en sortirait dans un journal dont la plus remarquable contribution au journalisme contemporain était sa page « Les maris des lectrices », où chaque semaine vous pouviez vous rincer l'œil sur des photos de Quasimodo jouant les modestes en slip kangourou douteux et marcel en filet de pêche. Comparé à *Sphere*, le *Monitor*, même dans ses versions les plus ludiques, comme *Psst !* ou le cahier people de Johnny, était aussi ennuyeux, terne et atrocement hiérarchisé que la succursale d'une société immobilière.

Elle essuya ses larmes et nota que le geek dans le coin de la salle ne regardait plus son écran. Il semblait la regarder, elle. Du coup, elle le foudroya du regard. Il baissa la tête et se remit à taper sur son clavier. Il lui restait toujours son travail, se dit Tamara en guise de consolation. Les amoureux allaient et venaient, mais le besoin d'argent, lui, restait constant. Elle devait penser à son frère, en plus. Ross, irresponsable, vulnérable. Elle avait beau redouter leurs conversations téléphoniques – au timbre de sa voix et à la cohérence de ses propos, elle devinait son humeur et son degré d'intoxication –, chaque fois qu'il ne décrochait pas, elle restait éveillée toute la nuit, taraudée par l'angoisse. Où était-il ? Que faisait-il ? Avec qui était-il ?

La dernière fois qu'elle avait eu de ses nouvelles, c'était sur son répondeur, un message qu'il avait laissé deux semaines plus tôt. Il avait la voix pâteuse et elle n'avait pas bien compris ce qu'il lui disait, mais il avait l'air content. Tamara avait essayé de se rassurer en se disant qu'il était peut-être seulement ivre. Elle l'avait rappelé, mais son fixe avait été coupé. Une fois de plus, elle serait obligée de régler la facture, et les pénalités de retard ; c'était à terme plus économique, en temps comme en argent, et infiniment moins pénible qu'une traque lugubre dans la jungle urbaine de King's Cross.

En subvenant aux besoins de Ross, finançait-elle sa descente dans la dépendance ? Ou l'empêchait-elle de se laisser complètement couler ? Elle ne pouvait pas l'abandonner, comme le conseillaient les ouvrages sur la question. Elle préférait payer son dealer que de risquer les conséquences d'une mesure aussi drastique. Si quoi que ce soit arrivait à Ross, elle ne se le pardonnerait jamais. Son travail, voilà la seule solution, pour elle comme pour lui.

Elle ramassa *Dépêches* et consulta l'index – rien, ni sur Crosby ni sur Liz Taylor. Allait-elle être obligée de s'avaler le bouquin en entier sans être sûre de trouver de bonnes histoires à se mettre sous la dent ? La vie était courte, les bouclages imminents. Elle se tourna vers le premier livre d'Honor Tait, *Ma vérité, ma machine à écrire et ma brosse à dents*, qui contenait en principe son prix Pulitzer. Le voilà. Avril 1945. « Le chêne de Goethe ». Qu'est-ce que c'était que ce titre ? Elle poussa un gros soupir et se mit à lire.

*Le 27 septembre 1827, Johann Wolfgang von Goethe, l'immense génie littéraire de l'Allemagne, alors âgé de près de quatre-vingts ans, se promena un matin en compagnie d'un ami dans la forêt d'Ettersberg, au-dessus de Weimar. Ils s'arrêtèrent au sommet d'une colline pour petit-déjeuner d'une perdrix rôtie, de pain blanc et « du meilleur vin dans une coupe d'or pur ». Assis adossés au tronc d'un chêne robuste, ils avaient une vue à vol d'oiseau sur la large vallée de l'Unstrut et ses villages étincelants sous le soleil limpide d'automne.*

*Au-delà, vers le sud et l'ouest, s'étendaient les splendides massifs montagneux de Thuringe, et, au nord, les cimes et les crêtes violettes du lointain Hartz.*

La balade en forêt d'un poète du XIXᵉ siècle ? Ce ne pouvait quand même pas être considéré comme de l'info, même en 1945.

*« Je suis venu bien souvent ici, observa-t-il, et souvent je me suis dit, au cours de ces dernières années, que c'était la dernière fois que je contemplais de ce lieu les royaumes du monde et leur splendeur Mais je tiens toujours bon, et j'espère encore aujourd'hui que ce n'est pas la dernière fois que nous passons tous deux une bonne journée [...]. On se ratatine à vivre dans son étroite maison. Ici l'on se sent grand et libre, comme la grande nature que l'on a sous les yeux, et comme on devrait, en somme, être toujours[1]. »*

Quelle prose sentencieuse et moralisatrice. Des méditations qui donnaient dans le grandiose. Aucun journal aujourd'hui ne publierait un truc pareil. Une lecture trop ardue de toute façon pour cette heure tardive. À l'autre bout de la salle, le geek venait d'éteindre son ordinateur et fourrait ses affaires dans ce qui ressemblait à un cartable d'écolier. Il sortit sans un mot Tamara était seule. Elle retourna à son

---

1. *Conversations de Goethe avec Eckermann*, traduction de Jean Chuzeville, Paris, Gallimard

article et ouvrit son dictionnaire des synonymes. Elle ne briguait pas le Pulitzer, mais ceci devait être le meilleur papier qu'elle ait jamais écrit.

*J'arrive en retard, écarlate et à bout de souffle devant l'immeuble cossu et* soigné\* *de Maida Vale. Honor Tait, la formidable doyenne des journalistes, m'ouvre la porte qui craque de son appartement crépusculaire et fixe sur moi un regard glacial.*

*« Vous êtes en retard ! » proteste-t-elle.*

*Elle n'a pas l'air de vouloir m'inviter à entrer.*

*Ai-je vraiment sous les yeux la délicieuse sirène qui a jadis charmé et harcelé les leaders mondiaux, de Franco à Kennedy en passant par Castro, celle qui a été vue au bras des plus grandes icônes du siècle – le peintre play-boy Pablo Picasso, le golfeur crooner Bing Crosby, l'acteur ami de la mafia Frank Sinatra et l'auteur de* Cats', *T. S. Eliot ? Je vérifie le nom inscrit sur la plaque sous la sonnette. Tait. Cette petite vieille dame, c'est bien elle ; la reporter qui a couvert les événements les plus importants du siècle qui vient de s'écouler – la Seconde Guerre mondiale, la guerre de Corée, (à remplir plus tard…) –, et a interviewé chez elles les personnalités les plus marquantes et les plus renommées de l'histoire récente. Mais permettra-t-elle à l'humble journaliste qui se présente de franchir son seuil ? Et si elle accepte de la laisser entrer, quelles histoires voudra-t-elle bien lui confier ?*

Tamara reprenait confiance. Au fond, le sujet était plutôt sympa. Mais elle avait aussi les autres papiers. Elle accusait déjà du retard pour deux piges commandées le mois dernier par ses clients habituels. *Mile High*, le magazine lu à bord des avions de Prêt-à-Jet, la pressait de leur envoyer un truc sur leur nouvelle destination, les Pays-Bas, tandis qu'*Oestrus*, le magazine pour « la femme mature et avisée », attendait toujours son comparatif sur les vibromasseurs. Une fois débarrassée de ces corvées, elle pourrait se concentrer sur son morceau de choix. Tim Farrow, le jour où, banni des journaux, il ne pondrait plus que des communiqués de presse pour une entreprise de plomberie, regretterait celui où il avait laissé passer la chance de sa vie en refusant de partager celle-ci avec un écrivain de renom comme Tamara Sim, la Golden Girl de la presse du XXI$^e$ siècle.

Mais d'abord… la vengeance.

*Un touriste non averti débarquant à Almaar au début du mois de septembre restera bouche bée devant un spectacle prodigieux : de gigantesques boules d'édam et de gouda dévalent les pentes abruptes des rues pavées de la ville ancienne. Et pas un seul cracker en vue !*

*
* *

Honor leva les yeux vers la pendule à la base de laquelle s'enroulait le chapelet antistress. Près de minuit. L'interview, quoique à son avis absurde, continuait à la préoccuper, et les questions imbéciles de la petite l'avaient amenée à s'en poser de plus pertinentes. Alors qu'elle s'efforçait de donner un sens à sa vie ou du moins une forme simple et compréhensible – et, oui, honorable – à jeter en pâture aux lecteurs du *Monitor*, d'indésirables fragments de son passé remontaient à la surface, tels de vilains corps flottants sur son œil intérieur, qui désacralisaient le tableau et la tourmentaient. Et elle n'en revenait pas d'avoir été si près de se déculotter devant cette mijaurée. Ce n'était pas tout à fait jeter des perles à des pourceaux ; plutôt un gaspillage de faits à des idiots. Mais avec qui d'autre en parler ?

Honor ne craignait pas d'être seule. Mais la solitude, c'était autre chose. Depuis la mort de Tad, deux ans plus tôt, elle avait rassemblé autour d'elle tout un groupe de jeunes, ses « boys », au Monday Club. Ses anciens amis étaient tous morts, ou tout comme. La pauvre Loïs par exemple. Honor l'avait rencontrée dans le Berlin de l'après-guerre, où elle travaillait comme interprète. Linguiste hors pair, détachée de l'école de Bryn Mawr, avec ses yeux noirs en amande et son long cou, elle ressemblait à un Modigliani, et elle avait un corps de danseuse. Lorsque Honor avait déménagé à Los Angeles, Loïs, devenue militante du Parti progressiste, vivait à Brentwood. Leurs liens s'étaient resserrés et leur amitié avait traversé les décennies, entretenue par de rares et ruineuses conversations téléphoniques, des lettres encore plus exceptionnelles mais remarquablement longues – toutes détruites dans l'incendie – et des retrouvailles, au moins une fois par an, en général en Italie, où elles visitaient les musées et les églises, mangeaient dans des trattorias, buvaient du prosecco et passaient leurs nuits à discuter. Loïs avait fini par venir habiter Londres en 1970 pour travailler à l'ambassade américaine de Grosvenor Square et avait acheté un petit appartement à Mayfair. Elles s'étaient vues régulièrement – vernissages, concerts, déjeuners, dîners. Chaque printemps, Loïs prenait le wagon-lit pour l'Écosse et elles se promenaient dans les collines des environs de Glenbuidhe.

La vie sentimentale de Loïs était honorable et relativement chaste, mais elle avait soutenu Honor au cours de trois mariages et d'innombrables peines de cœur. Après le naufrage de son union avec Sandor, Honor avait sombré dans une dépression que Loïs, par le truchement d'une projection classique, avait attribuée au fait qu'elle n'avait pas d'enfants. Qu'importe la cause, Loïs l'avait beaucoup aidée dans ces moments difficiles. Puis Honor avait connu Tad, et Tad s'était senti menacé par son amitié avec Loïs. Il ne pouvait pas croire qu'une relation d'une intensité pareille soit dépourvue de tout désir sexuel. Il surnommait Loïs « la grande chérie », si bien qu'Honor se demandait s'il ne s'était pas réjoui secrètement lorsque son amie avait commencé à perdre la boule, sept ans plus tôt.

Aujourd'hui, quelques contemporains d'Honor avaient sans doute encore toute leur tête et respiraient sans assistance, mais ils n'étaient plus fréquentables, obsédés qu'ils étaient par leurs infirmités, rivalisant de nouveaux symptômes et de traitements médicaux inhumains. Au moins ses « boys », quoique souvent désinvoltes et ignorants, parlaient d'autre chose que de coloscopie et de scanner.

Elle alluma une lampe et se mit à la fenêtre. Le jardin était semblable à un décor désert, entre le spectacle des enfants en matinée et celui des adolescents en soirée. Elle tira les rideaux, préférant décourager la curiosité des voisins de l'immeuble d'en face. Non qu'il y eût quoi que ce soit d'intéressant à voir chez elle. Une vieille femme, la tête basse, assise seule, qui attendait. L'attente : l'activité principale des vieux.

Elle jeta un regard aux épreuves de *L'Œil inflexible* qui, posées sur la table, la narguaient d'un air de reproche. Elle devait relire ce troisième – et dernier, Honor avait été catégorique avec son éditrice – recueil de reportages. Pour le moment, elle n'avait pas le courage de se replonger dans des articles écrits autrefois, de revoir sous un jour critique les triomphes passés. Elle préféra prendre son carnet. Un vrai travail. La postface de son prix Pulitzer sur la libération de Buchenwald serait le dernier chapitre de cet ultime ouvrage. Avec cette nouvelle version complétée du reportage d'origine, elle avait une chance de se racheter. Si du moins elle parvenait à l'écrire, ce qui n'était pas certain. Mais elle devait essayer. Il y avait trop longtemps qu'elle résistait à ce retour au chêne de Goethe.

*Buchenwald, 14 avril 1945. La libération. Jour 4. Les rescapés, toujours dans leurs tenues de prisonnier en lambeaux, fêtaient leur liberté retrouvée près de la souche du chêne de Goethe brûlé lors d'un bombardement. Chacun d'eux avait à la*

*main un drapeau. Alors qu'ils les agitaient, fiers
et provocateurs dans leur orgueil national, nombreux étaient ceux qui pleuraient les camarades
morts avant de connaître ce jour.*

Le téléphone sonna de bonne heure, le lendemain
matin, tirant brutalement Honor du sommeil artificiel
que lui procuraient les somnifères. Elle décrocha,
s'attendant à un énième appel silencieux, mais cette
fois une voix lui parla. Une voix qui lui fit l'effet
d'une douche froide. Elle bredouilla des questions
banales, essentielles : « Où étais-tu passé ? » « Comment vas-tu ? » « Qu'est-ce que tu fabriques ? » « Où
es-tu ? »

Tandis qu'il s'esquivait, tout ce qui se dressait
entre eux s'effondrait.

« Qui d'autre cela pouvait-il être ? Un autre amoureux ? dit-il. J'ai bourlingué un peu, tu sais... Ça
va... Un peu de ci, un peu de ça... Difficile à dire,
pour le moment... »

Elle sentit le timbre grave et suave de sa voix
vibrer en elle, comme si on avait tiré sur la corde
d'un instrument qui n'aurait pas servi depuis des
années mais serait pourtant encore parfaitement
accordé. Il la ramenait en arrière et, contre toute raison, elle voulait l'attacher à elle par ses questions.

« Mais tu vas bien ? Où habites-tu, maintenant ?
Comment as-tu fait ? »

Elle craignait de le faire fuir et pourtant ne pouvait
s'en empêcher. Elle voulait l'entendre, elle avait faim
de lui. Peu importait, ce qu'il disait, ou taisait, du
moment qu'il continuait à parler.

« Je me suis débrouillé. »

Elle avait rêvé de lui, de petites scènes fébriles de rupture et de réconciliation. Sa voix avait été la bande sonore d'un grand nombre de ses cauchemars. Elle marqua une pause, passa la main sur son front ; non, elle était réveillée, c'était bien réel, c'était bien lui à l'autre bout du fil.

« J'ai reçu ta carte, reprit-elle. Tu disais avoir besoin de me voir.

— J'ai vraiment dit ça ? Je pensais que le "besoin" était plutôt ton rayon. »

Il semblait si proche, elle avait l'impression qu'elle pourrait le toucher.

« Et maintenant, où es-tu ? s'enquit-elle, jugeant plus prudent de ne pas le provoquer.

— Par là. De retour dans la ronde.

— À Londres ? »

Il soupira profondément, comme s'il éprouvait une immense lassitude.

« Pas loin, répondit-il.

— Tu as des projets ? lui demanda-t-elle d'un ton dégagé dont il ne serait pas dupe.

— Tu as lu ma carte. Je pensais qu'on pourrait se rancarder. »

Se rancarder : quelle vulgarité ! Il se fichait d'elle.

« Oui… Pourquoi pas ? »

Son ton était hésitant. Pourtant, au-dedans, à une profondeur qu'il était seul à percevoir, même si le Dr Kohler ou un de ses collègues auraient pu s'en douter, elle le voulait désespérément, elle en avait une envie folle, de ce « rancard ».

« Mais c'est compliqué », dit-il.

Bien entendu, c'était compliqué. Dangereux aussi. Il l'avait appâtée, il avait réussi à lui faire admettre qu'elle souhaitait le voir, et maintenant il se dérobait. Elle éprouvait un léger vertige, à cause du somnifère avalé seulement deux heures plus tôt. Ou bien étaient-ce des palpitations à la suite du choc produit sur elle par cet appel ?

« Rien, sûrement, qui ne puisse être résolu, commenta-t-elle.

— Je n'en suis pas si sûr. C'est un peu délicat. »

Elle se sentit soudain dangereusement menacée par un accès de tendresse.

« On n'a qu'à passer l'éponge. Recommencer de zéro », dit-elle.

Entendait-il la note plaintive, pathétique, qui perçait dans sa voix ?

« Mes finances. Elles sont un peu compromises, en ce moment », répondit-il.

Ses finances ? Bien sûr. C'était pour ça. Comment avait-elle pu oublier ?

« De l'argent ? dit-elle en éclatant de rire. Écoute, ce n'est pas un problème. Dis-moi de combien tu as besoin et où te l'envoyer. »

Il devait y aller, lui assura-t-il. Mais il rappellerait bientôt.

« C'est vrai ?

— Oui, c'est vrai. »

Discernait-elle une nuance de menace dans ses intonations ? Il lui en voulait toujours.

L'instant d'après, il était parti.

Honor repoussa ses draps et se rendit d'un pas chancelant à la cuisine. Elle se versa une vodka avec des mains tremblantes et ouvrit les rideaux. L'aube blanchissait un ciel aussi gris qu'une couverture militaire, et les arbres se tordaient comme avant un orage. Quelques lumières brillaient déjà dans l'immeuble d'en face ; elle observa une jeune femme qui montrait du doigt à son bébé le jardin en contrebas. Honor se détourna et s'effondra dans un fauteuil, subitement glacée d'effroi. Il arrivait qu'un vague désir d'intimité se transforme en une faim dévorante et, en ce qui la concernait, elle ignorait l'état de satiété.

Elle vida son verre et le posa sur la table à côté de la photo de Tad. Son mari lui manquait-il ? Même si leur mariage, en apparence réussi, n'était au fond qu'une supercherie ? On trouvait la même solitude dans l'agitation routinière d'un couple qu'au fond du lit d'une vieille fille. L'intimité, voilà ce qui lui manquait. La réconfortante banalité que représentait la présence d'un compagnon que l'on ne songe même pas à questionner. Son corps allongé près d'elle, nuit après nuit. Ou presque. Et les rapports sexuels – pas forcément avec Tad – lui manquaient aussi.

Il fut un temps, lorsqu'elle avait une cinquantaine d'années, alors que son corps commençait à « changer » – un euphémisme pour la mort – où elle avait espéré que le thermostat détraqué de son organisme, que ces feux de brousse internes consumeraient ses dernières réserves de libido. Pour Loïs, qui, par rapport à elle, avait toujours été chaste, la ménopause n'avait été que la dernière note d'un long *diminuendo*. Combien Honor avait espéré connaître ce permanent hiver passionnel, tout ce temps gagné, cette énergie mentale économisée, afin de pouvoir se consacrer à son travail, sans distraction. Alors ce « changement de vie » aurait rimé avec repos. Eh bien, pas du tout. John G. était survenu, de vingt-deux ans son cadet, ténébreux, intense et pas le moins du monde repoussé par son corps vieillissant. Elle l'avait pris pour son chant du cygne, sa dernière tarentelle avant le lit de mort. En fait, il avait été suivi de Lucio, puis de Bernard… Son désir avait peu tiédi, les occasions s'étaient seulement faites plus rares.

À présent, voilà que ce coup de fil narquois lui rappelait qu'il existait une intimité vraie, périlleuse. Il était de retour, à portée de main. Il avait télé-phoné, il allait venir la voir. Elle savait qu'il viendrait. Il était furieux, certes, mais, peut-être même mainte-nant, n'était-il pas trop tard.

## 5

LE BUREAU DE TAMARA ÉTAIT DÉJÀ OCCUPÉ quand elle arriva le lundi matin au *Monitor*. Tania Singh avait le visage éclairé, telle une princesse de Bollywood sous les projecteurs, par l'écran de l'ordinateur. Ses doigts aussi minces que ceux d'une enfant dansaient sur le clavier de Tamara tandis que ses livres et ses documents s'entassaient sur la table.

« Pardon ? » dit Tamara en laissant tomber son sac aux pieds de Tania, anormalement petits dans ses bottines à talons bobine.

« Salut ! »

Tania leva les yeux et sourit.

« Je ne t'attendais pas si tôt. Mon ordi est en panne. Je savais que ça te serait égal.

— Eh bien, en fait…

— J'en ai pour une seconde. »

Tania rassembla ses affaires et sortit, ses longs cheveux fouettant l'air derrière elle comme une cape de soie noire. Tamara nota non sans agacement qu'elle avait oublié sa pile de bouquins. Il n'y aurait rien de passionnant pour elle là-dedans : ni bios de pop stars hantant les mémoires, ni romans de gare sur la quête de l'amour par la femme moderne, ni polards à l'intrigue bien tordue, ni livres de blagues. Tania était d'une prétention notoire et passait, paraît-il, le plus clair de son temps – quand elle ne consolidait pas sa position au *Monitor* – à lire des thèses et à fréquenter les galeries, les théâtres et l'opéra.

Elle écrivait un journal de bord pour le site Internet. Simon l'avait lu. « Une perte de temps, avait-il décrété. Je ne comprends pas pourquoi elle se donne tant de mal pour ça. L'Internet, c'est un truc de losers. La radio libre des geeks et des poseurs. » La semaine précédente, Tania avait proposé une « réévaluation de Lévi-Strauss » – non pas, comme l'avait supposé Tamara, une réflexion sur la disparition des blue-jeans de la garde-robe des jeunes branchés (un papier que Tamara elle-même avait soumis à plusieurs reprises en vain à des rédactions) mais un essai longuet sur le fondateur de l'anthropologie structurale.

« Je ne sais pas pour qui elle croit qu'elle écrit, avait déclaré Simon. La petite communauté "sur la toile", comme on dit, n'est qu'une bande de branleurs solitaires. Et je ne parle pas de branlette intellectuelle. D'un autre côté, il faut bien avouer que sa photo est assez bandante. »

Afin de disséminer sur un rayon aussi large que possible cette photographie, Tania courtisait les rédacteurs en chef des autres sections du journal avec une détermination effrayante.

Vida, qui remplaçait Johnny au cahier people quand il n'était pas au bureau, lui avait commandé deux papiers – le premier sur un refuge pour femmes au Baloutchistan, le second sur une artiste qui peignait des toiles abstraites d'une « intimité douloureuse » à l'aide de pinceaux fabriqués avec ses propres poils pubiens. Ni l'un ni l'autre n'aurait franchi le bureau de Johnny si, à l'époque, il n'avait été coincé dans un hôtel du Surrey, où, sous la houlette d'un consultant en management, il jouait à des jeux de rôle sur des scénarios de négociations avec les syndicats en compagnie d'autres membres de la société des rédacteurs.

Johnny avait été échaudé à propos de Tania quand, ayant accepté dans un élan d'enthousiasme de lui prendre un papier sur la sémiotique des *Simpson*, il avait récolté, deux semaines plus tard, un essai de deux mille mots sur un certain Barthes. Roland Barthes. Depuis, Johnny prenait soin de l'éviter, allant, dès qu'elle se pointait à l'horizon, jusqu'à feindre des appels téléphoniques urgents. Elle était l'auteur de critiques sur le théâtre en Europe de l'Est pour la section arts et sur la nouvelle littérature scandinave pour la section littéraire, d'un reportage sur une compétition de curling à Blairgowrie pour la section sports, d'un exposé de l'aide aux victimes des inondations au Bénin pour les pages opinion, et l'on racontait que, dans un effort désespéré pour entrer à *S\*nday*, elle avait, pendant un mois, fait le siège de l'inexpugnable Lyra, bombardant chaque jour de messages sa boîte mail.

Tamara était fière que ce soit elle, la modeste Tamara Sim qui avait les deux pieds sur terre et dont la simplicité n'avait d'égal que la débrouillardise, qui ait été invitée à rejoindre l'équipe de Lyra, et non pas cette intello de Tania. Parmi les rédacteurs en chef du *Monitor*, seul Simon n'était jamais sollicité par Tania, laquelle n'affichait que dédain pour les sujets, l'humour et l'impertinence de *Psst !* Elle déjeunait rarement et ne se mêlait jamais aux joyeux drilles du sous-sol quand ils se réunissaient après le travail au Beaded Bubbles, le bar à vin qui servait de cafèt' extérieure, avec en bonus l'alcool et les tickets de caisse. Tania était toujours trop occupée à travailler, ou en route pour quelque sinistre séance de lecture de poésie, à moins qu'elle ne fût en train de squatter la programmation « découverte de nouveaux drama-turges » du Royal Court Theatre.

« Si elle est si brillante, qu'est-ce qu'elle fiche sur le site Internet ? avait-elle demandé à Simon, un soir, au Bubbles.

— L'ambition. Un nouvel espace à conquérir. Elle tient à être de la partie, à planter son drapeau.

— Elle y croit vraiment ?

— Tout à fait. L'esprit de pionnier, le même qui l'a animée quand elle a pris ses congés d'été en Bosnie il y a deux ans, pour se faire la main en tant que repor-ter de guerre. C'est une touche-à-tout ; elle voudrait écrire sur l'avenir du féminisme, la crise économique en Corée du Sud, la fraude électorale en Serbie et l'exquise agonie de la vie littéraire.

— Pas beaucoup de place pour tout ça, ici.

— Pas à *Psst !* en effet. Ni sur le site Internet. Mais elle doit se dire qu'il vaut mieux être la reine d'un cyber-royaume qu'une esclave dans le crépuscule de la presse écrite. »

162

Tamara ramassa la pile de livres laissée par Tania. C'était bien ce qu'elle pensait. Un roman dont la couverture moche allait bien avec le titre et qui portait le macaron du Booker Prize. Une bio en deux volumes de Picasso – que trouvait-on encore à raconter sur ce vieux libidineux ? Les mémoires d'un auteur de pièces de théâtre qui avait l'air d'un rat de bibliothèque avec ses lunettes à la Buddy Holly. Il y avait aussi *Ma vérité, ma machine à écrire et ma brosse à dents*. Tamara l'ouvrit. Des passages avaient été soulignés et des notes gribouillées dans la marge, à croire qu'elle potassait un examen. C'était donc ça, le public d'Honor Tait. Elles étaient faites pour s'entendre – l'intello lisant l'intello. Tamara déposa le tout dans la première corbeille venue.

On lui avait de nouveau commandé un top 10. Cette semaine le palmarès *Bad Hair Day*, ces jours « où vous ne pouvez rien tirer de vos tifs ». Elle allait aussi discrètement – elle préférait ne pas abuser de son amitié avec Simon – retéléphoner à l'éditrice d'Honor Tait, en espérant qu'elle pourrait terminer son interview.

*Cette petite vieille dame, c'est bien elle : le grand reporter qui a couvert les plus grands événements du XXᵉ siècle : Seconde Guerre mondiale, guerre de Corée (à remplir plus tard)... et qui a rencontré les personnalités les plus marquantes de l'histoire récente.*

*La désapprobation se peint sur son visage lorsqu'elle entrouvre sa porte.*

*« Autant que vous entriez », grommelle-t-elle.*

Tamara téléphonait à Uncumber Press quand Simon arriva avec deux énormes cafés. Elle posa la main sur l'écouteur. Elle était de nouveau tombée sur le répondeur.

Elle composa un autre numéro, cette fois pas discrètement du tout, car elle distribua sourires et œillades complices à Simon, lequel s'approcha avec un gobelet qu'il déposa sur son bureau. C'est de sa voix la plus posée, en haussant le ton comme à la radio, qu'elle s'adressa à un coiffeur du West End assoiffé de publicité qui aimait bien voir son nom dans le journal, et lui demanda des tuyaux sur ces terribles « mauvais jours capillaires ». Elle jeta quelques notes sur le papier, le remercia bruyamment et commença à taper. Elle passerait faire une petite visite à la morgue un peu plus tard pour voir s'ils pouvaient lui trouver de bonnes illustrations.

« Tu déjeunes ? » lui lança Simon.

Lisait-il dans ses pensées ?

« Pourquoi pas ? Dans une demi-heure ? Je suis sur mes *bad hair days*.

— Génial. Au Bubbles ?

— Où d'autre ?

— Super. Tu es toujours partante pour les Press Awards, la semaine prochaine ?

— Et comment. »

L'atmosphère suintait soudain l'amertume. Certains chez *Psst !* jalousaient son amitié avec Simon, qu'ils ne tenaient pas en haute estime comme rédacteur en chef, et les dégommeraient volontiers tous les deux si l'occasion se présentait. Une invitation au

164

dîner des Press Awards était une aubaine – l'événement mondain le plus important de l'année journalistique. Courtney, le gérant aigri, qui était à *Psst !* depuis plus longtemps que n'importe lequel d'entre eux et caressait en vain l'ambition de devenir journaliste, contemplait le fax comme si celui-ci était du plus haut intérêt, et Jim Frost, secrétaire de rédaction et tâcheron syndical, suçait énergiquement sa pipe en bruyère et faisait les gros yeux à Simon.

Bon, mais Tamara n'y était pour rien. Qu'y pouvait-elle, si Simon préférait sa compagnie ? Elle se replongea dans son travail. Un mail de Johnny apparut dans sa boîte : il lui commandait un « micro-trottoir » de célébrités. Le leader du *cabinet fantôme*[1] avait été surpris devant une platée de ragoût au lapin dans un restaurant branché d'Islington et avait laissé dans son assiette les brocolis et les carottes. Une heure au téléphone à appeler les pipelettes habituelles – d'ancien(ne)s présentateurs/trices, des pop stars sur le retour, des comédiens prêts à tout pour leur auto-promotion, un parlementaire ivrogne, une chroniqueuse pour le courrier du cœur que l'on voyait partout, un gestionnaire de *hedge fund* en vue et un écrivain qui cherchait à augmenter sa notoriété, tous ravis de lui préciser quels étaient leurs légumes préférés, et ceux qu'ils détestaient le plus, en échange de leur nom dans le *Monitor* – suffit à produire quelque chose d'utilisable, ce qui permit à Tamara de retourner à son travail sérieux.

_____

1. L'opposition officielle au gouvernement.

165

*C'est alors que je brandis mon bouquet, des lis roses et, manifestement, elle s'adoucit. Combien de fleurs avait-elle reçues au cours d'une vie entière d'amoureuse ? Devant le visage ridé de cette femme proche autrefois de la légende du folk-rock Bob Dylan, je me demandai alors, comme dans la chanson :* where have all the flowers gone ? *« Où sont passées toutes les fleurs ? »*

Le temps d'arriver, le Beaded Bubbles était aussi bondé que la Northern Line à l'heure de pointe. Courtney avait daigné téléphoner pour leur réserver le box du milieu. Ils s'affaissèrent dans leurs sièges et burent en silence un verre de chardonnay comme des communiants vidant le calice.

« Lucinda a compris pour Serena, déclara finalement Simon en remplissant leurs verres.

— Non ! Comment ?

— Serena lui a dit.

— Non ! »

Tamara avait parfois l'impression qu'il faudrait un organigramme pour s'y retrouver dans les aventures sentimentales de Simon. Lucinda était sa maîtresse, avocate et colocataire de Serena, laquelle travaillait dans une salle des ventes. Profitant d'une absence de Lucinda, partie quelques jours pour une conférence, Serena avait téléphoné à Simon pour lui proposer de prendre un verre. L'apéritif s'était transformé en dîner au Claridge (aux frais de Simon, bien entendu). Le lendemain, Tamara avait eu droit à un compte rendu détaillé du menu, de la carte des vins et de la partie de jambes en l'air qui avait suivi.

« Lucinda a pété un plomb.

— Tu m'étonnes.

— Elle fiche Serena dehors. Mais Serena refuse de s'en aller, bien sûr.

— Bien sûr.

— Alors Lucinda a posé des verrous sur les portes de la salle de bains et de la cuisine. Elle veut la pousser dehors.

— Ça devrait être efficace. »

Tamara fit signe à la serveuse et commanda un risotto. Simon l'imita et demanda un deuxième verre de vin.

« Lucinda m'a appelé chez moi à minuit, hier. Elle était hystérique. Elle n'arrêtait pas de sangloter et de me demander si je pensais qu'elle était nulle au pieu.

— Alors, à ton avis ?

— Bien sûr que non. C'est Serena qui lui avait fait croire que j'avais dit ça. »

Il se passa les mains dans ses cheveux clairsemés en avançant sa lèvre inférieure comme un enfant boudeur. Une fois de plus, Tamara s'émerveilla devant son succès auprès des femmes. Un quinquagénaire corpulent et dégarni. Jeune, il avait dû avoir un menton fuyant, mais la maturité, à qui il arrive de compenser les négligences de la nature, l'avait doté d'un accordéon de chair à la place du cou.

« Mince alors.

— Tu vois dans quelle merde je me trouvais, entre Lucinda qui me criait dans les oreilles au téléphone et Jan à côté de moi dans le lit. »

La femme de Simon, Jan, si chic, si gentille, si ordinaire, n'avait jamais rien soupçonné tout au long de

167

leurs années de mariage, alors que son mari se tapait tranquillement les Lucinda et les Miranda, les Serena et les Marina de Londres : un boulimique devant un buffet à volonté.

« Tu étais en mauvaise posture.

— Et tout à l'heure, juste avant que nous sortions, Serena m'a téléphoné au bureau, en larmes. Elle est furieuse.

— Oh non », dit Tamara en se resservant du vin.

Leurs assiettes arrivèrent. Simon ne jeta même pas un regard à la sienne.

« Elle a dit que j'aurais dit qu'elle avait des seins qui pendent comme de vieilles chaussettes.

— Quoi ? »

Tamara, saisie par l'image, posa sa fourchette.

« De vieilles chaussettes ? C'est vrai ? Tu as dit ça ?

— *Non*. C'est ce que Lucinda lui a dit que j'avais dit.

— Ah, d'accord.

— Et maintenant, Lucinda ne donne plus signe de vie », lui précisa-t-il en vérifiant son bipeur.

Tamara, qui commençait à en avoir assez de cette histoire et avait hâte de parler de la sienne, mangeait en silence. Il raccrocha son bipeur à sa ceinture.

« Alors, ce plan d'évacuation ? » s'enquit-il soudain.

Tamara resta un moment interdite, puis comprit qu'il l'interrogeait justement sur le sujet qu'elle espérait pouvoir évoquer.

« Une vieille sorcière acariâtre, répondit-elle. Elle n'a rien voulu me lâcher sur sa vie privée, mais dès qu'elle a commencé à parler de sa brillante carrière, de ses scoops sur des trucs superbarbants, les politiciens et les militaires superrasoir qu'elle a connus, impossible de l'arrêter. J'ai cru que j'allais y passer la nuit... »

Cette fois, ce fut le portable de Simon qui sonna. Tamara détourna la tête pour qu'il ne voie pas son regard envieux : elle rêvait de posséder un de ces téléphones. Les seules personnes qui pouvaient s'en procurer étaient les rédacteurs en chef, qui les faisaient passer en notes de frais, et les dealers.

C'était Jan, à propos des dix-huit ans de leur fils.

« D'accord, ma chérie..., dit Simon. Entendu pour la tente... Tu es meilleure juge... Oui... Tout ce que veut Dexter... Non. Un déjeuner d'affaires... Je ne peux pas te parler... Au revoir... Je t'embrasse moi aussi. »

Dès qu'il coupa, Tamara reprit :

« J'ai essayé de joindre ses éditeurs pour obtenir un second rendez-vous, mais ils ne répondent pas à mes messages. »

Simon tambourinait de ses doigts sur la table.

« Et tu sais ce que ça représente pour moi, cette interview, ajouta Tamara. Je veux dire, en bossant pour S*nday, je franchis une énorme étape. »

Il leva la tête, fit signe à la serveuse et commanda deux verres de vin supplémentaires en même temps que l'addition. Il n'avait pas touché à son risotto.

« Secoue-toi un peu, Tamara, lui rétorqua-t-il en sortant sa carte de crédit. Tu n'as qu'à aller de l'avant.

— Qu'est-ce que tu veux dire ?

— Écoute, si tu tiens vraiment à sortir ce truc, il faut que tu fasses preuve d'un peu d'initiative. »

C'était trop injuste.

« Je fais de mon mieux. Je ne sais même pas quel est l'angle d'attaque que Lyra souhaite pour l'article et elle ne répond pas à mes messages.

— Tu n'as pas besoin que Lyra te tienne la main.

— J'ai l'impression d'être dans une impasse. Tout ce que j'ai, c'est une interview hypernulle, dont je peux extraire à peine une demi-phrase ! Plus un dossier de presse. Je n'en tirerai jamais quatre mille mots. »

Il décrocha son bipeur.

« Voyons, Tamara. Tu peux faire mieux que ça. Honor Tait est une personnalité publique. Elle est là où tout le monde peut la voir. Observe-la à l'œuvre. Quelque chose finira bien par sortir. »

Son bipeur émettait un bruit de moniteur cardiaque. Il régla l'addition et fourra le reçu dans sa poche. Simon était très bon pour donner des conseils, songea Tamara non sans ressentiment, mais sa seule activité cet après-midi consisterait à trouver un trombone et à attacher ledit reçu à ses notes de frais en écrivant : *Déjeuner. Contacts. Idées people. 36 livres.*

*
* *

L'interview avait eu au moins un effet positif : elle avait enclenché un processus qui n'avait que trop longtemps tardé. Le coup de fil qui l'avait perturbée avait été un autre déclic. Comment avait-elle fait, elle,

170

Honor Tait, elle, l'antimatérialiste qui, en plus, pourfendait toute forme de sentimentalisme, pour attendre tout ce temps ? Elle avait envie, sans en avoir la force, de tout arracher ou, mieux encore, de claquer la porte de cet appartement en lançant derrière elle un cocktail Molotov. Mais elle craignait que les riverains d'Holmbrook Mansions ne la remercient pas, et ses voisins immédiats encore moins.

Cette fois, sans hésitation, elle décrocha l'hideuse marine de Tad. Le tableau n'était finalement pas si lourd que cela. Ces mauvaises aquarelles représentant la mer, des collines, des bois et des cascades lui avaient procuré plus de plaisir que les vrais paysages. Quand elle était à la fenêtre de Glenbuidhe, il s'approchait d'elle et disait : « Je vois que les montagnes sont toujours là. Et le loch. Il est toujours là, lui aussi. Tu me préviendras quand ils les auront déménagés. » En revanche, il fallait le retenir d'acheter les croûtes représentant des vues de la région qu'exposaient les salons de thé pour touristes, avec les serviettes à thé souvenirs et le caramel artisanal.

Les couchers de soleil le laissaient tout aussi froid. À la fin du jour, lors de ses séjours à Glenbuidhe, elle aimait marcher au bord du lac en contemplant le ciel flamboyant. Il insistait chaque fois pour l'accompagner, puis trépignait d'impatience dans la fraîcheur du soir. Il ne comprenait pas. Ce qui ne l'avait pas empêché de payer une fortune une toile d'une laideur épouvantable où d'épais coups de pinceau mauves, roses et orange avaient figé une grotesque contrefaçon de la nature. Voilà un tableau dont elle s'était débarrassée avec joie après sa mort – la filleule de

Tad l'ayant trouvé à son goût, elle le lui avait fourré dans les bras avant de la mettre dans un taxi après une visite où elles avaient toutes les deux été mal à l'aise. Honor ne l'avait pas revue depuis.

Soulevant une brassée de livres, elle les transporta, le tableau sous l'aisselle, dans le placard du vestibule – il ne lui restait déjà pas beaucoup de temps pour lire, alors *re*lire ? –, où elle les rangea avec les reliques de ses récents nettoyages par le vide. Elle se mit à récolter les photographies. Pour qui faisait-elle tout cela ? Allait-elle céder au harcèlement de Ruth et inviter cette petite bécasse de Tamara à revenir la voir ? Ou bien attendait-elle une autre visite, un visiteur en fait, qui serait susceptible de ricaner, à juste titre d'ailleurs, devant l'étalage de sa splendeur passée ? Pompée en des temps plus heureux.

Elle commença par la photo d'elle jeune en compagnie de Franco. Beaucoup de bruit avait été fait parce qu'elle l'avait interviewé habillée en fille de revue. En réalité, elle était en vacances à Ténérife avec Thierry et c'était Franco – alors un illustre inconnu, récemment démis de ses fonctions et exilé, tournant comme un lion en cage quelques semaines seulement avant le soulèvement qui allait déclencher la guerre civile en Espagne –, oui, c'était Franco qui était venu la chercher pour cet entretien. En apprenant que la jeune journaliste, dont le sourire avait déjà éclairé quelques films d'actualités pour la RKO et qui publiait des articles dans des revues américaines, se trouvait sur l'île, il l'avait fait rechercher et l'avait surprise dans un café du port. Quoique agacée d'être dérangée par ce petit bonhomme empressé, elle avait emprunté son calepin au garçon amusé et poliment mené une interview en bonne et due forme, n'écoutant que d'une oreille ses réponses au sujet des problèmes administratifs posés par cet ensemble de volcans éteints au nord de l'Afrique. Le papier, quelques paragraphes sans grand intérêt parus dans *Collier's*, n'avait pas survécu. La photo, si. Le photographe local qui avait immortalisé ce moment avait sans doute tiré plus d'argent de cette unique image – si souvent reproduite que, soixante ans plus tard, elle était légendaire – que d'une vie entière passée à photographier des mariages, des bambins endimanchés et des premières communions.

Le salon commençait à avoir une allure agréablement austère. Qui pourrait se douter du plaisir qu'il y avait dans le pillage systématique du passé ? Si seulement les souvenirs pouvaient être rangés et écartés avec la même facilité. En dépit de ses efforts, elle n'avançait guère dans sa postface. Cela l'inquiétait, elle se disait qu'en vieillissant elle avait perdu la vivacité et l'aisance de sa plume, elle était devenue sourde à la petite musique de sa prose, d'ailleurs elle avait de plus en plus de mal à rassembler ses idées afin de leur faire suivre le fil d'une histoire. La conversation téléphonique avait encore aggravé l'éparpillement de ses pensées.

Luttant contre une fatigue écrasante, elle souleva les épreuves de *L'Œil inflexible*. Elle ne pouvait peut-être pas écrire, mais il lui restait quand même la lecture.

*Le 25 octobre 1956, au Maroc. Le massacre de Meknès a débuté d'une manière qui aurait pu*

*paraître comique si l'issue n'avait été aussi hor-*
*rible et dramatique. Une manifestation contre la*
*colonisation française en Algérie se déroulait assez*
*paisiblement, quand un officier de police maro-*
*cain, en voulant repousser un manifestant un peu*
*trop enthousiaste avec la crosse de son fusil, se tira*
*une balle dans le pied. Une rumeur se répandit*
*aussitôt : les Français avaient ouvert le feu. La*
*foule s'en prit à tous les Européens qui avaient*
*la malchance de se trouver dans les parages. Un*
*homme et sa femme furent tués à coups de hache*
*sous les yeux de leurs enfants, un médecin fut*
*lapidé à mort à coups de pavés alors qu'il s'age-*
*nouillait pour aider un blessé, et trois hommes*
*furent brûlés vifs dans leur voiture alors qu'ils*
*prenaient la fuite. Au total, trente personnes,*
*hommes et femmes confondus, en majorité fran-*
*çaises, furent assassinées.*

Elle ne pouvait aller plus loin. C'était du chiqué, cette volonté de retravailler, une mascarade. Pourquoi se donner tant de mal ? Le monde à l'époque était dans une situation épouvantable. Il l'était toujours aujourd'hui. Relire ce qu'elle avait écrit dans sa jeunesse, révoltée par l'horreur des événements dont elle venait d'être témoin, se révélait troublant. Seule son attitude avait changé ; le monde alors n'existait que dans son esprit et elle était persuadée que l'on pouvait le transformer en combattant l'injustice. Désormais elle était plus avisée. Une source de réconfort, et de remords.

**6**

GUIDÉE PAR UN ORGUEIL OBSTINÉ et sa colère contre Simon, plutôt que par un quelconque zèle journalistique, Tamara se retrouva deux jours plus tard à faire la queue devant la triste église des Baptistes Stricts d'Archway Road. Tandis qu'elle attendait en grelottant pour acheter son billet (à ce prix, elle aurait pu se payer une séance de cinéma ou deux bouteilles d'un vin passable), elle regrettait son choix de vêtements. Elle détonnait avec son look à la Jill Dando – elle avait en effet imité le style pimpant et banal de la présentatrice vedette de « CrimeWatch[1] » à l'aide d'un peu de gel pour cheveux, de perles aux oreilles et d'un tailleur-pantalon noir. Les femmes autour d'elle avaient l'air de partir pour une randonnée dans l'Hindou Kouch avec leurs gilets polaires et leurs coupe-vent, quand elles n'étaient pas en châle à franges et jupe à volants, tel le contingent féminin d'un camp de gitans.

1. Célèbre émission de recherche de criminels de la BBC.

Quant aux hommes, c'étaient des universitaires dépressifs en velours côtelé, de vieux et frêles messieurs aux cheveux aussi gris que ternes, attachés en queue-de-cheval, et quelques pâles ados ployant sous des sacs à dos remplis de livres. Sous le porche, assis derrière une table, un retraité portant le bouc et un gilet en patchwork vendait les billets. Sans lever les yeux de sa boîte en fer-blanc pleine de monnaie, il prit l'argent de Tamara et le lui échangea contre un ticket de vestiaire numéroté. Tintin pour les notes de frais.

« Je pourrais avoir un reçu ?

— On n'en donne pas, dit-il en tendant le bras vers l'ado derrière elle. Au suivant. »

Les rangées de chaises en plastique de la salle commençaient à se remplir. Les gens se frayaient un chemin jusqu'à leurs sièges avec force murmures et hochements de tête dans une atmosphère d'indignation étouffée. Tamara, prévoyant que la soirée serait longue et décidée à s'éclipser dès qu'elle aurait récolté les informations dont elle avait besoin, s'installa dans le fond, au bord de la travée. Elle avait l'intention de suivre le conseil d'Honor Tait : « Grâce à l'observation patiente, à l'accumulation méticuleuse de détails, vous comprendrez tout. »

Au mur, des affiches aux couleurs primaires, placardées pour le bénéfice de l'audience de ce soir plutôt que pour les Baptistes Stricts, appelaient au soutien des luttes en Amérique latine, réclamaient la libération de prisonniers politiques, exigeaient le boycott des produits importés de pays indésirables, priaient les syndicalistes de payer leurs cotisations et, par un photomontage, montraient John Major devant le numéro 10 de Downing Street, la lèvre supérieure simiesque soulignée d'une petite moustache à la Hitler et le bras levé pour le salut nazi. Au-dessus de la scène, pile au milieu, le portrait de la reine jeune et belle était en partie recouvert d'une plaque commémorative à l'effigie de Che Guevara, les yeux extatiques levés au ciel tel un christ médiéval. Entre les rideaux en velours délavés, sur la scène vide, s'alignaient quatre chaises de bistrot.

Tamara était stupéfaite de voir que la salle était presque pleine ; tous ces gens qui considéraient qu'écouter pendant des heures des discours soporifiques dans une salle paroissiale revenait à passer une bonne soirée ! La plupart, n'ayant pas été gâtés par la nature, étaient sans doute privés de distractions nocturnes plus conventionnelles. En promenant ses regards autour de la salle, elle remarqua une silhouette et se dit que celle-ci aurait peut-être une chance de vivre normalement, si tel était son souhait. Tamara scruta le profil dont la délicatesse était rendue presque diaphane par la masse brillante, d'un noir de jais, de ses longs cheveux, avant de reconnaître son propriétaire : Tania Singh. Que faisait-elle ici ? N'avait-elle plus de pièces de théâtre d'avant-garde à voir ? Ou un opéra ? N'avait-elle plus de journal de bord à tenir sur le web ?

Les murmures s'interrompirent au moment où surgit de la coulisse un grand costaud blond-roux en treillis qui paraissait débarquer d'un hélico venu tout droit d'un camp de guérilleros en Amazonie. Il s'empara du micro. Dès qu'elle entendit sa voix, Tamara sut qu'elle avait devant elle le présentateur à la mâchoire carrée et aux cheveux brûlés par le soleil du magazine d'actualités qui précédait le jeu des rendez-vous amoureux, « Blind Date ». Paul Tucker, reporter et bourlingueur, quadragénaire balèze dans son costume d'Action Man, était choyé par l'intelligentsia de gauche qui se félicitait de sa présence sur les antennes à une heure de grande écoute. Même s'il n'était pas une star qui faisait fantasmer – sa vie privée n'était pas assez intéressante pour les tabloïds –, citer son nom en passant dans son article ferait bon effet. Des applaudissements timides mais respectueux crépitèrent comme une averse de printemps. Tucker fut rejoint sur scène par une grande femme anguleuse, dont les hanches disproportionnées, gainées d'un pantalon taupe, semblaient empruntées à une grosse copine. Tucker la présenta comme « la célèbre philanthrope et militante des droits de l'homme, Clemency Twisk ». Célèbre ? Qui la connaissait ? Apparemment, tout le monde ici, sauf Tamara. De nouveaux applaudissements – une averse d'avril prolongée – saluèrent l'arrivée de la militante.

Twisk salua le public d'un modeste hochement de tête tandis que l'intervenant suivant entrait en scène sous une averse plus drue : un parlementaire travailliste de Londres, jeune avocat ambitieux membre du cabinet fantôme, qui prenait soin de se faire voir partout, avide de cette publicité qui lui servirait, l'heure des isoloirs venue, un peu comme une fille qui cherche à s'introduire dans les meilleures fêtes. La semaine dernière seulement, il ornait la couverture de *Biker's News*, sourire étincelant sur Harley Davidson vrombissante, et on l'avait vu dans le numéro spécial nouvel an de *Country Life*, parka et regard perdu vers les lointaines collines. Après les Hell's Angels et les porteurs de Barbour, aujourd'hui il se consacrait à l'électeur travailliste traditionnel. Il salua la salle d'un geste amical et s'assit. Tucker annonça alors l'invitée d'honneur. Les applaudissements s'intensifièrent – une pluie de mousson sur un toit en tôle – à l'instant où Honor Tait s'avança. Elle adressa à l'assemblée un beau sourire. Quelques spectateurs parmi les plus jeunes se levèrent en applaudissant, et soudain la salle fut debout ; la vieille dame recevait une immense ovation avant même d'avoir ouvert la bouche. Tamara demeura résolument assise.

Le tintamarre cessa et Twisk s'empara en premier du micro. Tamara poussa un grognement et jeta un coup d'œil à sa montre. Elle avait espéré qu'Honor Tait ferait l'ouverture, ce qui lui aurait permis de s'échapper et de sauver une partie de sa soirée. À mesure que Twisk, d'une voix forte bruissante de trémolos, exposait en détail la genèse du nouveau groupe de pression, Kids' Crusaders, créé par sa fondation, Tamara se sentait gagnée par une profonde tristesse.

« Le but de KC, déclara Twisk, est de combattre l'exploitation des enfants où qu'elle soit, dans les usines du tiers-monde, dans la barbarie honteuse de l'industrie du sexe, dans les ateliers de misère d'Europe de l'Est, ou dans l'environnement économiquement privilégié mais spirituellement pauvre de la famille de classe moyenne occidentale... »

Tamara, abrutie d'ennui, laissa ses pensées vagabonder et entama une agréable rêverie mettant en scène Tim, l'irascible propriétaire du journal qui l'employait et quelques photos compromettantes prises dans la chambre de l'hôtel George V. Que ces images de Tim, saisies aux instants les plus chauds, quand il s'était par exemple coiffé du chausson rose de Tamara, n'existent que dans l'album virtuel imprimé dans la mémoire de cette dernière ne diminuait en rien les délices de cette fantaisie vengeresse. Un brusque tonnerre d'applaudissements l'en tira. Honor Tait était de nouveau debout. Tamara agrippa son stylo, cala son bloc-notes et écrivit : *Frêle. Petite. Minuscule à côté du micro.* Tous les yeux étaient fixés sur elle. Toutes les oreilles sur le speech de Tait, un inventaire des cruautés dont étaient victimes les enfants tisserands, les enfants des mines d'or (pouvait-on dire des mineurs mineurs ?) ou prostitués, Tamara ne prit pas une seule note ; l'exposé de Clemency Twisk sur les objectifs du groupe avait épuisé ses réserves de conscience sociale. *Galvanisante. Une furie. Réminiscences. L'Inde. Les Philippines. La Thaïlande. La Lituanie.* Ses notes s'arrêtèrent là. Mais pas le flot de paroles, qui continua, et, malgré ses efforts, Tamara fut incapable de retrouver le fil de son rêve éveillé de vengeance. Sans doute le reprendrait-elle dans son lit plus tard.

Elle consulta de nouveau sa montre et estima à l'intonation descendante de sa voix qu'Honor Tait s'apprêtait à conclure. Jetant un coup d'œil pardessus son épaule pour s'assurer que la sortie était dégagée, Tamara constata qu'il n'en était rien. Plusieurs dizaines de personnes, âgées de seize à soixante-dix ans, étaient adossées au mur ou assises par terre en tailleur comme si elles étaient à un cours de yoga. Toutes paraissaient admirer la minuscule intervenante.

L'œil de Tamara fut attiré par l'arrivée d'un retardataire. Une tête surmontée d'une tignasse bouclée de romanichel et, en dépit du froid, les manches de chemise roulées sur des bras musclés. Une dégaine de héros, incongrue au milieu de la masse insipide de tous ces geignards. L'amant de lady Chatterley sortant de la remise à outils où il vient de donner la preuve de sa virilité. Il était le seul homme séduisant dans la salle et, en plus, il paraissait ne pas être accompagné. Quelqu'un comme lui avait sûrement mieux à faire par cette glaciale soirée de janvier, non ?

Nouvelle tempête d'applaudissements. Honor Tait devait avoir terminé. Cinq minutes plus tôt, Tamara aurait pris ce signal comme celui de son départ immédiat, mais le bel inconnu avait éveillé sa curiosité. Elle aurait bien voulu qu'il regarde dans sa direction. Paul Tucker reprit la parole en tenant son micro dans son poing parsemé de taches de son avec la même passion qu'Henry VIII son os de jambon. C'était le tour des questions de l'auditoire : un personnage de sexe indéterminé en anorak violet allait et venait dans la travée en brandissant un micro. Seule la présence intrigante du beau mec près de la porte empêcha Tamara de se précipiter vers la sortie.

« Honor Tait pourrait-elle nous parler un peu plus de ce qu'elle a vu en Asie du Sud-Est ? » demanda une randonneuse à lunettes rondes.

Et comment donc. La vraie question étant : quand est-ce qu'Honor Tait cessera d'en dire plus sur ce qu'elle a vu dans le Sud-Est asiatique ? Tamara prit quelques notes – *Manille, Chiang Mai, Cambodge, Laos* – mais en resta là. Elle ne supportait déjà pas d'écouter toutes ces inepties, alors les écrire ! De toute façon, qui voudrait lire des trucs pareils ? Elle regarda du côté du retardataire. Les bras croisés sur son torse puissant, une jambe repliée, le pied en appui contre le mur, il se tenait légèrement en arrière dans une posture qui exprimait soit un profond ennui, soit une fascination totale pour l'art oratoire d'Honor Tait. Tamara préférait la première explication ; elle trouvait réconfortant de le considérer comme une âme sœur, rebelle comme elle à la pédanterie ambiante. Sauf que si, pour sa part, elle était en mission, lui, que faisait-il ici ?

Elle retourna à son bloc-notes : *Elle est la diva de la dissidence, une superstar bien-pensante, et ils écoutent dans un silence admiratif son récit des horreurs à Hyderabad, des désastres au Cambodge, des atrocités en Azerbaïdjan.*

Allait-elle jamais cesser de parler ? Y avait-il encore des choses à ajouter ? Eh bien, oui, beaucoup de choses. D'un continent à l'autre, un tour du monde de la misère humaine.

Tamara observa le public en se disant que, même pour ces pessimistes et catastrophistes chevronnés, il devait y avoir des limites à ce qu'ils pouvaient supporter. Pourtant non, voilà que fusait une autre question. Cette voix, légère mais dont le carillon était aussi impérieux que celui de la cloche d'une école, elle la connaissait bien. C'était celle de Tania Singh.

« Pour commencer, je tiens à vous dire quel privilège c'est pour moi d'entendre ce soir Honor Tait et

182

je voudrais la remercier pour son œuvre admirable. »

Applaudissements. S'agissait-il d'une conférence ou d'une master class d'obséquiosité ? Tamara, qui bouillait de rage, se tourna instinctivement vers la porte et eut la satisfaction de voir que le beau mec n'applaudissait pas non plus.

Tania poursuivit :

« Quel conseil donneriez-vous à une jeune femme qui débute dans le journalisme, aujourd'hui ? »

Honor Tait esquissa un geste de mécontentement.

« Tout conseil s'applique aussi bien aux hommes qu'aux femmes. »

Tamara, au fond de la salle, se délectait de voir la vieille dame souffler dans les bronches de Tania Singh. Mais Tania ne s'était pas laissé démonter, et elle posa une deuxième question :

« À votre avis, quelles sont les qualités les plus importantes chez une ou un journaliste ? »

Tait haussa les épaules et, l'espace d'un instant, Tamara espéra qu'elle allait remettre Tania à sa place. Mais la vieille dame parut céder.

« Il faut apprendre à voir, vraiment *voir*, déclara-t-elle. "Grâce à l'observation patiente, à l'accumulation méticuleuse de détails et à une soif inextinguible de vérité, vous comprendrez tout. Le devoir d'un reporter est de défendre les faibles et de sonder les recoins les plus sombres de l'humanité." »

Tait devait être sacrément fatiguée pour avoir recours à l'autocitation. Tamara en avait assez. Mais d'autres mains se levaient dans la salle tandis que les gens se disputaient le micro, tout cela pour poser des questions dont ils connaissaient d'avance les réponses. Honor Tait enchaîna d'une voix tremblante sur les bordels d'enfants en Asie et les trafiquants sexuels de l'ex-Union soviétique, mais, en dépit de ces sujets *a priori* alléchants, elle se perdit en généralités et en chiffres sans illustrer son propos d'une seule anecdote intéressante. On avait même l'impression qu'elle se barbait elle-même. Peu à peu, sa voix devint si faible qu'elle retourna s'asseoir après avoir admis en grommelant que ce n'était pas vraiment son domaine. « Clemency a peut-être quelque chose à ajouter. »

Il ne fallait pas le dire deux fois à Clemency. Toute droite derrière le micro, drapée dans sa vertu, elle prononça un discours aussi vibrant que vague et égocentrique. Tamara ne sortit de sa morosité qu'à la vue du monsieur des tickets dans son gilet d'Arlequin qui se mit à descendre la travée en balançant au bout du bras un seau en plastique pour la collecte des contributions. La séance tirait à sa fin. Tamara le bouscula pour gagner la sortie, vers laquelle elle n'était d'ailleurs pas la seule à se ruer. Le séduisant retardataire piquait un sprint juste devant elle. Il fit glisser la porte d'une fourgonnette blanche et se coula lestement à l'intérieur. Il pleuvait fort et, alors que Tamara cherchait en vain des yeux un taxi au milieu des embouteillages d'Archway Road, il s'éloigna dans ce qui restait du soir, arrosant au passage d'un jet de boue son tailleur-pantalon.

*

* *

Comment Clemency avait-elle réussi à la persuader ? Une nouvelle cause ? Comme s'il n'y avait pas déjà assez d'*anciennes* causes qui criaient famine. Et ce nom sans fondement historique d'une banalité à pleurer. Les Kids' Crusaders. Honor avait conscience que la véritable cible de sa colère n'était pas Clemency mais elle-même. Jamais elle n'aurait dû accepter d'intervenir. Elle était devenue trop dépendante de Clemency ; la sécurité financière, les conversations téléphoniques tard dans la nuit, toute cette aide matérielle qu'une riche héritière, sans obligations familiales ni professionnelles, pouvait fournir au moyen d'un simple carnet de chèques.

En échange de ces généreux bienfaits, d'après leur contrat tacite, Honor devait de temps à autre mettre son nom et sa réputation intellectuelle et mondaine ainsi que ses années d'expérience au service d'une cause débile qui n'avait d'autre objectif que de booster l'ego de la donatrice. C'était indigne d'Honor, personne ne pouvait la forcer à se déplacer par un temps de chien jusqu'à un quartier perdu de Londres pour supporter le discours épuisant de Clemency qu'elle approuvait de sa seule présence silencieuse et partager sa prestation avec un âne grimaçant du Parti travailliste pardon, du « Nouveau » Parti travailliste, comme il se faisait appeler, dont la présence ne se justifiait que par le souci de gagner des voix en vue de la prochaine élection.

Paul avait lui aussi été convoqué afin de donner du poids à la nouvelle organisation, mais il était plus pragmatique qu'Honor – ses traits taillés à la Mount Rushmore étaient imperméables au doute de quelque nature qu'il soit –, et l'idée que la transaction était de

185

mauvais goût ne l'aurait pas arrêté une seconde. Il repartait comme il était arrivé, dans une totale indifférence. Même les questions stupides du public – toutes adressées à Honor – ne l'avaient pas gêné. Clemency avait quand même eu l'élégance, ou l'intelligence, de leur signaler en chuchotant qu'il était peut-être temps de lever le camp.

Et à présent, de retour à l'appartement, se préparant à une nuit d'insomnie, Honor luttait contre un sentiment de culpabilité à propos d'un crime qu'elle ne se rappelait pas avoir commis. Était-ce de la paranoïa ? Elle se sentait comme le dénommé Henry dans les poèmes de John Berryman, émergeant d'un cauchemar de meurtre et de chaos, passant tout le monde en revue, ramenant chacun d'eux à la surface, se rassurant enfin : « Personne ne manque à l'appel. » C'était il y a si longtemps. Seule la culpabilité était quelque chose de neuf. Elle était trop vieille pour se soumettre à un inventaire spirituel.

Elle ramassa le jeu d'épreuves de *L'Œil inflexible*.

*Le 5 juillet 1950. Dix jours et quatre retraites après le début de la guerre. Malgré les revers, les morts et les conditions effroyables, on fait confiance au QG de Taejon à l'heure où le major-général William Dean prend le commandement de la 24e division d'infanterie. Grâce aux renforts de troupes et à l'approvisionnement en munitions, les Américains pourraient remporter la victoire en six à huit semaines.*

Elle éprouva une soudaine répulsion au souvenir de l'aplomb inébranlable de sa jeunesse. Le lecteur actuel savait ce qu'elle ne pouvait pas deviner alors, à savoir que trois ans plus tard les Américains rentreraient chez eux en piteux état – quarante mille morts, deux fois plus de blessés, quinze mille portés disparus au combat ou bien faits prisonniers – pour rassembler leurs forces avant le conflit suivant. Elle s'enorgueillissait à l'époque de la précision de ses informations : les chiffres exacts des troupes, les marques et la puissance de feu des armes, les heures des escarmouches, les jours de bataille. C'était ça, son style, il fallait qu'elle donne une impression d'impartialité.

Que savait-elle, cette jeune femme déterminée, convaincue de son immortalité, qui exultait en la compagnie de garçons sur le point de mourir ? Et il y avait là à son goût un peu trop de détails personnels qui passaient pour de la littérature. La boue, les puces et les poux, le rata, la misère et la crasse. Sous le feu à Taejon, encerclée de troupes ennemies, elle avait été cooptée par les secouristes qui lui avaient demandé de les aider à poser des perfusions et à faire des transfusions aux blessés. Sur le moment, dans la confusion, le bruit, la fumée, la lueur des fusées éclairantes, alors que des garçons mutilés geignaient à ses pieds, elle avait trouvé le temps de se sentir vexée – était-ce parce qu'elle était une femme, objet de suspicion, de dérision même, pour certains officiers, qu'elle avait été désignée pour ces tâches ? Puis elle s'était aperçue que plusieurs de ses confrères masculins avaient eux aussi été réquisitionnés. Par la suite, elle avait décrit cette journée dans un papier puant de fausse humilité, un article qui lui avait valu les félicitations du journal : *Aujourd'hui, votre correspondante a posé son carnet, remonté ses manches et s'est faite infirmière.*

Du bruit en bas dans le jardin l'attira à la fenêtre. Ce n'était pas une bande de gamins de la cité voisine qui s'étaient introduits dans leur petit parc privé, mais de jeunes couples habitant la rangée d'immeubles opposée. Ils buvaient du champagne, emmitouflés dans des lainages, bonnets et écharpes, bavardaient et riaient.

Ces jeunes gens marquaient ostensiblement leur territoire. De grandes bennes échouées le long des rues voisines se remplissaient peu à peu de vieux frigos, de postes de télé obèses, de meubles en bois sombre tout à fait corrects encore et de quantité de rideaux de brocart doublés qui moisissaient sous la pluie de janvier. Se débarrasser de tout ce qui était vieux. Nul doute que ces jeunes avaient l'œil rivé sur ses fenêtres, comme sur celles de toute personne ayant dépassé la soixantaine, et agrémenteraient volontiers ces bennes des cadavres de toutes ces têtes grises, ces dos cassés, ces empêcheurs de se loger, bénéficiaires de loyers bloqués qui occupaient des cinq pièces superbes dans des immeubles surveillés vingt-quatre heures sur vingt-quatre par un portier. Ils lisaient sans doute la rubrique nécrologique tous les jours, ces jeunes aux dents longues, guettant la bonne nouvelle qui signalerait un appartement vacant et la possibilité d'une location à vie.

Eh bien, elle avait encore son mot à dire avant qu'ils obtiennent satisfaction et réussissent à la virer. Elle n'avait rien écrit depuis des années, mais elle allait revenir sur une vieille histoire, se concentrer, piller son sac à mots et convoquer la vérité. Elle ouvrit son carnet et relut les premières lignes de sa postface. Non. Ça n'allait pas du tout. Elle barra les mots et recommença.

*Buchenwald, le 14 avril 1945. Quatre jours après la libération du camp, les plus vaillants des survivants décharnés se rassemblèrent auprès de la souche carbonisée du chêne de Goethe pour fêter leur liberté retrouvée. À partir de bouts de papier et de chiffons, ils confectionnèrent des drapeaux, les drapeaux de leurs patries, et les agitèrent dans un esprit de révolte à l'endroit même où leurs geôliers barbares les avaient obligés à défiler chaque jour. Des preuves de cette barbarie avaient été dévoilées deux jours plus tôt par des soldats de la 3ᵉ armée américaine qui, avec des journalistes, avaient découvert les monticules de cadavres nus de ceux qui avaient été assassinés à la hâte par les troupes allemandes battant en retraite.*

*Et à présent, en manifestant leur fierté nationale, ils étaient nombreux, ces prisonniers libérés, à pleurer en silence leurs camarades disparus.*

LA CONFÉRENCE DE RÉDACTION QUOTIDIENNE ÉTAIT UNE ÉPREUVE : un tournoi quotidien où les ego s'affrontaient sous le regard imperturbable d'Austin Wedderburn ou, s'il était absent, devant l'inquiétude muette de Miles Denbigh. À partir de 10 heures tapantes, dans le cadre vieillot de la salle de réunion du quatrième étage, les chefs de service ou leurs adjoints s'efforçaient de sélectionner le sujet du jour le plus pertinent, de traiter l'information sous l'angle le plus percutant et d'exprimer le tout sous une forme saisissante avec, quand les circonstances le permettaient, une pointe d'humour propre à faire tressaillir les commissures des lèvres de Wedderburn en une ébauche de sourire ou à lisser provisoirement le front en tôle ondulé de Denbigh. Il fallait en outre dénigrer le plus efficacement possible le travail de tout journal rival, sauf lorsque ce travail était susceptible de mettre en défaut un service dirigé par un rédacteur en chef concurrent dans leur propre maison, et, de loin la tâche le plus pénible, rire haut et fort aux lamentables blagues lâchées par Wedderburn dans les rares accès de gaieté auxquels il se livrait à la façon d'un monarque distribuant des aumônes le jeudi saint à ses pauvres reconnaissants.

Personne ne s'en faisait une fête et pourtant, chaque matin, tous ceux qui avaient gagné assez de galons pour avoir droit à un siège à la conférence s'engouffraient dans la salle de réunion comme dans un magasin le premier jour des soldes. Seuls les amateurs de suicide professionnel se seraient fait porter pâle, tout rédacteur en chcf absent étant considéré par ses pairs comme une proie légitime, et devenant dès lors systématiquement l'objet de comparaisons peu flatteuses avec les journalistes occupant les mêmes postes que lui dans d'autres journaux. Simon n'avait pas de tendances autodestructrices en ce qui concernait sa carrière, ce qui était moins le cas pour sa vie sentimentale. S'il se permettait de manquer parfois la conférence de rédaction du service people, affectant le plus profond mépris pour les manœuvres qui y fleurissaient, il ne séchait jamais la « conférence du matin ». Il ne demandait jamais à personne de le remplacer et, comme tous les rédacteurs en chef, ne prenait ses vacances que lorsqu'il était sûr et certain que Wedderburn ne serait pas là. Quoi qu'il ait fait la veille, il se débrouillait toujours pour être présent dans la salle du quatrième. Une fois la conférence terminée, il s'éclipsait et rentrait chez lui pour rattraper son sommeil en retard avant de revenir pour le déjeuner.

Ce matin, toutefois, n'était pas comme les autres. Il était anéanti par une gueule de bois récoltée lors de retrouvailles euphoriques avec Serena dans un bar à champagne.

« Quand je me suis réveillé tout à l'heure, expliqua-t-il d'une voix bourrue à Tamara au téléphone, non seulement je ne savais plus où j'étais, mais surtout je ne savais plus qui j'étais ! Impossible d'assister à la conférence. De toute façon, je n'arriverais pas à l'heure. Tu crois que tu pourrais me remplacer ? »

L'occasion de prendre part à la conférence du matin parmi les pontes du journal, dans la proximité grisante, bénéfique à votre carrière et à l'art de la courbette, du souverain absolutiste, ne se présentait pas souvent, et Tamara, dépitée par le meeting de la veille au soir dans la salle paroissiale, qui ne lui serait d'aucune utilité pour son papier, se dit qu'elle aurait tort de la laisser passer ; elle avait là enfin la possibilité de présenter ses compétences et son intelligence sous un jour favorable devant le politburo du *Monitor*.

Dans son bureau du sous-sol, elle parcourut la presse du matin et potassa les infos principales du jour dans l'espoir d'être en mesure de proposer de nouveaux angles et de glisser quelques bons mots. Les propositions de l'opposition ne se prêtaient ni à l'un ni à l'autre. Pas plus que la disparition d'un yachtman, la campagne d'une princesse contre les mines antipersonnel ou le siège de l'ambassade du Pérou. Janvier, c'était bien connu, était un mois aride du point de vue des news. Des portraits de John Major arborant un sourire niais sous un turban, tel un figurant dans *Carry on... Up the Khyber*[1], pendant un voyage officiel où il devait rencontrer son homologue pakistanais, voilà qui avait des chances de faire

---

1. Film comique britannique (1968) ayant pour cadre les Indes de 1895.

rire – ces temps-ci, Major ne pouvait pas lever le petit doigt sans provoquer des ricanements, même sur les bancs des conservateurs –, mais il s'agissait malheureusement d'un gag visuel. Serait-il envisageable d'exploiter le projet gouvernemental de construction d'un nouveau yacht royal à soixante millions de livres censé réjouir les cœurs dans les chaumières et moissonner des voix pour les prochaines élections ? Ce navire allait-il en fin de compte faire couler les conservateurs ? Ou au contraire sortir de flots houleux un gouvernement impopulaire ? Y avait-il un sketch à tirer des rumeurs concernant la proposition de mariage du chancelier du cabinet fantôme à une séduisante chargée de relations publiques ? Des plans de fusion d'entreprises ? De l'abattement fiscal du contribuable marié ? Pourrait-elle effectuer un parallèle humoristique avec le futur mariage de la pop star au tempérament provocateur, Liam Gallagher, avec Patsy Kensit, la belle blonde à la bouche constamment ouverte de *L'Arme fatale 2* ?

L'ascenseur était en panne et le temps que Tamara grimpe l'escalier jusqu'au quatrième et atteigne la salle à 9 h 55 précises, elle était aussi essoufflée que si elle avait couru un marathon. Les chefs de service ou leurs adjoints étaient déjà là, attroupés devant la porte close, guettant le signal pour charger. Vida représentait la section people à la place de Johnny, parti suivre un cours sur la résolution des conflits dans le Buckinghamshire. Le rédacteur en chef des affaires intérieures, dont la barbe et le tricot évoquaient un chanteur folk des seventies, faisait des messes basses avec la rédactrice en chef des affaires étrangères, une walkyrie drapée dans un vêtement à fines rayures, tandis que le chef des sports, Ricky Clegg, en survêt' rouge et blanc, feuilletait *Sporting Life* avec une fausse nonchalance. Tamara se sentit froissée à la vue de Tania Singh – depuis quand était-elle rédactrice en chef, celle-là ? –, qui faisait semblant de lire la *New York Review of Books*. Lyra Moore, perchée sur ses talons hauts, habillée comme pour un cocktail en noir et blanc, tripotait les touches d'un téléphone portable.

Profitant de l'aubaine, Tamara s'avança vers elle en hésitant sur son entrée en matière : « Bonjour ! Je voulais justement voir avec vous… » « Bonjour, Lyra ! Je me demandais si je pouvais vous parler de… — Honor Tait, hein ? Quel personnage !… » Lyra leva les yeux en sursautant légèrement, mais avant que Tamara ait pu ouvrir la bouche, une subite clameur s'éleva ; la porte de la salle venait de s'ouvrir d'un seul coup, révélant l'imposante Hazel, un instant figée dans une posture de lanceuse de disque, avec ses perles et sa robe en chintz cent pour cent polyester. Puis Tamara recula d'un bond avec une agilité surprenante afin d'éviter d'être piétinée dans la mêlée. Tandis que les rédacteurs en chef et les adjoints se ruaient sur les chaises et Hazel vers la sécurité de son cinquième étage, Tamara constata que c'était Austin Wedderburn qui allait présider la conférence aujourd'hui, ce qui rendait les enjeux de son éventuelle contribution encore plus élevés. Elle se trouvait dans le saint des saints du *Monitor* et ne devait à aucun prix laisser échapper l'occasion d'y briller.

194

Après quelques feintes de corps qui ne lui permirent pourtant pas de s'approcher du directeur, Tamara se retrouva finalement assise près de la porte à côté du chariot à thé, hors de la ligne de mire de Wedderburn. Si la salle avait été un théâtre, son siège aurait figuré dans la catégorie « vue partielle » et aurait coûté la moitié du prix. Elle allait devoir mettre les bouchées doubles pour se faire remarquer. Lyra, l'élégance et l'efficacité personnifiées, si ce n'était que le bouton du haut de son chemisier s'était défait dans la bousculade, était assise à la droite de Wedderburn, à côté du chef du desk des affaires étrangères. À côté de ce dernier, à deux places de Tamara, Tania affichait un sourire de contentement félin, les coudes sur la table, ses mains en coupe autour de son visage hélas adorable, pareille à une enfant gâtée à qui personne, à moins d'être sans cœur, ne pourrait rien refuser.

Malgré le silence chargé d'attente qui régnait déjà dans la pièce, Wedderburn martela la table avec son stylo comme un juge maniant le marteau.

« Avant de commencer, j'aimerais vous présenter notre invitée de ce matin », dit-il en indiquant Tamara d'un mouvement du menton.

Elle sentit son cœur battre soudain plus vite, comme si elle venait de s'injecter une drogue. Elle n'était pas passée inaperçue, en fait. Et pas seulement maintenant. Elle se redressa sur sa chaise et joignit les mains sur la table, prête à intervenir.

« Vous êtes nombreux à l'avoir déjà remarquée dans les couloirs, continua Wedderburn. Certains d'entre vous connaissent déjà son travail et savent ce qu'elle a apporté au *Monitor*. Eh bien, je suis heureux de vous apprendre qu'elle est destinée à jouer un rôle de plus en plus important dans la vie de notre journal. »

Était-il possible que de *bonnes* nouvelles vous plongent dans un état de choc ? Tamara sentit le feu lui monter au visage comme si elle venait de plonger sa tête dans un four. Elle était rouge écarlate, sans aucun doute. Pourvu qu'elle ne transpire pas. Elle serra les lèvres, qui lui résistèrent bizarrement, et, bouche fermée, esquissa un sourire modeste. Lyra avait sûrement parlé d'elle au directeur à propos du papier sur Honor Tait. Voilà, c'était arrivé. Même au pire de ses dépressions de la mi-hiver, elle avait su que cela arriverait un jour. Son talent avait fini par éclater au grand jour, il la hissait au-dessus du commun des journalistes, la nimbait d'or. Un souvenir lointain datant de ses années de catéchisme lui revint : une image de sainte (Lucy ? Agnès ?), les yeux pudiquement baissés (Qui ? Moi ?), tandis qu'une auréole scintillait au-dessus de sa tête comme un frisbee doré. Enfin. Tamara avait trouvé sa place parmi les Élus.

Wedderburn avait compris que le *Monitor* devait tendre la main à un jeune lectorat. La nomination de quelques journalistes de moins de trente ans à des postes clés était le premier pas dans une campagne de sensibilisation. Ce n'était pas orthodoxe, assurément, d'annoncer une promotion de manière aussi publique, mais Tamara n'allait pas pinailler.

« Une fois que nous aurons liquidé les affaires du jour, j'espère qu'elle pourra nous dire un mot de la vision qu'elle a pour le *Monitor* », continua Wedderburn.

Tamara sentit son excitation virer à la terreur et sa température descendre en chute libre. Une vision ? Comme quand Ross avait glissé subrepticement des champignons hallucinogènes dans l'omelette à Gastonbury ? Elle pouvait toujours réciter la table des matières de *Psst !* cette semaine, elle avait bien étudié les actualités principales de la journée et trouvé un jeu de mots à ressortir sur Gordon Brown. Mais une vision ? Pour qui la prenait-il ? Bernadette ? Horrifiée, elle se demandait comment elle allait se sortir de ce pétrin et priait le ciel de dépêcher une secrétaire avec un fax annonçant, mettons, la mort d'un membre de la famille royale, en tout cas une nouvelle assez bouleversante pour dissoudre sur-le-champ la conférence, quand s'éleva dans le silence une autre voix – jeune, féminine, d'une fermeté magistrale, la voix d'une déléguée de classe lors du Founder's Day, la cérémonie rendant hommage aux fondateurs de votre école.

« Merci, Austin. »

C'était Tania.

« Je ne serai pas longue, continua-t-elle en se tournant vers les autres afin de s'adresser à l'ensemble des rédacteurs. À la suite de plusieurs entretiens avec Austin sur les récents progrès dans les technologies de l'information, il m'a aimablement invitée à vous parler ce matin de la toile mondiale qui se nomme le World Wide Web et de ce que cela implique pour le journal. »

Tamara se pencha en avant et regarda tour à tour Wedderburn et Tania, bouche bée, partagée entre le soulagement et la déception, tandis que, sous la lumière crue de la vérité, son auréole se ratatinait pour ressembler à un bonnet de bouffon. L'humiliation était cuisante. Tamara dévisagea ses collègues. Ils esquivaient tous son regard, mais aucun d'eux ne souriait ni ne se moquait ouvertement de son embarras. Toutes les têtes étaient tournées vers Tania.

Wedderburn martela de nouveau la table avec son stylo et la conférence reprit. Pendant que les quotidiens du matin – le *Monitor* et ses concurrents – étaient passés en revue, Tamara se ressaisit et attendit son tour de prendre la parole. Elle n'avait pas été distinguée par l'empereur, qui ne lui avait même pas octroyé un sourire, qui ne l'avait d'ailleurs même pas vue, mais il lui restait une chance de l'impressionner.

Vida insinua, sans être désagréable, que la façon dont le desk traitait la polémique au sujet de la politique de l'éducation laissait à désirer, tandis que le responsable du desk suggérait le plus cordialement du monde que le service people aurait pu ne pas louper le coche sur la disparition du yachtman, qui avait fait l'objet d'un article bourré d'humour dans le *Courier* du jour. Vida eut du mal à contenir sa fureur ; elle fit remarquer que le papier pince-sans-rire de *Me2* avait été en réalité commandé par Johnny ; le desk rétorqua en citant la blague du *Courier* qui surnommait le yachtman « Captain Calamity », ce qui déclencha un bref tressaillement, peut-être même un sourire, sur les traits de Wedderburn. Des rires éclatèrent autour de la table.

Toby Gadge émit l'idée que le desk aurait pu faire plus de cas de la réaction du gouvernement conservateur aux accusations d'homosexualité dont était la cible un de ses parlementaires, tandis que le chef du desk répliquait que le service politique aurait pu se démener davantage sur la dernière crise gouvernementale, quand les conservateurs s'étaient soudain retrouvés sans majorité à cause de la disparition brutale d'un député de la Chambre des communes qui s'était cuité à mort.

Le rédacteur en chef des pages financières, aussi cauteleux qu'un comptable touchant des pots-de-vin, estimait que ses comptes rendus sur les projets d'introduction en Bourse d'une société immobilière n'étaient pas bien mis en valeur à la une. Wedderburn bâilla sans complexe et, autour de la table, plusieurs vieux routiers se sentirent autorisés à montrer des signes d'impatience, à se frotter les yeux, à s'étirer. Le chef de la section arts, un gnome hirsute, entonna son plaidoyer hebdomadaire en faveur d'un élargissement de la rubrique musique classique. Il reçut la réponse habituelle, à savoir un silence peiné, pendant que Tamara peaufinait sa tirade sur les rumeurs concernant l'idylle du chancelier du cabinet fantôme. L'instant d'après, la conférence était passée des infos de la veille à l'actualité du jour.

Une opération qui comprenait la lecture fastidieuse de listes – les rédacteurs en chef du quotidien, ou leurs adjoints, résumaient les papiers que préparaient leurs équipes respectives pour l'édition du lendemain. Autant que Tamara put en juger, leur tâche principale consistait à lire les mêmes listes à plus ou moins les mêmes personnes au cours des différentes réunions qui ponctuaient la journée. Tout le truc résidait dans la présentation ; il fallait chaque fois que les auditeurs aient l'impression de découvrir un programme – le métal de la rumeur façonné dans les forges de l'investigation journalistique à partir du lingot incandescent des faits. Il était préférable que les intonations de l'orateur donnent une impression d'urgence dès lors qu'il s'adressait à un public dominé par les représentants du desk, mais s'il s'agissait d'une réunion des people de Johnny, il valait mieux qu'il adopte une ironie teintée d'indolence ; avec ceux du service des ventes et du marketing qui avaient toujours besoin de stimulation, il convenait d'imiter la voix d'un conteur d'histoires au milieu d'un cercle d'enfants, tandis qu'un détachement robotique et expéditif, sinon méprisant, était plus efficace pendant les réunions budgétaires. La séance de lecture de la liste à la conférence du matin, cependant, donnait le ton de la journée.

Le chef du service politique intérieure, l'air de se réjouir d'avance de ce que leur préparait l'avenir, expédia la sienne sans façon puis exposa plus en détail le spoiler du lendemain, calculé pour torpiller le feuilleton « exclusif » du *Courier* à paraître dans le numéro de samedi. Il s'avérait que le *Courier* avait versé l'équivalent de quatre fois le revenu annuel de Tamara pour quatre extraits d'un livre dans lequel un agent spécial renégat de MI5 dénonçait un complot d'assassinat alambiqué visant à déstabiliser les pays producteurs de pétrole. Le desk du *Monitor* s'était débrouillé pour mettre la main sur les épreuves dudit ouvrage (un agent de sécurité à court d'argent de l'entrepôt de la maison d'édition avait accepté un bakchich à trois zéros) et, tout en remaniant le récit, avait ajouté des commentaires scandalisés de Vénézuéliens et de Saoudiens et des remarques sceptiques de quelques-uns de ses anciens confrères, ainsi que le diagnostic d'un psychiatre médiatique arrangeant selon qui l'ex-agent spécial souffrirait de trouble de la personnalité histrionique. L'article du *Monitor*, qui aurait aussi droit à l'étiquette « exclusif », allait, pour un coût minime, court-circuiter malicieusement le *Courier*, lequel avait aussi payé des sommes extravagantes pour une campagne publicitaire télévisée annonçant la prochaine diffusion du feuilleton. Wedderburn émit un gloussement de satisfaction, déclenchant une série de bruits analogues autour de la table, puis gratifia le rédacteur en chef d'un hochement de tête approbateur.

Après la virtuosité des affaires intérieures, les affaires étrangères eurent l'intelligence de jouer carte sur table et de lire leurs sujets – Hébron, les Hutus et les Tutsis, Aung San Suu Kyi en Birmanie et Milošević dans l'ex-Yougoslavie – d'un ton qui aurait très bien convenu à une conférence budgétaire. Ce fut le tour de la rubrique people ; Vida profitait de l'absence de Johnny pour écarter les sujets les plus frivoles que celui-ci avait programmés pour le *Me2* du lendemain et les remplacer par un essai conséquent sur la violence conjugale de l'écrivaine féministe Isadora Talbot, un reportage sur le déclin du nombre de spermatozoïdes et un papier optimiste sur un nouveau et ingénieux dispositif antiviol. Les chefs du desk échangèrent de discrets sourires en coin.

Vint ensuite le tour de Ricky Clegg, qui, en se balançant d'avant en arrière sur sa chaise comme un collégien, psalmodia sa liste de sujets d'une voix nasale modulée qui rappelait les chants grégoriens. Ses vannes au sujet des peines de cœur d'un footballeur de la *Premier League* déclenchèrent un petit rire de Wedderburn, et un gros du reste de l'assistance. Le modeste triomphe des sports fut suivi de l'énumération rapide, presque télégraphique, des chutes des Bourses, des hausses de prix et des fluctuations des taux de change par les spécialistes des finances. Ceux des arts prirent la défense passionnée, devant un public indifférent, de la saison théâtrale consacrée à Bertolt Brecht. Pendant ce temps, Tamara, à présent au point, attendait son tour en grinçant des dents tant elle était exaspérée de voir Tania prendre soigneusement des notes.

Une fois le principal du quotidien du lendemain expédié, les rédacteurs en chef des hebdomadaires présentèrent leurs menus. Celui du *S*nday*, comme d'habitude, était moins une énumération de thèmes qu'un Who's Who de la littérature – Saul Bellow, Iris Murdoch, Ted Hughes à propos de, respectivement, Robert F. Kennedy, la peur de la page blanche et la dimension mythique de l'épinoche. Lyra la lut avec le charme glacial d'une présentatrice du JT. Wedderburn hocha la tête d'un air docte : le pouce levé de l'empereur. Puis le rédacteur en chef du supplément littéraire, Caspar Dyson, un lettré nerveux aux lunettes cerclées de fer qui avait l'air en permanence offusqué de la compagnie de gens avec qui il était forcé de frayer pour gagner sa vie, communiqua l'inventaire des critiques – quelque chose sur le colonialisme, un autre truc sur la poésie, un machin sur l'histoire, un bidule sur la politique et un roman qu'il qualifia dans un souffle de « phénomène postmoderne métafictionnel ». Celui-là ne suscita à aucun moment le moindre intérêt chez Wedderburn.

Un enthousiasme plus manifeste accueillit la contribution du rédacteur en chef du supplément voyages, un catalogue alléchant de séjours tous frais payés – escapades aux Maldives, ébats dans les Caraïbes, idylles sur les plages de Thaïlande, weekends coquins dans les hôtels européens – offerts à des membres privilégiés du personnel, dont Simon (une semaine dans un spa aux Seychelles) et Wedderburn (deux semaines de golf à Maurice) en échange de six cents mots élogieux : pays-de-contraste, là-où-hier-rejoint-aujourd'hui, vallées-verdoyantes, montagnes-dans-la-brume, l'Est-rencontre-l'Ouest, îles-de-beauté…

La minute de Tamara approchait à grands pas. Revoyant sa stratégie, elle décida d'insister surtout sur son top 10 des « mauvais jours de cheveux » des stars de la télé. Paul Tucker pouvait-il être ajouté à son classement ? La paille qu'il avait sur le crâne avait tout de la brosse à détartrer les W.-C. Et puis un reporter en activité pouvait-il prétendre être une personnalité du petit écran ?

Vida avait repris la parole. On lui avait octroyé un deuxième passage pour annoncer un projet de numéro spécial week-end sur lequel Johnny et elle travaillaient depuis huit mois, avec un sens du secret que n'auraient pas renié les francs-maçons. « Les élites vues par le *Monitor* », un annuaire de quatre-vingts pages sur papier glacé divulguant le top 100 des personnages les plus influents du monde de la politique, des arts, des médias, des sports et des affaires, devait paraître avec le journal du dimanche sous trois semaines ; cette opération commerciale qui devait booster les ventes était soutenue par une campagne publicitaire télévisuelle ruineuse à une heure de grande écoute. Tamara sentit la moutarde lui monter au nez. Un classement. Sa spécialité. Et personne ne l'avait consultée. Bon, mais elle aurait sa revanche. Une fois son papier sur Honor Tait livré, elle n'aurait plus à traîner au deuxième en espérant que quelqu'un du cahier people aurait la bonté de lui refiler un top 10.

Entre-temps, le chef des ventes et du marketing, Erik Havergal, au physique bronzé de mannequin de vitrine, fit son rapport sur l'augmentation satisfaisante du nombre de ventes obtenue grâce au sachet de graines offert en cadeau de Noël et les résultats moins probants générés par l'aspirine cadeau du nouvel an, à cause de l'Alka-Seltzer du *Courier* qui leur avait coupé l'herbe sous le pied.

« Pour terminer sur une note positive, dit Havergal, je peux d'ores et déjà vous annoncer que nous avons prévu pour la sortie du numéro spécial "élites" un cadeau pour elle et pour lui, avec des boutons de manchettes et un bracelet en métal doré gravés de la lettre E. Pour élite, bien sûr. »

Les mâchoires de Wedderburn tremblotèrent, il ébaucha un sourire de profond contentement et, comme par un effet domino, les visages, les uns après les autres, mimèrent son expression de ravissement.

La rédactrice de la section mode fut la suivante. Aujourd'hui, Xanthippe Sparks s'était fait des nattes qu'elle avait enroulées autour de ses oreilles, tel un casque audio. Elle portait une jupe traditionnelle bavaroise, un chemisier aux manches bouffantes et un bustier à lacets, sans doute en hommage à Heidi. Elle se lança dans une énumération sautillante : « La nouvelle décontraction... *Rhapsody in shoes...* Fashion de jour pour oiseaux de nuit... », pendant que le rédacteur du desk affaires intérieures était plongé dans son carnet de rendez-vous, qu'Austin Wedderburn consultait sa montre et que Tamara, estimant qu'elle serait la prochaine, révisait sa liste et répétait sa tirade en silence, avec une attention particulière aux mots délicats qui pourraient faire fourcher sa langue. La diction, c'était essentiel. Et elle ne devait pas gâcher sa chance.

« ... et côté masculin, nous avons une page mac rétro chic : mocassins blancs, chaînes en or, cœurs noirs... »

Le chef du desk affaires intérieures assembla ses sorties papier format A4 de manière à faire une liasse bien nette dont il tapota les bords contre la table tandis qu'Austin Wedderburn paraissait avoir trouvé quelque chose de fascinant au bout de son stylo. Xanthippe conclut sur une note ascendante, totalement imperméable, dans sa bulle d'autosatisfaction, aux railleries muettes de ses collègues. Tamara était prête. Elle allait être brève, spirituelle et pragmatique. Passer après la rédactrice de la section mode, c'était du gâteau.

« Merci à tous, déclara Wedderburn en pianotant sur la table avec ses doigts. Nous allons devoir nous arrêter là pour aujourd'hui. Nous avons un journal à publier, après tout. »

Il afficha un large sourire, provoquant l'éclosion de moues complices autour de lui.

« Mais avant que nous nous séparions, Tania Singh va nous toucher deux mots sur la lisibilité du site Internet. »

Tania se leva, telle une évangéliste radieuse apportant la bonne nouvelle des url, des noms de domaine, des portails et des pages vues, des points com et de la fracture numérique. Les chefs de service l'observèrent avec des degrés variés de scepticisme et de lubricité. Tamara, dévorée par la haine, ne pouvait pas la quitter des yeux. Aussi sursauta-t-elle lorsqu'une main lui tapota l'épaule. C'était Hazel, la secrétaire qui s'était introduite dans la salle avec une bouilloire. Elle tendit à Tamara un sucrier et un pichet de lait, puis lui indiqua d'un mouvement du menton qu'elle avait été désignée pour servir le thé. Sûrement parce qu'elle était assise près du chariot, mais Tamara ne put s'empêcher de se demander si, compte tenu de l'humiliation déjà subie ce matin, elle ne dégageait pas une odeur de mammifère inférieur.

Elle finit néanmoins par obtenir un petit succès : un contact direct avec Austin Wedderburn. Miles Denbigh était en train d'évoquer les progrès dans les négociations pour la création d'une salle de prière multiconfessionnelle – un autel et un tapis de prière pourraient être installés dans son propre bureau afin de ménager l'ire des fumeurs – lorsque le directeur regarda Tamara et leva le pouce et deux doigts en l'air. Tamara versa trois cuillerées de sucre dans sa tasse, qu'elle lui passa en même temps qu'une assiette de sablés. Il ne lui dit pas merci, mais elle était convaincue qu'il n'oublierait plus son visage. Il saurait qui elle était, la prochaine fois.

Au Bubbles où elle alla déjeuner avec Simon un peu plus tard, Tamara se sentit soudain horriblement abattue. Simon était d'humeur magnanime – tout s'était bien passé avec Serena et sa gueule de bois commençait à n'être plus qu'un mauvais souvenir.

« Fais pas cette tête, Tamara. C'est pas si mal. Tu t'es bien débrouillée, hier soir, avec ton truc sur Honor Tait. C'était une idée judicieuse d'aller jusqu'à Archway.

— Tu penses ! Tu aurais dû voir ça. Pas une seule phrase de toute la soirée dont je vais pouvoir me servir.

— Voyons. Il y a forcément de la matière, là-dedans. De la couleur locale. Des faits.

— Des faits ? Ah çà, ils nous en ont gavés. C'est tout ce qu'ils ont donné, d'ailleurs. Et ils servent à quoi ? Un flot de paroles à vous amollir le cerveau sur les bonnes œuvres d'une vieille folle ? Même Lyra n'en voudrait pas.

— Tu peux faire mieux que ça, insista-t-il en lui versant un autre verre.

— Je sais ce qu'il me faut. Les amants célèbres, les amis célèbres, les peines de cœur. Je ne peux rien tirer d'elle sur aucun de ces sujets.

— Ce ne serait pas drôle si c'était facile, hein ? la taquina-t-il. N'importe qui y arriverait. Il faut que tu t'accroches.

— Qu'est-ce que tu crois que je fais ? »

Son bipeur se mit à biper.

« Et le Monday Club ? lui lança-t-il en lisant distraitement ses messages. Ses gigolos et ses jeunes amis ? Il y a du potentiel, de ce côté-là. Vas-y, va voir de quoi il retourne.

— Cela m'étonnerait qu'elle m'y invite. »

Simon leva les yeux de son bipeur et la fixa d'un air dédaigneux.

« Qui parle d'invitation ? »

## 8

LES *SOIRÉES** DU MONDAY CLUB AVAIENT ÉVOLUÉ, sur l'insistance des « boys », passant de cocktails à des dîners mensuels qui étaient devenus les seuls rendez-vous fixes sur son agenda. À vrai dire, ses seuls repas complets. Elle avait toujours revendiqué sa nullité en matière de cuisine et, alors que la bonne veillait à ce que les placards et le frigo ne soient jamais dépourvus de l'essentiel – pain, lait, thé, vodka, oatcakes, un peu de fromage, quelques conserves –, les ambitions culi-naires d'Honor depuis la mort de Tad n'avaient jamais dépassé le bon vieux toast et ses variantes. Les dîners du Monday Club étaient, selon Bobby, son service de repas à domicile pour vieux. Ils fournis-saient la nourriture et le vin, elle le lieu et la vodka.

À leurs yeux, elle était un *monstre sacré**, fantasque, drôle, parfois perverse. C'était le côté glamour de son passé, sa familiarité avec les grands qui lui valaient leur loyauté ; ils se sentaient flattés de passer un moment en sa compagnie. Ainsi pouvaient-ils citer son nom dans leurs conversations, si bien qu'elle les torturait à loisir, d'autant que le risque d'être mis à l'écart à cause d'un mot de travers entretenait une atmosphère de danger grisante.

Bobby était son champion. Le directeur de la rédaction de *Zeitgeist*, le cahier culturel hebdomadaire du *Courier*, lui rapportait les ragots de Grub Street[1], du vin du Languedoc et une suite de ravissantes novices, en général des comédiennes fraîches émoulues du conservatoire, des Belles pour qui il jouait le rôle de la Bête. Il était un universitaire raté, ce qu'il admettait lui-même. Auteur de deux biographies passées presque inaperçues sur des écrivains modernistes, il avait distillé ses critiques acerbes dans un certain nombre de périodiques institutionnels de second ordre, qui le payaient une misère. Aussi avait-il été le premier étonné par sa nomination à la tête de *Zeitgeist* – Neville Titmuss, le directeur du *Courier*, avait été impressionné par un article de lui éreintant les mémoires d'un journaliste qui comptait parmi ses plus vieux adversaires.

Bobby réussissait en échouant tandis que le pauvre Aidan Delaney, un bon poète dont l'œuvre était saluée par la critique et récompensée par des prix, continuait à échouer en réussissant. Honor admirait la pugnacité d'Aidan et trouvait sa misanthropie réconfortante. Personne ne pouvait la faire rire comme Inigo Wint, un ancien dandy qui s'était laissé aller. Artiste à la mode d'un certain talent, surtout pour l'imitation, il avait dans *Zeitgeist* une vitrine permanente pour son travail. En dépit de son hétérosexualité active, il arrivait à Honor de se demander si

---

1. Terme péjoratif pour qualifier le milieu de la presse et du livre.

lui et Bobby avaient été amants. Inigo était louche, mais aussi un ami loyal et, apparemment, un bon coup. Un rien faisait vibrer sa fibre provocatrice et ses petites amies le trouvaient insaisissable. Un groupe de jeunes femmes, pas toutes d'une beauté conventionnelle – ses goûts, se plaisait-il à dire pour rire, étaient aussi catholiques que le cardinal Hume –, le suivait avec une sollicitude qui faisait peine à voir. Il les gâtait pendant deux mois puis les quittait sans crier gare pour une autre languide geisha. « Une mise à jour gratuite », disait-il.

Paul Tucker, l'élément le plus masculin du Monday Club, se taisait sur la question sexuelle et affirmait ne s'intéresser ni à l'art ni aux rouages de l'imagination, prétendant n'avoir jamais lu de son propre chef une œuvre de fiction, « sauf la une du *Sunday Times* ».

« La vie de l'esprit, je l'encule ! disait-il. Donnez-moi plutôt la vie tout court ! »

La réflexion n'était pas son fort, au contraire des actualités télévisées. Il foulait le terrain – hors de lui, mal rasé, harnaché de son gilet pare-balles, planté devant la caméra avec pour toile de fond un *son et lumière** de missiles ou bien hurlant pour se faire entendre en dépit du vrombissement des pales d'un hélicoptère, digne héritier de la tradition d'Honor la traqueuse de vérité, défenseur des faibles et fléau des puissants. Comme il était ironique que ce soit la télévision, qu'elle méprisait, qui ait préservé au moins certaines valeurs journalistiques que la presse écrite avait pour sa part jetées aux orties.

211

Honor avait toujours préféré la compagnie des hommes à celle des femmes. Gays ou hétéros, ils étaient plus amusants, plus désinvoltes en matière de relations sentimentales et plus engagés dans la vraie vie. Ils se révélaient par ailleurs plus fiables et, surtout, moins jaloux que l'autre sexe. Malgré tout, parmi ses « boys », il y avait deux femmes. Ruth, aussi ronde qu'une poupée russe, était l'efficacité même, celle qui arrangeait tout, et la trésorière. Plus que ses compétences d'éditrice, ce qui lui avait valu sa place à leurs dîners était son côté prof de gym à l'esprit pratique qui trouvait toujours une solution à tous les pépins – avec les plombiers et les avocats, les comptables et les inspecteurs des impôts, les restaurateurs et les agences de voyages. Toutes qualités qui faisaient d'elle au demeurant une excellente professionnelle de l'édition. Il n'y avait eu de sa part aucun pinaillage sur les questions de dénomination et de structure, ni manœuvres en sous-main, ni « bons conseils ». Ruth s'était montrée parfaite dans son rôle, propulsant *Ma vérité*, épuisé depuis des dizaines d'années, dans le domaine public sous une belle couverture toute neuve, et à présent elle s'apprêtait à rendre le même service à *Dépêches*.

Outre Ruth, il y avait Clemency. Grande, laide et affligée de la culpabilité d'avoir hérité une immense fortune, Clemency faisait de la philanthropie une profession. Elle siégeait dans plusieurs comités pour les arts, de sorte qu'elle était une source intéressante d'invitations à des premières. Généreuse de son temps et de son argent, elle était toujours là pour vous, même quand vous lui téléphoniez en pleine

212

nuit, et vous écoutait d'une oreille attentive, patiente et admirative. Lorsque Honor avait été au fond du gouffre, Clemency avait insisté pour qu'elle prenne l'avion jusqu'au lac de Garde, où elle avait été dorlotée pendant deux mois à la villa de la fondation Twisk. Mais Clemency était attirée par les miroirs aux alouettes, dont la nouvelle association caritative était un bon exemple, elle pouvait parfois se montrer insupportablement moralisatrice. Ancienne alcoolique, elle avait un jour commis l'erreur de mettre en garde Honor contre ses excès de boisson occasionnels. Clemency avait dû alors faire des pieds et des mains pour être réintégrée au Monday Club.

Ce soir-là, Inigo fut le premier arrivé. Son sourire en coin était un bon baromètre de l'humeur d'Honor. Si elle était déprimée, il lui paraissait hypocrite et détestable. Quand elle avait le moral, elle le trouvait charmant.

Encore lessivée, mortifiée même, par l'interview du *Monitor*, un état renforcé par le coup de fil nocturne et sa prestation dégradante en faveur de la dernière vanité de Clemency, Honor n'éprouva qu'un sentiment de soulagement à la vue de son courtisan le plus chevaleresque, et le plus arrogant. Il avait à la main une jolie boîte de pâtissier. Il l'embrassa sur la joue – une brosse humide caressant sa peau parcheminée.

« Je suis le premier ?

— Comme tu vois.

— Parfait. Je t'ai à moi tout seul, comme ça, dit-il en remuant les sourcils tel un séducteur dans un film muet.

— Tu peux t'occuper des drinks, mon chéri ? »

Alors qu'il se dirigeait vers le buffet, la sonnerie retentit. Honor s'assit et Inigo, avec un grognement exagéré d'amant que l'on dérange, retourna dans le couloir accueillir l'invité suivant.

C'était Aidan, rose et radieux après sa séance à la salle de gym – ne se faisait-il pas un peu vieux pour soulever des haltères ? – et heureusement seul. Son boyfriend, Jorge, un garçon difficile, architecte, était en charrette.

« Un centre de loisirs dans les Midlands, les informa Aidan en haussant les épaules. Deux concepts contradictoires, si vous voulez mon avis. »

Il avait apporté une boîte d'olives vertes et une belle édition de l'anthologie de la poésie anglaise de Palgrave.

Il embrassa Honor en la tenant serrée contre lui un peu plus longtemps que nécessaire – de la comédie pure – et embrassa aussi Inigo comme il semblait de mise pour les hommes d'aujourd'hui, quelles que fussent leurs préférences sexuelles.

Ruth fut la suivante, débarquant aussi essoufflée qu'agitée, les bras chargés d'un grand plateau de hors-d'œuvre libanais. Elle avait l'air encore plus débraillée que d'habitude : les cheveux en bataille, une robe beige qui ressemblait à une toile de tente, des chaussures orthopédiques. Une panoplie complète anti-tyrannie patriarcale. Elle se baissa pour embrasser Honor avec un bruit de gorge, faisant de son mieux pour ne pas lâcher son plateau, puis se dirigea tel un marin ivre vers la cuisine afin de s'occuper de la vaisselle.

« Pour l'impératrice de Maida Vale », dit Inigo en tendant à Honor un martini-vodka.

À cet instant, une clé tourna dans la serrure. Bobby avait ouvert avec celle qu'Honor lui avait confiée l'année précédente, pendant une période noire. Sa contribution à la soirée était double : une caisse de bordeaux, achetée aux frais du *Courier*, et un invité, Jason Kelly, un jeune acteur peu loquace mais au physique hypnotique.

« Alors, voilà ton *amuse-gueule**, Bobby ? » lui lança Aidan en reculant d'un pas pour toiser le nouveau venu.

Kelly, blond, l'œil en amande, dont les amours faisaient les choux gras des tabloïds, se crispa. Inigo lui fourra dans la main un cocktail et le poussa vers Honor. Son interprétation de Hamlet au Old Vic avait été encensée par la critique. Honor, qui était allée à la première en compagnie d'Aidan (Clemency ayant fourni les billets), avait été impressionnée.

« Il n'a pas tellement l'air *tout en sueur et hors d'haleine*[1]. » Cela avait été sa seule critique.

En réalité, Kelly était plus connu, et infiniment mieux rémunéré, pour avoir été la vedette d'un récent blockbuster, une adaptation de *L'Arbre de tous les ailleurs* d'Enid Blyton. Honor, tout en ayant été enchantée par sa prestation dans *Hamlet*, avait décliné l'invitation d'Aidan à voir le film – de la bouillie hollywoodienne, à coup sûr – dans le cinéma multiplexe d'un centre commercial.

---

1. Toutes les citations de *Hamlet* sont tirées de la traduction d'Yves Bonnefoy, Paris, Gallimard.

« Plutôt passer la soirée à faire mon ménage ou à lire Isadora Talbot », avait-elle protesté.

Pourtant elle l'avait trouvé bouleversant dans la scène du lit avec Gertrude. Honor tapota la tapisserie du tabouret à ses pieds, l'invitant à s'y asseoir.

« Ah. La place d'honneur », entonna Inigo comme à chaque dîner du Monday Club.

On sonna de nouveau à la porte – deux coups brefs, un long. Personne ne réagit.

« Ruth ? s'écria Honor en se tournant vers la cuisine. Sois un amour et va ouvrir à Clemency.

— L'arrière-train sifflera trois fois », marmonna Inigo, qui ne manquait jamais une occasion de se moquer de la culotte de cheval de Clemency.

L'héritière Twisk entra, les épaules voûtées, comme si elle s'excusait d'être importune. Elle apportait, emballé dans du papier kraft, un énorme fromage rond qui sentait très fort.

« Mmm, fit Inigo en reniflant l'air. Ne me dis pas le nom de ton parfum, Clemmy. *Eau d'égout* * ?

— De chez Cloaque ? » enchaîna Aidan.

Clemency fit semblant de ne pas avoir entendu et fixa le verre de vin d'Aidan d'un œil sévère.

« Je peux faire quelque chose ? » cria-t-elle à l'adresse de Ruth dans la cuisine.

Une question rhétorique. Sans laisser à Ruth le temps de répondre, Clemency s'assit.

« Avons-nous atteint le quorum ? demanda Bobby.

— Oui, répondit Aidan. Le cénacle est presque au complet. Comme Paul est en ville, il manque encore à l'appel.

216

— Il arrive directement des studios de la télévision, précisa Honor. Il revient d'un week-end en Afghanistan.

— Et comment donc ! commenta Inigo en remplissant les verres. D'où pourrait-il venir d'autre ? »

Honor but longuement. Inigo était agacé par l'intégrité insolente de Paul. Elle aimait bien les voir se chamailler, ses « boys », pour mieux attirer son attention.

Aidan se tourna vers Jason.

« Toutes mes félicitations pour les critiques.

— À la tienne, dit l'acteur en levant son verre.

— *Le miroir du haut goût, le modèle de l'élégance*, continua Aidan. Mais fi de cette Marie-couche-toi-là de Gertrude. Et de cette pouffiasse d'Ophélie. Sa vraie passion n'est-elle pas pour Horatio ? »

La jolie bouche de Jason se plissa de mécontentement et Bobby s'interposa galamment.

« Crois ce que tu veux, Aidan. Ce qui te plaît. Mais la fonction d'Horatio est d'être le mandataire du public : un témoin. La relation la plus intéressante, à mon sens, est celle qu'il entretient avec Laërte.

— N'importe quoi, et tu le sais, le rembarra Inigo.

— C'est de la critique théâtrale, ça ? ironisa Clemency.

— Tom Eliot disait toujours que *Hamlet* était la Joconde de la littérature », glissa Honor d'un ton mélancolique en serrant la main libre du jeune acteur.

Avec la subtilité qui lui avait valu des tonnerres d'applaudissements au Old Vic, Jason Kelly se renfrogna imperceptiblement.

« Je ne vois pas de sourire énigmatique, rétorqua Aidan en dévisageant l'acteur avec un seul sourcil levé. Plutôt *l'outrage de l'orgueil.* »

Le nuage noir qui assombrit à cet instant le beau front de Kelly était plus menaçant que le regard dont il gratifiait chaque soir Claudius. Aidan fut sauvé par la sonnerie de la porte.

« Hercule Tucker ! s'exclama-t-il en se levant d'un bond pour aller ouvrir. De retour avec ses pommes d'or. »

Mais ce n'était pas Paul. C'était le contraire de Paul. Se tenait figée dans l'encadrement de la porte une jeune femme au décolleté pigeonnant de dame de la Restauration anglaise. Manifestement une intruse, comme le prouvait d'ailleurs ce qu'elle tenait à la main : une grosse botte de fleurs rose bonbon.

« Pardon de vous déranger, dit Tamara. Je viens voir Honor Tait. Je suis journaliste, une amie à elle. Je voudrais lui parler d'un article que je suis en train d'écrire. »

Aidan, en bon gnome malicieux, n'en crut pas un mot mais l'invita à entrer ; encore un *amuse-bouche\*.*

« Bienvenue sur l'Olympe, lui dit-il.

— Ah, vraiment ? » s'exclama Tamara, étonnée.

Elle était pourtant sûre de se trouver à Maida Vale.

Une lueur de joie perverse brilla dans les yeux d'Aidan.

Honor, à laquelle l'alcool donnait un léger vertige, caressait d'une main la paume chaude et inerte du jeune acteur et tendait de l'autre un verre à Inigo, chargé de le remplir. Elle observait les échanges autour d'elle comme une spectatrice non initiée suit des yeux la balle à Wimbledon, ignorante des règles du jeu mais ravie du spectacle.

En apercevant la nouvelle venue, elle éprouva d'abord de la déception : ce n'était pas son Paul. Qui, dès lors, allait donner du peps à la soirée grâce à ses nouvelles du Vrai Monde ? Puis sa déception se mua en agacement ; c'était cette demeurée de Tara du *Monitor*. Un sourire stupide vissé sur son visage, elle brandissait un deuxième bouquet de station-service.

« Je suis désolée, dit Tamara dans un souffle avant qu'Honor ait le temps d'ouvrir la bouche. J'ai essayé de vous joindre. J'ai téléphoné à vos éditeurs, mais ils ont refusé de me communiquer votre numéro.

— Il ne manquerait plus que ça ! s'écria Ruth, qui revenait au salon en séchant ses mains sur son ample jupe. Tamara Sim ? Vous devenez casse-pieds, vous, vraiment. »

Ruth se tourna vers Honor, pensant qu'elle lui accorderait son aval. Mais la vieille dame était tournée vers le couloir, d'où surgit un Paul fulminant en gilet pare-balles.

« La porte était ouverte, Honor. J'espère que tu ne m'en voudras pas. »

Il savait qu'il n'avait pas besoin de s'excuser. Honor se leva et, lâchant la main amorphe de Hamlet, accepta l'accolade bourrue de Paul Tucker. Chassant l'acteur soulagé, elle fit asseoir Paul sur le tabouret en tapisserie, où il prit la pose, aussi monumental et viril que le *Penseur* de Rodin.

« Alors, quelle est la dernière de Kaboul ? Raconte », dit Honor.

Ruth émit un petit cri de surprise avant de réintégrer la cuisine pendant que Tamara, provisoirement oubliée, se faisait toute petite dans un coin. Elle avait aussitôt reconnu Paul Tucker. Il ne paraissait pas s'être changé depuis la réunion d'Archway, la semaine précédente. Il parlait sans cesse, en regardant droit devant lui, comme s'il s'adressait à une caméra. Mais les autres, qui étaient-ils ?

Elle reconnut Clemency Twisk, qu'elle avait vue à la soirée caritative. Le petit Écossais rougeaud qui lui avait ouvert la porte leva son verre à la santé de Tamara avec un clin d'œil pas entièrement amical, tandis qu'un quinquagénaire au corps de grenouille dont il avait aussi les yeux globuleux agitait une cigarette allumée. Les antennes journalistiques de Tamara se mirent à frétiller à la vue d'un jeune homme qui semblait s'éloigner à reculons du fumeur aux gros yeux. Il avait la blondeur d'un superhéros scandinave ; elle avait son nom sur le bout de la langue. Tucker poursuivait son monologue, sa voix grondant aussi fort que la terre avant un glissement de terrain. Tamara battit en retraite dans la cuisine. L'éditrice grommelait toute seule en déballant des petits-fours et en les disposant sur des plats, comme des jetons sur un damier.

« Je peux vous aider ? » demanda Tamara en posant ses fleurs dans l'évier.

Ruth poussa un soupir et se versa une rasade de vin.

« Vous en avez, du culot. Vraiment. Vous foirez votre interview, vous vous mettez un de mes auteurs à dos et puis vous débarquez ici sans être invitée !…

Et vous vous attendez à ce qu'on vous accueille à bras ouverts ?

— Ce n'est pas ça du tout, je vous le jure, répondit Tamara. Elle n'est pas commode. J'ai fait de mon mieux. Ils tiennent vraiment à ce papier, à *S\*nday*, et je ne voyais pas comment m'en sortir autrement.

— Nous avons été bien clairs sur ce point, pourtant. Honor Tait est une personne très discrète sur sa vie privée.

— Mais c'est vraiment trop demander ? Quelques détails ? Sur sa famille ? Sa gloire passée ? Nous n'avons pas l'intention d'utiliser ces informations contre elle. Ce n'est pas le genre de *S\*nday*. Vous le savez bien. »

Ruth disposa d'autres petits-fours sur un plat.

« Écoutez, je vous avais prévenue. Elle méprise tout ce qui ressemble à de la curiosité mal placée. En outre, les textes d'Honor Tait parlent d'eux-mêmes. Lisez sa biographie. Tout est dans les coupures de presse. Mais n'attendez aucun commentaire de sa part.

— Voyons, vous êtes son éditrice, insista Tamara. Vous êtes une entreprise commerciale, pas une œuvre caritative. Vous ne voulez pas faire de promo pour votre produit ? Gagner de l'argent ? »

Ruth se lécha les doigts.

« Nous ne faisons pas la charité, c'est exact, mais sommes-nous pour autant une entreprise commerciale ? Ce serait trop beau ! »

Elle confia le plat à Tamara.

« Pendant que vous y êtes, autant vous rendre utile. Personne ne m'a proposé son aide. Vous pouvez apporter ça. »

Tamara fit le tour du salon en présentant son plat, puis prit deux bouteilles et se mit en devoir de remplir les verres. Tucker, toujours au centre de l'attention, ne laissait personne l'interrompre, sauf Honor.

« Alors, ç'a été bouclé ? demanda Honor.

— Oui. Des milliers d'habitants ont pris la fuite. C'est une ville fantôme. Seuls les vieux et les malades, ceux qui ne peuvent pas bouger, sont restés, comme des rats, dans les caves. On marche sur des cartouches vides au milieu des ruines, des tas de décombres, tout ce qui reste de grands immeubles...

— Un peu de vin ? » murmura Tamara.

Il leva les yeux et les fixa un instant sur sa poitrine. Puis il lui tendit son verre et continua :

« C'est bien simple, il n'y a plus d'infrastructure urbaine... »

Tamara retourna à la cuisine, où Ruth passait des assiettes sous le robinet.

« Tenez, dit l'éditrice en lui passant un tire-bouchon. Ouvrez-en donc une autre. »

Tamara remplit le verre de Ruth puis s'en versa un pour elle-même. La voix du reporter leur parvenait du salon, aussi insistante et mélodieuse qu'une perceuse Black & Decker.

« Quel phénomène, ce Paul Tucker, dit Tamara.

— Oui, n'est-ce pas ?

— Il connaît bien Honor... Miss Tait ? s'enquit Tamara en ramassant un torchon pour essuyer une assiette.

— Si vous cherchez à vous faire bien voir, vous ne vous en sortez pas trop mal.

« — J'avais juste besoin d'une heure de plus avec elle, pour pouvoir la citer à propos de ses amis célèbres. »

Ruth fit la grimace.

« Vous perdez votre temps. »

Elle plongea dans l'eau savonneuse une casserole émaillée en la tenant fermement, comme si elle noyait un petit chiot.

« Il faut insuffler un peu de vie dans cet article, dit Tamara. Je voudrais savoir quel genre de personne elle est, dans le privé.

— Cela m'étonnerait qu'elle daigne vous accorder une minute de plus.

— J'aimerais savoir, par exemple, qui est là ce soir. À travers ses amis, j'aurais peut-être une petite idée de qui elle est. Qui est le petit Écossais qui m'a ouvert ?

— Aidan Delaney. Le poète. Son dernier recueil a reçu le prix Margrave. *Baisers à la strychnine*.

— Ah, bien sûr. Et le maigre qui rit tout le temps ?

— Inigo Wint. L'artiste. Il a eu droit à une double page dans *Zeitgeist*, la semaine dernière.

— Ah oui, je pensais bien que c'était lui », mentit Tamara.

Était-elle censée, en plus, se tenir au courant de ce qui paraissait dans la presse allemande ?

« Vous devez connaître Clemency. Elle est dans toutes les pages culturelles des journaux.

— Oui. En effet. Les causes humanitaires et tout ça.

— Tout le monde connaît *Clemency* », insista Ruth d'un ton qui laissait poindre de secrètes rancunes.

Elle posa une carafe sur l'égouttoir.

« Elle est partout, reprit-elle. On ne peut pas aller à une première, à un vernissage ou au lancement d'un livre sans tomber sur elle. »

Ainsi Clemency n'était donc pas encore enterrée. Tamara prit la carafe.

« Et le petit râblé aux yeux... avec de grands yeux ? s'enquit-elle. Qui fume... »

Alors que Tamara mimait d'un mouvement de la main un fumeur de cigarette virtuelle, la carafe lui glissa des doigts et explosa par terre telle une grenade de verre. Un silence de mort s'abattit sur la cuisine, mais, au salon, Paul Tucker ne marqua pas un seul instant de pause.

« Puis les tirs ont repris et j'ai cru que mon compte était bon », l'entendirent-elles déclarer.

Après avoir émi un tss-tss, Ruth sortit d'un placard une balayette et une pelle, qu'elle glissa dans les mains de Tamara.

« Et voilà le travail. Je savais que j'aurais dû vous fiche dehors. »

Tamara s'agenouilla d'un air penaud à côté des éclats de verre.

« Je suis vraiment désolée. Je cherche seulement à bien faire mon travail, à écrire mon papier, à servir votre auteur.

— Il y a des moyens conventionnels pour ça. Oh, et puis levez-vous, pour l'amour du ciel. »

Tamara se redressa.

« Je leur apporte d'autres petits-fours ? » demanda-t-elle.

D'un hochement de tête, Ruth prit note de l'impertinence de la jeune femme, mais personne d'autre ne se proposait. Elle flanqua le plat sous le nez de Tamara et lui montra la porte d'un mouvement du menton.

Tamara s'approcha d'abord du Viking blond assis sur le canapé. Elle se pencha ; il refusa d'un signe.

Paul Tucker tenait la main d'Honor Tait avec un regain de passion mais paraissait s'être interrompu pour reprendre son souffle. Le poète écossais discourait sur « Telstar »... ou était-ce Tolstoï ?

« Le plus extraordinaire, c'est son admiration évidente pour Murat », disait-il.

Tamara s'attarda auprès d'eux, espérant que nul ne la remarquerait et qu'elle pourrait ainsi écouter la conversation. Le fumeur-grenouille intervint en agitant sa cigarette à la façon d'une baguette magique tout en déblatérant au sujet de Saint-Pétersbourg et du Caucase, ce qui lui confirma ce qu'elle pensait : il ne s'agissait pas du single des Tornados, les pionniers de la pop électronique, mais de l'auteur du blockbuster *Guerre et Paix.*

« Une feuille de vigne farcie ? » proposa Tamara en se baissant pour se mettre à la hauteur du visage buriné de Tucker.

Tout le monde se tut. Il contempla son décolleté, comme si la question venait de ces deux curieux globes de chair, plutôt que de la bouche située à quelques centimètres au-dessus.

Honor Tait parut se réveiller d'un rêve agréable et regarda vraiment Tamara pour la première fois depuis son arrivée.

« Vous êtes encore là ?

— Oui, je voulais juste…

— Je ne me rappelle pas vous avoir invitée. »

Honor sirota son vin avec une expression médita-tive, à croire que le verre était le dépositaire de sa mémoire. Assise à côté de Paul Tucker, elle était ridi-culement petite et ridée. Tamara ne put s'empêcher de songer à la maison de poupée qu'elle possédait enfant.

« Je pensais que nous pourrions bavarder encore un peu… Pour mon article… »

Tamara entendit s'élever autour d'elle un chant polyphonique d'exclamations.

« Décidément, cette intrusion est intolérable », déclara Honor.

Ruth surgit sur le seuil de la cuisine, une grande fourchette à rôtir à la main.

« Je pensais juste…, insista Tamara.

— Vous *pensiez* juste… », rétorqua Honor.

Se moquait-elle en allongeant les voyelles dans une méchante imitation de l'accent londonien de Tamara ?

« Cela m'étonnerait, continua la vieille dame, que vous ayez jamais eu une seule pensée intelligente de toute votre vie.

— Je crois qu'il vaut mieux que vous partiez, fit remarquer Ruth en guidant Tamara jusqu'au couloir. Maintenant, vous avez tout fait foirer pour de bon », ajouta-t-elle dans un murmure.

Tamara jeta des regards affolés autour d'elle, ten-tant désespérément de trouver quelque chose à quoi se raccrocher, un détail susceptible de sauver son article, son contrat. Sur la table du vestibule, il y avait une pile de courrier et une seconde pile, plus petite, d'invitations.

« Juste une chose. Pouvez-vous me dire ? S'il vous plaît ? supplia Tamara en reculant jusqu'à la table pendant que Ruth ouvrait la porte. Le jeune homme discret ? Le beau blond qui n'a pas prononcé un mot. Il ne joue pas Rond de Lune dans *L'Arbre de tous les ailleurs* ? »

Ruth leva les mains en l'air dans un geste d'exaspération puis, prenant Tamara par son bras gauche, elle la poussa dehors et lui ferma la porte au nez avant de mettre le verrou.

## 9

ELLE RETOURNA CHEZ ELLE, jeta son sac par terre et se dirigea vers sa table de travail du pas lourd d'une condamnée menée au gibet. Trois mille huit cents mots se dressaient entre elle et un contrat avec la revue la plus prestigieuse de Grande-Bretagne, entre la réussite et l'échec, entre la reconnaissance et une totale obscurité. Mais la terrible vérité, c'était qu'elle n'avait rien à dire. Ce n'était pas seulement du job qu'elle avait besoin, mais de tout ce qui viendrait avec. Pas seulement pour elle, mais aussi pour son frère. Si elle avait un peu d'argent, elle pourrait ouvrir à Ross d'autres possibilités : le bonheur sans l'assistance de substances chimiques ; les satisfactions qu'apportent le travail et l'autonomie ; les agréments d'un logement agréable et propre ; le confort que vous procure une vie saine. Ross pourrait recommencer de zéro. Il n'était pas trop tard.

Tamara avait rêvé de lui louer un cottage, quelque part où il serait en sécurité, loin, hors d'atteinte de ses mauvaises fréquentations. Peut-être en Cornouailles. Ross aimait cette région. Ils y avaient passé des vacances avec leurs parents avant le divorce. Ross disait qu'il avait envie d'y retourner – pour se « ressourcer ».

Sans doute ne serait-il jamais capable d'avoir un emploi stable. Après avoir laissé tomber ses études, il avait travaillé quelque temps chez un marchand de disques, mais comme il piquait dans les rayons (pas par goût de la possession, mais pour financer son addiction), il avait été renvoyé. Désormais, la routine, l'obligation de se lever le matin et de se trouver à telle heure à tel endroit, ce serait trop pour lui, même si, lorsqu'il s'agissait de se shooter et de se rendre à ses rancards avec ses dealers, il sillonnait Londres avec l'énergie et la détermination d'un marathonien. Peut-être trouverait-il une occupation créative, où les horaires seraient souples, où, si cela lui chantait, il pourrait travailler la nuit et dormir le jour. Fabricant de bougies, par exemple. Il y en avait beaucoup en Cornouailles. Il y avait aussi beaucoup de dealers, sans doute, mais si le cottage était assez isolé, Ross mettrait un certain temps à les trouver, ce qui lui donnerait celui de se désintoxiquer et de se rendre compte de tout ce qu'il avait manqué pendant toutes ces années.

À l'étage supérieur, les étudiantes en droit avaient mis la musique à fond. Toute la maison vibrait – Tod Maloney, un loubard aux yeux maquillés, hurlant les paroles de « Life on the Dark Side ». Tamara sortit ses boules Quies. Elle adorait son appartement et travaillait dur pour payer son loyer. Rien ni personne ne la forcerait à déménager. Elle avait du mal à joindre les deux bouts, mais le soir, quand, parvenue au bout du goulot d'étranglement qu'était sa rue, elle tâtonnait dans l'obscurité du porche et tournait fébrilement la clé dans la serrure, elle éprouvait une merveilleuse bouffée de plaisir en refermant la porte. C'était son sanctuaire, son havre de paix. Les voisins étaient parfois assommants, certes, mais entre ces quatre murs, rien ne pourrait jamais lui arriver. Sauf, peut-être, un naufrage professionnel et un téléphone qui ne sonne plus.

Elle vérifia son répondeur sur son bureau. Le voyant rouge indiquait un zéro clignotant, insolent, mais elle voulait être sûre. Elle appuya sur la touche.

« Vous n'avez pas de nouveau message. »

Décelait-elle une pointe de sarcasme dans la voix féminine digitalisée, une nuance de triomphe dans l'accent mis sur le « pas » ?

Et si tu crois qu'il existe au monde une personne – une seule – qui s'inquiète pour toi ? Voilà ce que Tamara comprenait.

Luttant contre le vague à l'âme, elle regarda autour d'elle son salon, qui était aussi son bureau, et se sentit tout de suite mieux. Les murs bleus, le canapé vert, le tapis aigue-marine (un camaïeu copié dans le mensuel de décoration du *Monitor*, *Dé-Cor !*) et la guirlande lumineuse en coquillages au-dessus du miroir. On aurait dit le *pied-à-mer** d'une sirène... à vingt mille lieues sous les mers... Elle y conservait tous ses trésors : souvenirs de vacances en famille (le tube plein de sable disposé en strates de différentes couleurs provenant de l'île de Wight, le chat en plâtre ébréché gagné à une fête foraine dans le Dorset, l'un et l'autre sur la cheminée ; le sac-range-pyjama, acheté dans

230

une boutique à St Ives, était suspendu au pied de son lit dans la chambre) ; toutes les lettres et les cartes d'anniversaire qu'on lui avait envoyées ; toutes les cartes de Noël depuis qu'elle avait quitté le domicile des parents à l'âge de dix-huit ans ; et des photos de famille, rangées dans des boîtes aux teintes codifiées, aussi bien cataloguées que les archives de la British Library.

Gemma, son ancienne coloc de Brighton Poly, trouvait « assez morbide » son exposition, dans sa chambre sur une petite table en bambou, d'objets lui rappelant sa mère. Mais Gemma ne savait pas ce que c'était que de pleurer un être cher. Il y avait là un collier en corail cassé irréparable que la mère de Tamara portait quand elle était jeune, un vase de chez Waterford Crystal qu'elle avait gardé sur la table de chevet de son lit de malade, quelques-uns des petits animaux en verre qu'elle collectionnait – deux chevaux, un caniche et une girafe au cou fragile –, qui semblaient avoir été sculptés dans la glace par des elfes minuscules, un boa en plumes rouges qu'elle portait pour rire, un foulard en soie orné de paillettes dont elle avait couvert son crâne dégarni pendant sa chimio et une photographie d'elle à vingt ans et des poussières, assise sur une plage dans un pudique maillot qui peinait à contenir ses formes de pin-up, riant à gorge déployée avec, dans les bras, deux enfants qui se tortillaient en fixant l'objectif d'un regard franchement hostile.

Une personne croyante aurait parlé de « reliquaire », pourtant c'était bien parce que Tamara doutait de la vie après la mort qu'elle chérissait ces objets. Ils avaient été choisis par sa mère, aimés et touchés par elle. À une époque, lorsque Tamara passait le doigt sur le rebord du vase ou tenait le foulard contre son visage et humait la bonne odeur de mousse, elle avait l'impression de serrer sa mère contre son cœur. Tamara trouvait un apaisement dans ce parfum qui avait persisté pendant des mois après la mort de sa mère. Puis, un jour, elle avait pris le foulard et constaté non seulement qu'il ne sentait plus rien, mais encore qu'elle ne se rappelait plus l'odeur. Comme elle avait pleuré. Ces souvenirs, sans valeur pour personne d'autre qu'elle, devaient toujours porter la trace de l'ADN maternel. Et c'était tout ce qui lui restait d'elle.

Dans la kitchenette qui occupait une alcôve de la salle de séjour, elle ouvrit le frigo. Vide, à part un pot de yaourt sans matières grasses dont la date de péremption était déjà dépassée de deux semaines, une brique de lait écrémé et une bouteille de vin, à moitié vide, fermée par un bouchon en caoutchouc. Elle s'en versa un verre et resta un moment à observer le liquide rouge qui frissonnait en cadence avec les boum-boum à l'étage supérieur, avant de boire une gorgée. Quand on faisait son droit, n'avait-on pas des bouquins aussi gros que des annuaires à apprendre par cœur ?

Si elle pouvait voir tous ses vœux s'exaucer, elle creuserait une tranchée autour de son appartement afin de l'extraire de cette villa hideuse, le hisserait sur un chariot et l'emporterait loin du populeux Hornsey pour l'intégrer à un plus beau quartier de la ville, mettons Holland Park. Elle le glisserait sous un de ces hôtels particuliers de style Regency aux façades blanches où courent des guirlandes de glycine. Là, elle coulerait des jours paisibles au milieu de jardins de roses et de lilas, se promènerait le long de larges avenues, ferait du lèche-vitrine et jouirait du silence, heureuse de pouvoir rentrer chez elle la nuit sans avoir à surveiller ce qui se passait dans son dos, le poing dans son sac autour de son alarme antiviol.

Elle retourna dans le séjour, mit le casque de sa chaîne hi-fi sur ses oreilles, ramassa son sac et retourna à son bureau. Et si, forte de sa parution dans S*nday, elle réussissait à décrocher un job dans la presse américaine : *Vanity Fair*, *Time*, *Esquire* ? Et puis il y avait aussi les magazines féminins : *Sassy*, peut-être *Vogue*. Et elle pourrait toujours travailler pour *Entertainment Weekly*. La presse people appréciait toujours les classements et les comparatifs. Comme Tania Singh en était la preuve vivante, il ne fallait pas garder les deux pieds dans le même sabot.

Tamara sortit son butin de son sac. La seule chose qu'elle rapportait de cette soirée : une poignée de lettres, ce que Simon qualifierait de « petit larcin », après tout légitime quand on enquêtait pour un journal, surtout lorsque le sujet vous résistait autant. Elle en avait emporté seulement quelques-unes ; elle préférait ne pas éveiller les soupçons.

Alors, la chance lui avait-elle souri ? Une facture d'électricité qui ne serait utile que si elle révélait qu'Honor Tait était criblée de dettes. *Fin tragique pour une grande dame du journalisme, amie des hommes les plus célèbres de son temps, qui a vieilli dans la solitude et la misère, et s'éclairait à la bougie ?* Mais non, Tait payait ses factures à temps – Tamara, elle, ne pouvait pas en dire autant. Elle colla un post-it sur le téléphone en guise de pense-bête. La deuxième lettre était un relevé de compte bancaire et la troisième contenait des honoraires de médecin pour « consultation », ce qui pouvait laisser supposer n'importe quoi, de l'ongle incarné au suivi opératoire d'un lifting. Cette dernière possibilité étant bien sûr la plus intéressante. Il y avait aussi trois enveloppes portant son nom et son adresse écrits à la main, ainsi qu'une pub pour des ascenseurs d'escalier. Une des lettres, détail prometteur, était déjà ouverte. Elle contenait une carte postale. Un dessin humoristique grivois : sur la plage, deux types en maillot de bain rayé lorgnaient deux femmes en maillot, elles aussi, avec à la main d'énormes cornets de glace. L'une d'elles était toute courbée, sans dents et ridée, une mamie décrépite en bonnet de bain à fleurs. L'autre était une poupée blonde aux seins en forme d'obus. D'après la forme de la bulle, les deux types parlaient en même temps, pour dire la même chose : « La tienne ne me plaît pas. » Tamara retourna la carte. L'écriture, à l'encre violette, était anguleuse et affectée, avec des « e » ouverts et fourchus, des « a » tracés comme la lettre d'imprimerie. Quant au message, il était aussi bref qu'énigmatique : *Coucou ! Besoin de te voir vite. Cette fois pas de chèque. Du liquide, ça ira. Ton chéri.* Un point c'est tout. Ni « chère Honor », ni « baisers », ni signature. Cela devait être une blague. Un aspirant groupie. Tamara étudia de nouveau l'image. Incroyable ce qui pouvait passer pour drôle.

Le relevé de banque, quoique allusif, était révélateur : Tait flirtait avec la limite de son découvert

234

autorisé qui était de quatre mille livres. Elle était fau-chée, elle comptait sur le succès de son livre pour se renflouer. Par conséquent, elle avait besoin de publi-cité, ce qui rendait le sabotage de son interview encore plus pervers. D'après cette liste de chiffres, impossible de savoir si les ordres de virement et les chèques avaient atterri dans les caisses de salons de massage, de casinos ou d'associations de protection des chats. Elle prit les deux autres lettres, hélas l'une comme l'autre impersonnelles : une invitation à un vernissage dans une galerie de Soho et la brochure d'une série de concerts dans une salle londonienne. Elle jeta ces deux-là d'un geste théâtral dans la corbeille à papier.

Elle était furieuse : jamais elle n'aurait dû être aussi prudente, elle aurait dû se montrer plus profession-nelle. Elle aurait dû ramasser une plus grande poi-gnée de lettres. Le risque aurait été le même, mais le résultat plus concluant. Elle repêcha l'invitation dans la corbeille ; une typographie aux couleurs vives s'étalait sur une BD représentant des écoliers en short chiffonné, la casquette sur la tête, brandissant des catapultes. Une invitation à une fête qui devait avoir lieu la semaine suivante à l'occasion de l'inauguration d'une exposition. Mais oui, bien sûr, se dit Tamara. Le peintre au rire de fausset, Inigo Wint, qui était à la soirée de Tait. Tamara se replongea dans son dos-sier de coupures de presse. Ah, le voilà, un article de *Vogue* qui le qualifiait de « graphiste flamboyant se servant d'images séminales de la culture populaire britannique afin de questionner les identités conven-tionnelles » et de « membre éminent du salon d'Honor Tait », avec Bobby Ward-Moore, « journaliste et homme de plume distingué » (le fumeur au look de grenouille) et Aidan Delaney, « auteur de poèmes aussi capiteux qu'un vieux malt » (le gnome de Glasgow). Il y avait aussi une photo timbre-poste d'un tableau de Wint, accompagnée de la légende : « Une interprétation postmoderne des nouvelles de Richmal Crompton. » Qui pouvait donc être ce Richmal Crompton ?

Au point où elle en était, elle n'avait rien à perdre à se rendre à ce vernissage. En se mettant à son clavier, Tamara sentit renaître lentement son optimisme.

*Je pénètre dans un vestibule mal éclairé et me retrouve moins dans un appartement que dans un lieu de mémoire ; les murs couverts de tableaux et de photographies, des paysages exquis de son Écosse bien-aimée, des portraits classiques, des rayonnages remplis d'une collection éclectique de livres et des souvenirs d'une vie longue et exotique au cœur de l'actualité de son siècle.*

*Elle m'indique un fauteuil dans le salon crépusculaire et disparaît dans la cuisine avant de revenir avec mon bouquet de lis dans un vase, qu'elle pose amoureusement devant la photo de son défunt mari, Tad Challis, cinéaste auteur des comédies des Ealing Studios, désormais des classiques du genre. Finalement, elle s'assied et je peux étudier de plus près les traits de son visage.*

Tamara écrivit un deuxième post-it, qu'elle colla sur le téléphone : *titres films Challis ?* Tout ce qu'elle savait sur les comédies produites par les studios

Ealing – entrevues certains dimanches après-midi alors que sa gueule de bois était tellement sévère qu'elle n'arrivait même pas à ramasser la télécommande –, c'était qu'elles étaient en noir et blanc et se distinguaient par une absence totale d'humour et de vedettes : les héros étaient des chauves peu sexy et les actrices de vieilles emmerdeuses à la Bernice Bullingdon ou de froides beautés au teint de pêche. Il allait falloir qu'elle les regarde mieux, peut-être achèterait-elle un coffret qu'elle ferait passer en note de frais. Sauf qu'elle ne devait pas sortir de son sujet. L'objectif était clair. Il ne fallait pas laisser quoi que ce soit faire obstacle. Ni les quatre mille mots, ni rien. Elle prit le premier livre de Tait et le rouvrit à l'article qui avait valu au grand reporter le prix Pulitzer. Il y aurait bien là-dedans quelque chose qu'elle pourrait utiliser.

*Cent dix ans plus tard, en juillet 1937, le site du pique-nique transcendantal de Goethe fut choisi pour construire le camp de concentration que les nazis appelèrent Buchenwald. Les détenus contraints de déboiser et de préparer le terrain reçurent de leurs gardiens l'ordre de laisser un seul arbre debout tandis que la citadelle de misère s'édifiait tout autour ; cet arbre était le chêne de Goethe, considéré par les hommes d'Hitler comme* Verkörperung des deutschen Geiste – *l'incarnation de l'esprit allemand.*
*Cette semaine, je suis entrée dans ce camp qui vient d'être libéré par la 3ᵉ armée US et j'ai été témoin de la barbarie du régime nazi et de la corruption écœurante de cet esprit.*

Pour Honor Tait, jeune femme privilégiée qui menait une vie facile, le choc avait dû être de taille, se dit Tamara. À l'heure où elle écrivait ces lignes, la libération des camps et la monstruosité des meurtres nazis avaient dû représenter le top des scoops. Mais aujourd'hui la triste vérité était que c'était du réchauffé, presque un cliché. Le récit d'un raid viking ou les méfaits d'Attila auraient été une lecture palpitante pour les gens du Moyen Âge, mais, de nos jours, cela laissait plutôt indifférent. En outre, les horreurs étaient mieux couvertes par la télévision.

Tamara n'avait jamais vu de cadavre – il lui avait été impossible d'aller voir le corps de sa mère aux pompes funèbres –, mais elle avait assisté à plusieurs enquêtes perturbantes pour le *Sydenbam Advertiser* et se figurait que, en ce qui la concernait, venant d'un milieu moins protégé et moins gâté que celui d'Honor Tait, les réflexes professionnels seraient vite acquis. Une chose était sûre : si elle avait dû faire un papier là-dessus, elle n'aurait pas gaspillé un espace précieux pour rapporter les réflexions insipides d'un raseur en habit mort depuis des lustres.

Zut ! Le téléphone. La sonnerie perçante la ramena sur terre, ce qui eut pour premier effet de l'agacer.

Puis elle se rappela qu'elle avait attendu qu'il sonne toute la semaine. Ce devait être Tim. Voilà exactement le genre d'interruption dont elle avait besoin. Un sourire de triomphe aux lèvres, elle décrocha le combiné. Mais, au lieu de la voix taquine de Tim la suppliant de lui pardonner, elle entendit des cliquetis mécaniques suivis par le bruit d'une pièce de monnaie tombant dans une fente. Une cabine téléphonique. Elle sut, avant même qu'il prononce un mot, que c'était son frère.

« Ross ? »

Silence. Le cœur de Tamara chavira. Elle tâcha de se ressaisir, respira profondément. Elle ne devait pas perdre les pédales.

« Ross ? » répéta-t-elle.

Se trompait-elle ? Était-ce un canular ? Comme toujours, elle s'en voulut à mort immédiatement ; préférerait-elle entendre la voix d'un plaisantin plutôt que celle de son frère ?

« Tam ! »

C'était Ross et il paraissait excité. Défoncé. Mais pas à l'héroïne. Trop éveillé. Peut-être trop, d'ailleurs. S'était-il remis aux amphétamines ?

« Ça va ? demanda-t-elle.

— Bien sûr. »

Une partie d'elle-même essayait d'imaginer l'état de son frère ; une autre, celle qui ne s'aimait pas, l'égoïste et lâche Tamara, ne voulait pas savoir et n'aspirait qu'à tenir à l'écart, loin d'elle, tel un cauchemar qu'il vaut mieux oublier, les images qu'elle avait de lui – hagard, sale, le corps maigre torturé par la peur et le manque –, des images qui défilaient dans son esprit pareilles à des reines de beauté sur un podium, mais plus hideuses les unes que les autres.

« Il est tard.

— Je peux raccrocher, si je te dérange.

— Non, non, Ross. Je suis juste inquiète pour toi.

— Pas de souci, Tam. Je vais très bien. »

Il parlait d'une voix plus aiguë que d'habitude, comme hissée d'une demi-octave par l'hélium de l'euphorie. Ou était-ce simplement de l'agitation ?

« Tu as mangé ? s'enquit Tamara.

— Ouais. Ça baigne. Je me débrouille. »

Les questions étaient inutiles. Ross mentait comme il respirait. Le mensonge était le seul domaine où il ne connaissait aucune défaillance.

« L'appart', ça va ?

— Ouais. Mais ç'a pas été facile. Les connards de voisins du dessus m'ont fait chier. Ils ont posé des micros chez moi. Mais je les ai coincés. J'ai aussi trouvé une caméra au plafond.

— Oh, Ross. »

Il avait replongé.

« Pas de souci, Tam. »

Son rire, qui différait à peine de sa toux de fumeur, était censé exprimer une joie insouciante. Il obtint l'effet diamétralement opposé.

« Je suis trop malin pour eux. J'ai déjoué leurs machinations. Crystal m'a aidé. »

Crystal : l'ex-petite amie junkie bonne à rien qu'il avait rencontrée à l'hôpital psychiatrique. Elle avait onze ans de plus que lui : une hippie ceinturée de perles navajo et marquée par une décennie de plus d'addiction.

« Crystal a beaucoup bourlingué, avait-il dit à Tamara, cinq ans plus tôt, en lui décrivant sa nouvelle amie. C'est une gitane dans l'âme... Elle a suivi l'enseignement de gourous en Inde, elle a habité une grotte à Ios, elle a vécu avec des Maoris en Nouvelle-

Zélande, elle a assisté un charmeur de serpents au Maroc... »

Sa caravane avait fini par échouer à King's Cross, où Ross et elle s'étaient retrouvés en cure de désintoxication avant de sceller leur complicité par de successives rechutes dans la drogue.

« Crystal comme dans *crystal meth*, la méthamphétamine, ou comme le cristal de roche qui a le pouvoir de guérir ? avait demandé Tamara.

— En fait, elle possède des dons psychiques très développés », avait-il répliqué d'un ton d'autant plus désinvolte qu'il était vexé.

À l'époque où Ross l'avait rencontrée, Crystal venait de perdre sa sœur cadette victime d'une overdose, ce qu'elle n'avait pas vu dans sa boule. Un beau gâchis qui tenait lieu de spécialité familiale. Crystal en était un. Mais Ross aussi, alors...

Tamara sentit courir dans ses veines le frisson glacé de l'angoisse, comme si on lui avait injecté une dose de speed. Lors de sa dernière rupture avec Crystal – la troisième ? –, elle l'avait retrouvé gisant au milieu d'un tas d'ordures et de chats errants. Pas de mobilier, sinon un matelas crasseux à même le sol, à moitié recouvert d'un des dessus-de-lit en crochet faits par leur mère, irrécupérable tant il était sale et déchiré. (Celui de Tamara, d'une propreté si immaculée qu'on aurait pu l'imaginer dans une chambre de bébé, était à cet instant même sur son propre lit.) L'appartement était plongé dans l'obscurité. Du papier journal avait été scotché sur les carreaux, et les luminaires ainsi que les prises électriques avaient été démontés pour chercher ces caméras cachées qui le filmaient et diffusaient sa galère sur tous les écrans télé de Grande-Bretagne.

« Tu prends tes médicaments ? s'enquit Tamara, tout en sachant que Ross ne lui dirait jamais la vérité sur ce sujet.

— Ouais, ouais. T'inquiète pas pour moi. »

Tamara fut soudain remplie de tendresse pour lui. Si seulement elle pouvait tout arranger. Ross était son aîné, mais la plupart du temps elle avait l'impression qu'il était son enfant. Son enfant brisé.

« Tu as besoin de quelque chose ? Tu as assez chaud ? »

Elle tentait de trouver des moyens de l'aider directement, en lui envoyant des paquets, des petits cadeaux, en payant sa facture d'électricité, en lui faisant livrer des vivres par son supermarché. Tout argent liquide, avait-elle vite compris, terminait dans la poche de son dealer.

« Non, tout va bien. Je m'en sors. Sauf que la cuisinière marche plus. Je vais demander un prêt aux services sociaux. Je vais me refaire à neuf.

— Tu n'as plus de cuisinière ? Comment fais-tu pour manger ? »

Tamara s'en voulait de parler comme leur mère. En plus, si elle était honnête avec elle-même, il fallait bien avouer que ses propres habitudes alimentaires laissaient à désirer, entre les fritures de la cafétéria et les petits-fours des réceptions.

« Je te dis que ça va. Crystal me fait la cuisine. »

Tamara imaginait Crystal aux fourneaux. Le seul plat qu'elle savait mijoter, c'était du crack.

« Oh, Ross. Il faut que tu t'occupes de toi.

— Arrête de me tanner. Je peux me débrouiller. Je m'en sors super. »

Il était passé, comme souvent, d'une attitude de défi enjoué à une franche agressivité. Un faux pas, et il se retournerait contre elle, l'accuserait de le prendre pour un imbécile et lui raccrocherait au nez.

« Je ne te tanne pas. Je cherche seulement à t'aider.

— Tu m'aides toujours énormément, Tam. »

Et voilà qu'il se faisait enjôleur, qu'il la flattait.

« C'est pas juste pour toi. Mais je vais bien, je t'assure.

— Tu n'as pas toujours été bien, je te rappelle.

— Ça, c'est vrai. Vas-y, remue le couteau dans la plaie. Mais te fais pas de mauvais sang pour moi. Tu as ta propre vie à mener. »

Il s'esquivait, la repoussait.

« Ross, tu sais bien que je suis contente de pouvoir t'aider. Tu es mon frère. »

Elle avait conscience de parler comme une psy. Pourtant elle savait qu'elle ne devait pas s'impliquer. Mais pouvait-elle l'abandonner à son sort, les laisser tous les deux couler, leur tourner le dos, s'éloigner jusqu'au point de non-retour ? C'est ce que préconisait la sagesse populaire : permettre à la personne de trouver son salut elle-même. Mais s'ils disparaissaient ? L'idée lui était insupportable.

« Je vais bien, répéta la voix boudeuse. Crystal m'aide. »

Exactement ce que craignait Tamara.

« Bon, mais je vais t'envoyer de l'argent.

— Seulement si tu peux. »

Il capitulait. Était-ce le but de son coup de fil ? Tamara sentit son cœur se serrer. Qu'est-ce que ça changeait, de toute façon ? Son frère avait besoin d'aide, ça, c'était indéniable. Qui choisirait de vivre ainsi ? Elle songea de nouveau au taudis qu'était devenu son appartement, à son odeur. Tamara le rassura ; oui, sans l'ombre d'un doute, elle avait les moyens. Mais Ross n'avait pas de compte en banque et se rendre à la poste, y présenter sa carte d'identité afin de toucher un mandat postal, c'était trop compliqué pour lui. Tamara prélèverait dès demain quatre-vingts livres sur son compte d'épargne-logement, les glisserait dans une enveloppe et les lui enverrait par recommandé à son adresse.

« Merci, Tam. T'es sympa. Je te rembourserai dès que je pourrai.

— T'en fais pas. Mais si tu… »

Elle laissa sa phrase en suspens. Le bip du téléphone public la fit tressaillir. Après un clic, la ligne se mit à grésiller lugubrement. Il était parti. Une tristesse immense s'empara d'elle, la tirant par les pieds comme une main dans un film d'horreur qui surgit du caniveau pour vous saisir la cheville. Elle se versa un deuxième verre de vin. Le gouffre était toujours là, mais elle n'était pas obligée de le contempler. Heureusement, il y avait son travail. Tout à la fois une nécessité et un refuge.

Elle rouvrit le livre de Tait.

*Devant les baraques qui avaient été les témoins de la brutalité la plus abjecte qui soit se dressait la souche carbonisée de ce qui avait été un arbre tutélaire. C'était tout ce qui restait du chêne de Goethe après les bombardements alliés, quelques jours plus tôt. Leur cible avait été une usine de munitions proche, mais des bombes incendiaires étaient tombées sur le camp. Il y avait eu de nombreuses victimes parmi les détenus. L'arbre symbolique de Goethe était l'une d'elles.*

Un arbre ? Tait pensait-elle qu'elle écrivait pour la rubrique jardinage ? Tamara n'en pouvait plus.

Elle fit une pile avec ses magazines télé et people et les glissa sous son futon avant d'insérer une disquette dans son Amiga. Elle ouvrit son brouillon. L'écran lumineux de son ordinateur jeta un éclat froid dans les ténèbres de son appartement.

*Ces yeux, autrefois largement ouverts sur des prunelles bleu Wedgwood dans un visage au teint de porcelaine qui a fasciné les plus grands hommes du demi-siècle passé et désormais semblables à des ornières sur une carte d'état-major, fixent l'objectif de notre photographe d'un regard provocateur.*

*Alors que je lui fais part de mon admiration pour son œuvre et l'invite à se remémorer ses gloires passées, sa carapace commence à se fissurer et je peux enfin admirer les vestiges de sa beauté.*

*« Oui, me dit-elle avec un sourire de jeune fille en évoquant sa liaison avec Bing Crosby, le crooner immortel. Ce furent des jours merveilleux, merveilleux. Il avait des pieds magnifiques, vous savez. Chaque fois qu'il me prenait dans ses bras, j'avais l'impression d'être une chroniqueuse mondaine. »*

*
   *  *

Il devait être 2 heures du matin quand ils partirent enfin, Paul essayant toujours de provoquer Bobby et son flegmatique copain acteur au sujet de l'hôpital de campagne de Surobi, les rires d'Aidan et Inigo s'éloignant dans le couloir, Clemency et Ruth en route pour la poubelle à verre, chargées des cadavres des bouteilles qui carillonnaient dans les sacs en plastique comme de lointaines cloches d'église. Honor avait en outre persuadé Ruth d'emporter ces horribles fleurs qu'avait apportées cette petite journaliste importune.

Elle se versa un verre et se rassit dans son fauteuil. Grâce à Ruth, les cendriers étaient vidés et l'appartement était plus propre qu'avant leur arrivée. Plus propre, et plus triste aussi. Tout bruit, toute vie avait disparu.

Elle alluma la radio. BBC World Service. Ce n'était plus ce que c'était. Un homme à la diction aussi articulée que celle du présentateur d'une émission pour enfants interrogeait d'un ton condescendant un groupe d'Africaines à propos d'un projet « eau propre ». Jadis, Honor avait régulièrement travaillé pour cette radio. Elle envoyait ses reportages depuis les régions les plus reculées du monde – c'était avant les bétaillères volantes et les routards munis de cartes de crédit. On pouvait l'accuser de beaucoup de choses, certes, mais pas d'avoir jamais méprisé ses auditeurs, ni ses lecteurs. On n'aurait pas pu non plus lui reprocher un excès de jovialité.

La bonhomie était plutôt le rayon de Tad. Même si, parfois, lui aussi avait des coups de blues. Mais seule Honor en était témoin. Tad était connu pour être un réalisateur favorisant une ambiance conviviale sur le plateau des films qu'il dirigeait, sinon pour la rigueur intellectuelle de son œuvre.

« Quel homme charmant », lui avait susurré un vieux au nez cassé après les funérailles.

« Un vrai gentleman », avait ajouté une autre voix.

Elle les avait remerciés d'un air sombre, mais ce soir-là, en se rappelant ce souvenir, seule dans son appartement glacial, elle éclata de rire, sidérée d'émettre un son aussi sinistre, comme une sorte de coassement. Elle se leva tant bien que mal pour aller chercher son châle dans sa chambre. Le joyeux brouhaha de la soirée n'avait pas tout à fait accompli sa mission. Le vin de Bobby et les agréables discussions l'avaient un moment réchauffée autant que la Rayburn de Glenbuidhe, mais à présent voilà qu'elle grelottait, et ses doigts étaient raidis par le froid. Elle s'était surprise, en dépit des distractions de la soirée, à repenser, comme une gamine amoureuse, à ce coup de fil, rejouant dans son esprit la bande-son du dialogue, à un mot près. Rationaliste par conviction, elle était par nature superstitieuse – sans doute le devait-elle à ses ancêtres anglo-écossais. Ce retour, elle le devait à la ferveur avec laquelle elle l'avait appelé de ses vœux. La contrepartie était la peur. Elle était de nouveau sur le fil du rasoir.

Aux heures les plus noires, sa vie entière – son métier de journaliste même – lui était apparue comme une suite de toutes petites choses insignifiantes, un ersatz d'accomplissement. Les voyages, les combats, la fièvre de l'écriture, les manœuvres et les machinations, la manière dont elle couvrait peu à peu le globe, telle l'araignée de Robert I$^{er}$ d'Écosse, millimètre par millimètre : tout cela pour quoi faire ? Les plaisirs de la réussite et les désastres de l'échec, aussi bien du point de vue sexuel que professionnel, tous ces efforts incessants dans le seul but de tisser sa toile dans un coin poussiéreux. Elle grelottait de nouveau. Si elle devait succomber aujourd'hui au remords, elle aurait une ardoise de soixante-dix années à payer.

Quant aux affinités, elles avaient toujours été empoisonnées par la trahison et la séparation. Et la maternité, cet état bienheureux : qui aurait avoué l'affligeante vérité ? Pas la pauvre Loïs, que l'amour inconditionnel pour Daniel et la douleur provoquée par sa perte avaient précipitée dans l'abîme. À Honor, même les joies de la musique et son amour des paysages lui semblaient désormais souillés. Les collines étaient balafrées de routes goudronnées et infestées de plantations de pins donnant droit à des réductions d'impôt, les lochs défigurés par des fermes d'élevage de poissons, et la musique, autrefois source de réconfort et de bonheur, avait dégénéré en une irritante manifestation d'angoisse.

Elle se versa encore un autre verre, qu'elle posa sur le guéridon à côté du portrait de Tad. Leur mariage, s'il n'avait pas été tout à fait « libre », comme on disait dans les années 1960 – Tad avait été trop puérilement jaloux pour accepter cet arrangement civilisé – était loin d'avoir été « fermé ». Par un accord tacite, du moins c'est ce que se disait Honor, il était permis de s'envoyer en l'air de temps à autre du moment que cela n'interférait pas dans la vie de couple. La passion des débuts – il avait été un amant énergique et plein d'attentions – s'était muée en cinq ans en une tendresse fraternelle, complice et chamailleuse à laquelle aucun des deux n'était disposé à renoncer. Pourtant, une facture à l'en-tête d'une boutique de lingerie fine, que Tad avait laissée tomber par terre dans leur chambre à coucher, avait été le premier indice d'un mouvement sismique.

Honor avait supposé qu'il devait avoir une maîtresse régulière et s'était reproché son manque de détachement, s'en était voulu d'avoir été aussi étonnée. Elle-même avait été exactement cela, sa maîtresse, séduite dès leur première rencontre, à l'occasion d'un cocktail de scénaristes, par sa bonté, son optimisme et sa dévotion de chien fidèle. Elle en avait assez des complications et le tempérament de labrador de Tad lui avait paru merveilleusement exotique après une série de liaisons avec des égocentriques et des misérabilistes tourmentés. Son travail reflétait sa nature – légère et chaleureuse, d'une allégresse parfois assez sotte. Contre toute attente, Honor avait aimé son style de sottise.

En sa compagnie, au cours des premières années, les horreurs du jour et les terreurs de la nuit avaient régressé. Il n'était pas indifférent à la douleur des autres. Quand elle lui parlait de la famine dans la Corne de l'Afrique ou de la misère des enfants en Inde, il hochait la tête avec compassion, mais il ne se sentait pas vraiment concerné. La mortalité ne le dérangeait pas, non parce qu'il était assez sage pour s'y résigner ou considérait, comme un philosophe, qu'elle faisait partie intégrante de la vie, mais parce qu'il ne lui était jamais venu à l'esprit que cela avait un quelconque rapport avec lui. La mort, au même titre que le chagrin et la pauvreté, n'arrivait qu'aux autres. Il n'avait rien d'un misanthrope et sa frivolité constituait un repoussoir à sa mélancolie à elle, à son *Sturm und Drang* personnel. Au fond, il avait été un meilleur être humain qu'elle ne le serait jamais. En lui, nulle zone d'ombre, ni rancœur ni regrets sous-jacents. Seule sa jalousie irrationnelle, obsessionnelle, avait donné à Honor un avantage moral sur lui.

Elle avait honte à présent d'avouer qu'au début elle avait été flattée de le savoir si jaloux. Ce n'était pas comme si elle avait pu bénéficier de l'excuse de la jeunesse ou de l'innocence ; elle avait déjà cinquante ans lorsqu'ils s'étaient connus. Mais il était si beau, sa généreuse virilité sous l'habit du chasseur de fauves (une allure que Paul n'aurait jamais, malgré tous ses efforts) lui donnait l'impression – ce que pour rien au monde elle n'aurait admis – d'être protégée. C'était nouveau pour elle. Une liaison sans complications ni angoisse existentielle. Et pendant cette première année de rendez-vous secrets, il lui avait offert ces jolies choses en soie et dentelles pastel, vaporeux fantasmes emballés dans du papier de soie rose, que fabriquait sur mesure une boutique parisienne.

Mais, au bout de six ans d'un mariage tranquille, en examinant de plus près la facture égarée, elle avait constaté que le body, d'un *rouge et noir** vulgaire, correspondait à une *belle poitrine** taille 120 E. Tad était-il tombé entre les griffes d'une géante ? Son

« truc » était-il maintenant les femmes obèses ? Étant donné sa renommée dans l'industrie du cinéma, il avait toujours été l'objet d'attentions de la part de ravissantes jeunes actrices. Avait-il fini par être blasé et, las des attraits prévisibles des ingénues aux hanches minces, cherchait-il des plaisirs plus singuliers ?

Après bien des questions et des larmes (elle interrogeait, il pleurait), la vérité avait enfin éclaté : Tad avait un hobby secret. Le justaucorps de mauvais goût, avec jarretelles intégrées, était le sien. Tad Challis, l'Américain carré et affable de Pinewood Studios, aimait s'habiller en femme. Les yeux rouges, la suppliant de lui pardonner, il avait sorti une cantine en fer du fond d'un placard de leur chambre d'amis. À peine l'avait-il ouverte qu'une profusion bariolée de soieries, de satin, de brocart et de cotonnades à fleurs, tel le contenu d'un coffre à déguisement monstrueux, en était tombée.

Même en proie à la fureur – Honor trouvait intolérable qu'il ait pu lui cacher tout ça –, elle n'avait pas eu la cruauté de lui faire observer qu'avec son mètre quatre-vingt-onze, ses quatre-vingt-dix kilos, son gabarit d'ancien rugbyman et la barbe de trois jours qui hérissait ses maxillaires proéminents, il ne devait pas être très convaincant en femme. Il n'avait rien d'un beau brin de fille, ou alors dans une pantomime.

Sous le prétexte d'étudier des projets de films qui n'aboutissaient jamais, pendant qu'Honor écrivait ou partait en reportage, il réservait une chambre dans un hôtel d'une chaîne proche de l'aéroport et, dans la lumière crue de cette pièce, s'employait, au moyen d'un gigantesque soutien-gorge capitonné, d'une robe à fleurs, d'une perruque et de tartines de fond de teint, à se métamorphoser en une créature qui, à ses yeux, ressemblait à Gina Lollobrigida lorsqu'elle était jeune. Plutôt à la veuve Twanky[1], oui ! Ainsi accoutré, il descendait au bar – c'était sa version des faits, et Honor avait préféré ne pas le pousser dans ses retranchements –, buvait quelques cocktails, dînait tout seul au restaurant et remontait, toujours seul et chaste, se vêtir d'un déshabillé pêche avant de se glisser entre les draps.

Malgré tout, leur mariage avait été heureux. La confession de Tad lui avait permis de s'adonner à ce qu'elle aimait. Ils se posaient mutuellement peu de questions à propos de leurs vies respectives et Tad avait mis un bémol à sa jalousie, en tout cas il l'exprimait avec moins de violence, et quand ils étaient ensemble, ils étaient comme de vieux amis.

Elle reprit la photographie et l'étudia attentivement, comme si son regard détenait le pouvoir de lui insuffler la vie. L'expression de ravissement qui lui était coutumière, avec ce petit plissement guilleret aux commissures des lèvres. Il était un des rares élus, ce dont il se glorifiait. Privilégié non pas parce qu'il était à l'abri des soucis matériels, mais parce qu'il possédait le don du bonheur. Cela dit, autour de ses yeux, il y avait quelque chose de tapi, comme elle s'en était aperçue par la suite. Peu importait. Il n'était plus. Du bout du doigt, elle suivit le contour de ses lèvres puis dressa de nouveau le portrait sur la table avant d'aller

---

1. Personnage traditionnel de la pantomime britannique. Homme travesti en femme.

se chercher un autre verre. En voyant les appartements d'en face dans le noir, elle eut soudain l'impression, aussi grisante qu'irrationnelle, qu'elle était la seule personne éveillée dans une ville endormie.

Quand avait lieu le vernissage d'Inigo, déjà ? Ruth lui avait pourtant répété plusieurs fois la date. Honor savait qu'elle devait sortir de chez elle, rompre avec son existence recluse – un avant-goût du tombeau – et voir des gens. Aussi avait-elle accepté l'invitation de Bobby au dîner des Press Awards, la semaine suivante. Elle ferait bien de trouver celle d'Inigo pour noter la date dans son agenda. Pas question d'oublier. Ces derniers temps, elle avait constaté qu'elle devenait un peu tête en l'air. Elle perdait des choses. Elle manquait des rendez-vous. Cela avait commencé de cette manière pour Loïs.

Honor passa en revue le courrier posé sur la table à plusieurs niveaux du vestibule que Tad tenait absolument à appeler *une étagère**. Elle était sûre que la carte d'Inigo s'y trouvait – elle se revoyait en train d'ouvrir l'enveloppe. Pourtant elle ne la voyait nulle part. Avait-elle été le jouet de son imagination ? Aurait-elle aussi imaginé le dessin humoristique, l'enveloppe portant un cachet de la poste londonienne ? Et le coup de fil, qui l'avait privée des quelques heures de sommeil que lui octroyait désormais la nuit ?

Le jour se levait, à présent. Une bande de ciel s'éclaircissait au-dessus des immeubles d'en face. L'aube. L'heure la plus belle, et la plus solitaire. Elle repensa à Loïs, à sa bouche édentée ouverte, somnolant dans son fauteuil roulant. Sa maladie, si malaisée à discerner au départ, était terrifiante. D'abord, elle avait perdu des choses, ses clés, ses lunettes, parfois des mots, puis, peu à peu, elle s'était perdue elle-même. Il y avait eu une brève période de piété, qui faisait peine à voir chez une partisane du rationalisme, puis elle s'était mise à avoir des hallucinations. Daniel revenait puis repartait, ce qui la plongeait dans l'angoisse. Les morts revivaient, les vivants cessaient d'être présents. Était-ce ce qui allait lui arriver, à elle aussi ? Ses morts l'attendaient-ils ?

*Buchenwald, le 14 avril 1945. La libération, jour 4. Au cours d'un défilé provocateur, les rescapés du camp agitèrent les drapeaux qu'ils s'étaient fabriqués aux couleurs de leurs patries : la Russie, la France, la Roumanie, la Yougoslavie, la Grèce, l'Italie, la Hongrie, la Grande-Bretagne et l'Allemagne – le drapeau de la république de Weimar…*

Elle était incapable de travailler. Pas plus qu'elle ne pouvait dormir. L'insomnie, encore un fléau de la vieillesse. Quelle cruauté : alors que vous aviez moins besoin de sommeil, tout ce que vous récoltiez, c'était un plus grand nombre d'heures pour assister à l'invasion progressive du néant.

## 10

TAMARA MURMURA UN BONJOUR POLI À COURTNEY et se dirigea vers son bureau. Elle n'en croyait pas ses yeux. Tania s'y était de nouveau installée et avait posé une pile de livres sur sa collection d'*OK !* et de *Hello !*

« Oups, désolée ! s'exclama Tania avec un sourire rusé. Mon ordi est toujours en panne.

— Tu ne devrais pas le réparer ? C'est pas ton rayon, justement… les ordinateurs ?

— Pas tout à fait. Nous ne sommes pas des techniciens, mais des journalistes. Si tu veux, viens passer la matinée chez nous au site Internet et tu verras ce qu'on fait vraiment, je serais contente de te montrer.

— Non merci, répliqua Tamara d'un ton désinvolte en tirant sur un numéro de *OK !*, ce qui fit dégringoler la pile de livres. J'ai laissé tomber Space Invaders il y a des années. C'est bon pour les ados boutonneux.

— Eh bien ! tu te trompes, dit Tania, dont le teint parfait constituait en soi une rebuffade. C'est l'avenir. Pour nous tous.

« — On a dit ça aussi à propos des combinaisons unisexes argentées et des voyages dans le temps. »

Avec un rire qui carillonna comme une clochette, Tania ramassa ses livres. Tamara jeta un coup d'œil aux tranches : il y avait un Martha Gellhorn – Tamara se rappela sans plaisir sa récente gaffe avec Honor Tait. Un autre de John Pilger, le yachtman et une histoire de la Seconde Guerre mondiale. Ne se détendait-elle jamais ?

Assise enfin à sa table, Tamara sortit son bloc-notes de son sac. Elle avait des légendes d'images à rédiger – Tod Maloney et Pernilla Perssen, la top model suédoise devenue styliste de lingerie, avaient été surpris devant une boîte de nuit du West End – et elle n'avait pas encore terminé le top 10 de cette semaine : anorexie et manorexie.

Mais, pour commencer, elle devait revoir ses notes sur la soirée chez Honor Tait. Puis elle passerait un autre coup de fil à Uncumber Press. La discrétion était essentielle. Courtney et Jim conspiraient de nouveau dans un coin.

*Paul Tucker, le reporter machiste, un Robert Redford au rabais, a débarqué avec des nouvelles d'une zone de guerre lointaine. Honor trône au milieu de la pièce comme la reine Guenièvre au milieu de ses chevaliers. Jason Kelly, encore nimbé de son succès à l'écran dans L'Arbre de* tous les ailleurs, *agrémente la soirée de sa présence intense. Ruth Lavenham, éditrice aussi affairée que la Mme Piquedru de Beatrix Potter, prépare rapidement un tas de petits-fours dans la cuisine. Un petit Allemand (nom à chercher) dont les yeux font penser qu'il fait de l'hyperthyroïdie…*

Un message se mit à clignoter en haut de son écran : c'était Simon. Déjeuner ?

Elle tapa : *Génial ! Je termine mon top 10.*

Du coup, il l'interpella de vive voix par un : « Super ! Dans une demi-heure ? »

Ignorant le mépris manifeste de Courtney, elle se remit au travail.

*Si les regards avaient le pouvoir de tuer, il se serait produit un massacre à Maida Vale, ce lundi, alors que Jason Kelly était présent au « salon » d'Honor Tait. Tandis que celle-ci serre ce tombeur contre sa maigre poitrine, un petit Écossais souriant, le poète Aidan Delaney, s'emploie à citer Tolstoï ; un dandy ricaneur, l'artiste Inigo Wint, et un Allemand en surpoids (nom ? à chercher) discutent à bâtons rompus de Shakespeare et s'échangent des bons mots en buvant des vins du meilleur cru.*
*Pendant ce temps, Honor Tait se tient au centre de la pièce telle une araignée dans sa toile. Tout autour d'elle, des insectes pendouillent, ligotés.*

Leur table habituelle les attendait au Bubbles. Simon avait besoin de s'épancher.

« Lucinda a jeté Serena dehors.

— Il fallait s'y attendre, rétorqua Tamara. Une fois qu'elle a découvert que tu couchais avec sa coloc, que pouvait-elle faire d'autre ?

— Et maintenant que Serena est sans domicile, elle menace de venir tout raconter à Jan.

— Mais ta femme n'y peut rien ?

— Exactement.

— Ce n'est pas comme si elle pouvait lui dire : "La chambre d'amis est vide, t'as qu'à t'y installer."

— En plus, elle est débordée avec les dix-huit ans de Dexter. »

Son portable sonna.

« Oui, chérie... Bien sûr... Personne... »

Tamara mordit dans un gressin. Peut-être devrait-elle insister pour qu'un portable soit inclus dans son contrat avec S*nday.

« Écoute, Serry..., continua Simon. Je sais combien c'est dur pour toi... Je fais de mon mieux pour arranger les choses... Je m'occupe de la caution cet après-midi... Ce qui ne nous tue pas nous rend plus forts... Tout va bien se passer, chérie... »

À une table voisine, Tania, qui venait rarement au Bubbles, était plongée dans une conversation animée avec Vida autour d'une bouteille d'eau gazeuse.

« Au revoir... Je t'aime... Au revoir », roucoula Simon dans le téléphone.

Tamara embraya avant qu'il ait raccroché.

« Je suis allée au salon. »

Il resta un instant interdit, puis se renfonça dans sa chaise en souriant.

« Bien sûr. J'avais oublié de te dire. Très jolie coupe. Ça te va très bien.

— Non. Pas le salon de coiffure. Le salon d'Honor Tait. Le Monday Club.

— Ah, d'accord. »

Son portable se remit à sonner.

« Dieu merci…, murmura-t-il en tournant son visage vers le mur. Je me suis rongé les sangs pour toi, ma chérie… Non… Personne… Je suis seul… Bien sûr que non… Tu sais que ce n'était qu'une erreur… C'est toi que j'aime… Non, je te jure, Luce… J'ai besoin de te voir. On va s'en sortir… Ce qui ne nous tue pas nous rend plus forts… Oh, ma chérie… Rappelle-moi plus tard… S'il te plaît… Je t'adore… »

Il éteignit son téléphone, se versa un autre verre d'un air pensif, prit un gressin, puis regarda Tamara et sursauta légèrement, comme s'il était étonné de la voir là.

« Lucinda », dit-il en indiquant le portable d'un signe de tête.

Tamara était tendue, elle ne souriait pas.

« Où en étions-nous ? reprit-il. Ah oui, le harem d'Honor Tait. Tu as eu des infos sur ses gigolos ?

— Pas vraiment. J'ai réussi à m'introduire, mais il ne se passait pas grand-chose, à part qu'ils buvaient et avaient des conversations hyperintellectuelles.

— Il y avait qui ?

— Quelques folles perdues et Paul Tucker… et Jason Kelly. »

Simon siffla entre ses dents.

« Kelly. Celui-là, c'est une star. Il ferait une super couverture. Surtout s'il voulait bien nous divulguer quelques petits secrets.

— Il n'était pas bavard.

— Ce n'est pas ce qu'il dit qui intéresse les gens. Sur Tucker, on pourrait pondre un ou deux paragraphes, selon ce qu'on peut citer. Personne n'a plus envie d'entendre des histoires de famines et de génocides... même pas les lecteurs de S*nday. Mais Kelly...

— Tu sais, il ne s'est rien passé qui vaille la peine d'être noté.

— Ne me dis pas qu'ils sont restés habillés toute la soirée.

— Je sais pas. Ils m'ont foutue dehors. »

Simon rit.

« Donc tu avoues... et tu es sur le pied de guerre. »

Son téléphone sonna.

« Allô, chérie... Oui, parfait... Non. Seul... Bien... Tu as eu les devis des autres traiteurs ?... Bien sûr. C'est toi qui décides, ma chérie... Oui... À tout à l'heure... Au revoir, Jan... Je t'aime. »

Tamara croisa les bras. S'il répondait encore une seule fois à ce téléphone, elle le lui arracherait des mains et le lancerait à travers la salle. Et s'il atterrissait sur la tête de Tania Singh, tant mieux.

« Tu comprends, reprit-elle, le problème, c'est que je ne vois pas où je vais. J'ai rien tiré de leur petite fête d'hier et il y a de fortes chances pour qu'elle ne me laisse plus mettre les pieds chez elle. Qu'est-ce que je fais, maintenant ?

— C'est évident, non ?

— Non.

— Bon, grogna Simon, si elle refuse de t'accorder une autre interview, si tu n'arrives pas à avoir ce que tu veux de manière légitime, il va falloir que tu prennes le taureau par les cornes. Prends-la en filature. Suis-la pas à pas. Et t'auras tes infos, prédit-il en levant les yeux vers la serveuse qui passait par là et en lui indiquant d'un geste qu'il voulait l'addition. Tu as assez d'expérience dans ce domaine. Observe-la quand elle s'y attend le moins, relève des détails sur sa vie quotidienne, décarcasse-toi pour trouver des trucs sur les gens qui l'entourent. Surveille-la. »

Il glissa la facture dans sa poche. Déjeuner. Contacts. Idées people.

Ils jouèrent des coudes pour sortir du bar en saluant de la tête les collègues qui, l'air réjoui, attaquaient une deuxième bouteille de vin. Tania et Vida étaient déjà parties.

En marchant vers le bureau, Tamara lui posa enfin la question qui l'obnubilait depuis le matin.

« Tu crois que tu pourrais dire un mot à Lyra ? »

Il se figea sur le trottoir et lui jeta un regard inquiet.

« Quoi, exactement ?

— J'aimerais qu'elle me briefe mieux sur cet article. J'ai essayé de lui parler, par téléphone, par mail, mais elle est injoignable. Je me disais que tu pourrais lui en toucher un mot en passant, pendant la conférence ou une réunion.

— Qu'est-ce que tu veux que je lui dise ?

— Un truc du style : "Au fait, à propos de cet article que t'as donné à faire à ma pigiste, Tamara Sim... Elle voudrait savoir quel angle d'attaque tu cherches, exactement. Hollywood ? Les affaires de cœur ? Les amis artistes ? Ou bien c'est la guerre qui t'intéresse ?"

— À mon avis, cela ne servira à rien.

— Alors, qu'est-ce que tu suggères ? »

Il scooua la têtc.

« Aucune idée.

— Je croyais que tu la connaissais bien.

— Nos chemins se sont croisés, en effet. On a aussi croisé le fer. »

Avait-il dragué Lyra ?

« Bon, mais tu pourrais au moins me conseiller sur la meilleure manière de l'aborder.

— L'aborder ? »

Maintenant qu'elle y pensait, Simon s'était montré plutôt réservé quand elle lui avait annoncé que *S\*nday* lui commandait un papier. Elle se rappelait que sa carrière dans ce magazine s'était terminée vite et mal par l'épisode catastrophique Aurora Witherspoon. Avait-il peur que Lyra ne débauche Tamara de *Psst !* ? Il ne pouvait quand même pas voir une menace en *S\*nday*. La jalousie n'était pas son genre. Il ne voyait pas d'un très bon œil qu'elle travaille pour *Me2*, car il craignait que Johnny ne se serve d'elle pour lui soutirer des histoires exclusives à *Psst !* Mais Simon avait été généreux avec elle. C'est lui qui l'avait présentée à Tim, lui permettant de vendre ailleurs des morceaux de son interview avec Lucy Hartson et lui soufflant que faire quelques piges pour le *Sunday Sphere* serait une bonne chose pour elle.

« J'ai besoin de savoir plus précisément ce que Lyra veut sur Honor Tait, déclara Tamara.

— Plus précisément que quoi ? C'est une interview, non ? La promo de son bouquin ? Et si tu arrives à trouver des trucs sur ses gigolos, tu tiendras un scoop et tout le monde, pas seulement ces snobinards de *S\*nday*, voudra une part du gâteau. C'est pas difficile à piger… c'est pas un papier sur les cellules souches. »

Tamara trouvait cela injuste. Elle avait passé des mois à prêter une oreille attentive à sa vie amoureuse, une sitcom interdite aux moins de seize ans avec pour cadre d'innombrables appartements et chambres d'hôtel londoniens. Tout ce qu'elle lui demandait, c'était cinq minutes de son temps. Un petit conseil, et elle était prête à écouter toutes ses aventures sexuelles. C'était le deal entre eux, sans compter les soirées qu'elle passait à fabriquer des faux en écriture pour ses prétendues notes de frais.

« Je voudrais juste savoir quel angle d'attaque les intéresse. »

Alors qu'ils attendaient au feu avant de traverser le passage clouté en face du *Monitor*, Simon ne cacha pas son agacement.

« T'as qu'à écrire ce que tu veux et couper les trucs chiants. »

Tamara se tourna vers lui.

« Simon, s'il te plaît. Tu sais combien cette pige pour *S\*nday* compte pour moi.

— Je sais, je sais. Surtout ne te sens pas visée par le silence de Lyra. Elle ne répond jamais à ses messages, à moins que tu ne t'appelles Austin Wedderburn ou que tu n'aies serré la main du roi de Suède. »

Le feu passa au rouge pour les voitures et ils commencèrent à traverser.

« Et si je montais au cinquième et traînais devant son bureau jusqu'à ce qu'elle soit libre, pour lui parler de vive voix ? »

Simon ralentit brusquement. Il posa la main sur le bras de Tamara. Afin de la retenir ou de la rassurer ? Après tout, il avait bu assez de vin pour avoir besoin de retrouver son équilibre.

« Non. À ta place, je ne ferais pas ça. Crois-moi, toute incursion au cinquième en ce moment se révélerait contre-productive. Contente-toi d'écrire ton article. Tu iras voir Lyra quand il sera terminé. »

À l'instant où ils pénétrèrent dans le bâtiment, le bipeur de Simon émit un bruit.

« Excuse-moi. J'ai un coup de fil à donner. »

## 11

LES MURS ÉTAIENT DÉCORÉS DE FRESQUES COLORÉES, représentant des jeunes filles aux joues roses vêtues de robes blanches virginales qui soignaient des malades pittoresques. Par les fenêtres à meneaux, on apercevait une campagne anglaise bucolique – des ormes tutélaires, des chaumières, des cultivateurs joyeux, des enfants robustes faisant la ronde autour d'un arbre de mai –, bref, un paysage censé donner envie aux infirmes dorlotés de recouvrer la santé.

Tandis qu'Honor parcourait les couloirs de l'hôpital, la réalité de la fin du XX<sup>e</sup> siècle se rappela tristement à elle par-ci par-là. Une femme en salopette crasseuse épongeait par terre à la serpillière des taches marronnasses – du sang ? des viscères ? des excréments ? » – pendant que des infirmières et des infirmiers plus tout jeunes hâtaient le pas, l'air fatigué et débraillé, en tout cas n'ayant rien de virginal dans leurs blouses en nylon pastel et leurs pantalons. Ils auraient tout aussi bien pu gagner leur vie en plumant des poulets ou en vidant des poissons. Et les malades ? Au même titre que les vieux et les pauvres, ils n'avaient jamais été pittoresques. Même les poitrinaires diaphanes de l'époque romantique, se mourant d'amour et trop beaux pour ce monde, crachaient du sang et souffraient d'incontinence. La maladie est la championne du nivellement par le bas. Personne ne peut préserver sa dignité en robe de chambre, relié à une perfusion et entouré du fouillis sordide de tous ces appareils qui soutiennent les fonctions vitales, des sacs en plastique gorgés de sang et de sérum physiologique, des bassins et des haricots.

Et Loïs, la belle et intelligente Loïs, était des leurs désormais, son corps s'efforçant de rattraper son cerveau dans la course à la décrépitude. Comme on lui avait dit qu'elle était « mieux » le matin, Honor arriva à 8 heures le samedi en se demandant comment l'état de Loïs pouvait être « pire ». Ses yeux clairs étaient grands ouverts, mais ne voyaient rien. Ils se promenèrent autour de la salle, dévisagèrent Honor puis l'infirmière qui ajustait sa perfusion, comme un nouveau-né contemple les formes et les ombres mouvantes autour de son berceau. Ses cheveux, autrefois si bien coiffés en un petit chignon, ressemblaient à de l'aigrette de pissenlit : un fin duvet blanc à travers lequel on voyait reluire un crâne rose. Sa bouche, crispée en une grimace permanente, tenta deux fois, en vain, d'articuler quelque chose pendant les heures où Honor demeura là, à tenir sa main molle dans la sienne.

De coins invisibles du service leur parvenaient de temps en temps des éclats de joie étouffés et – Loïs aurait détesté ça – le bruit d'un poste de télévision. D'autres visiteurs, des maris, des enfants adultes qui faisaient leur devoir, des familles essayant de tenir des

266

enfants turbulents, allaient et venaient autour des lits voisins, apportant qui des fruits et des chocolats, qui des fleurs, ambassadeurs en bonne santé d'une Terre promise. Honor soupçonnait une certaine dose de comédie, de triomphalisme même, dans ce défilé en honneur de la famille parfaite et l'étalage de cartes un peu partout. « Guéris vite ! » Y avait-il des cartes de vœux pour l'éventualité inverse ? « Meurs vite ! » Honor était venue les mains vides, et sur la table de nuit de son amie il n'y avait qu'un haricot en inox contenant une seringue usagée. Elle aurait dû apporter le bouquet de fleurs – encore un – qu'on lui avait livré, le matin même, de la part de cette petite dinde de journaliste. Honor l'avait aussitôt jeté à la poubelle. De toute façon, Loïs, si elle avait possédé toutes ses facultés, aurait détesté ces fleurs, elle aussi.

Un infirmier à la peau grêlée portant une boucle d'oreille vint vérifier le drain de Loïs, raccordé par un tube à un flacon placé sous le lit.

« Ça va, Louise ? dit-il avant de se tourner vers Honor et de lui faire un clin d'œil. Elle ne comprend pas un mot de ce qu'on lui raconte, la pauvre dame, mais de temps en temps elle marmonne un peu. »

Il se baissa de nouveau vers le flacon et Honor crut voir les yeux de son amie s'agrandir de terreur au moment où il ajouta :

« C'est pas vrai, Lou chérie ? »

*

* *

267

Samedi matin, Tamara fourra dans un petit sac à dos son dictionnaire des synonymes, son dictaphone, les coupures de presse, son bloc-notes et la sortie papier des brouillons de son article pour S*nday; ainsi que les deux livres de Tait, et prit le métro, direction Maida Vale. Du bouquet de lis roses géant, de quoi remplir un corbillard, qu'elle avait fait livrer avec un mot d'excuse à Holmbrook Mansions, elle n'avait eu aucune nouvelle, et Ruth Lavenham ne répondait pas à ses messages. Qu'est-ce qu'elle pouvait faire d'autre ?

Tamara avait eu recours à des stratagèmes autrement plus sophistiqués, et avec un franc succès, lorsqu'il s'était agi de piéger le fils junkie du chef de police. Elle avait été capable de planquer pendant trois jours devant l'appartement de Caleb Hawkins à Ladbroke Grove après que le footballeur eut été photographié tenant la main d'un transsexuel dans une boîte gay. Elle avait suivi Pernilla Perssen jusqu'à la clinique spécialisée du Hampshire où elle allait faire une cure de désintoxication. Mais, cette fois, Tamara ne pouvait pas se permettre de jouer les intruses. Impossible de poireauter dans le froid devant l'immeuble d'Honor Tait. Elle n'avait aucun intérêt à prendre un photographe avec elle. Il n'y aurait rien à voir. Pas encore, du moins.

Elle explora le bout de la rue où elle allait élire domicile pour les trois jours à venir, passant en revue les quelques boutiques et le pub, le Gut & Bucket[1], voisin du café où elle avait attendu Bucknell avant l'interview. Elle ferait du café son QG. Une de ses tables de formica, placée devant une grande fenêtre,

---

1. *Gut* : intestin, ventre (ou courage). *Bucket* : seau à eau.

donnait directement sur l'entrée d'Holmbrook Mansions. Mais, avant tout, elle devait bavarder avec des gens du quartier. Elle traversa la rue en direction d'une supérette et prit une canette de Coca-Cola dans le frigo. Assis à la caisse, un type, si blême et si obèse qu'on l'aurait cru sculpté dans de la cire fondue, respirait fort en feuilletant un tabloïd.

« Y a longtemps que vous êtes ici ? lança Tamara d'un ton enjoué.

— Depuis 7 heures ce matin. »

Pour appuyer ses paroles, il bâilla.

« Non. Je veux parler du magasin. Il y a longtemps qu'il est ici ?

— Je sais pas. Je suis employé, c'est tout.

— Vous devez avoir beaucoup d'habitués. Des clients, je veux dire. »

Il leva les yeux de son journal et fixa la canette dans sa main.

« Vous la prenez ou pas ? »

Elle lui tendit de la monnaie. Inutile d'insister pour l'instant. Elle finirait bien par se le mettre dans la poche. Retour au café, tenu par deux quadragénaires d'Europe de l'Est, des frères, estimait-elle à vue de nez : l'un aimable, l'autre sombre et préoccupé, tous les deux costauds et moustachus. Ils n'avaient pas une clientèle assez nombreuse pour se montrer pinailleurs au sujet de leurs tables et le sourire de Tamara les convainquit de la laisser s'asseoir devant la fenêtre et s'éterniser devant un café qu'elle renouvelait de temps en temps.

Elle ouvrit son bloc-notes et, prenant soin de vérifier régulièrement l'entrée de l'immeuble d'Honor, continua à réviser son premier jet.

*Honor Tait n'aime pas évoquer ses origines. Cette champione des pauvres est née et a grandi dans une grande demeure de la campagne écossaise. Elle se montre discrète sur son passé, préférant parler de son travail, mais, avec son accent anglais distingué, on la croirait de la famille royale.*

Rien n'était plus facile que de laisser courir sa plume. Elle remercia le frère renfrogné pour son café grisâtre et contempla Holmbrook Mansions, de l'autre côté de la rue. Il ne se passait pas grand-chose. Elle apercevait vaguement le portier, qui paraissait piquer un somme derrière le bureau de la réception, sa casquette sur les yeux.

*Honor Tait, ancienne Golden Girl de la presse britannique, est née et a grandi en Écosse dans la soie et le velours. Elle est discrète sur ses origines, « C'est mon travail qui compte », mais vu son accent anglais distingué, on l'imagine lisant le traditionnel message de Noël de la reine au cas où Sa Majesté aurait attrapé la crève.*

Une demi-heure plus tard, le portier se secoua. Une femme, la cinquantaine, d'une minceur inquiétante, la tête cachée sous un fichu, poussa la porte à tambour et descendit avec précaution les marches en pierre du perron. Après avoir regardé à droite et à gauche, comme si elle ne savait pas dans quelle direction aller, elle prit d'un pas vif le chemin de la station de métro.

*Honor Tait, amie des stars, surnommée autrefois la Marlène Dietrich des salles de rédaction, ne peut plus jouer les pin-up pour GI, mais, en dépit de son grand âge, elle est toujours ce qu'Humphrey Bogart qualifiait une belle femme. Sous sa peau fripée, les pommettes, dont la beauté fut célébrée jadis par les pinceaux de peintres fous d'amour, sont encore lisses. De la blonde chevelure jadis somptueuse il ne reste plus qu'un duvet blanc sur le dôme rosâtre de son crâne.*

À cet instant, un vieux monsieur corpulent et rubicond, dans un costume pied-de-poule, gravit les marches du perron.

*Sa voix témoigne d'une existence douillette dans les salons d'une grande demeure pleine de domestiques.*

Si cette vieille chouette refusait de donner des détails sur sa biographie, elle ne pourrait pas reprocher à Tamara de s'accorder quelque licence poétique inspirée des films en costume de la BBC.

*Dans le crépuscule d'une aristocratie – gouvernantes, salles de bal et robes en mousseline –, l'ambition de la petite Honor devait être comparable à un acte transgressif.*

Le frère malheureux s'était matérialisé devant elle avec un pichet de son café infect. Elle avança sa tasse et lui sourit. Peut-être devrait-elle commander un sandwich pour les apaiser.

*Dans l'immeuble forteresse où vit Honor Tait, les habitants et les visiteurs sont des gens distingués et curieusement sans âge. Ici, dans la lumière crépusculaire de son appartement du quatrième étage, la doyenne des journalistes exerce un pouvoir chtonien sur ses adeptes.*

Le frère souriant lui apporta son sandwich, un morceau de blanc de poulet bien sec garni d'un gros cornichon jaune qui suintait à travers la mie spongieuse.

*Les habitants et les visiteurs d'Holmbrook Mansions ont des allures patriciennes qui transcendent les époques. C'est là qu'elle siège, la gourou athée, la gnostique des news, dont la mission herméneutique a consisté à porter le flambeau vacillant de la vérité dans les recoins les plus obscurs du globe.*

Elle mordit dans son sandwich et le regretta aussitôt. Ah ! La première personne de moins de cinquante ans qu'elle voyait. Un petit garçon en casquette bordeaux et uniforme gris : on aurait cru un figurant dans un film ancien. Il descendait l'escalier du perron en sautillant, accompagné d'une adolescente rondouillarde portant une jupe en denim, sans doute sa nounou. Tamara était prête à parier qu'Honor Tait et eux ne se saluaient même pas d'un signe de tête lorsqu'ils se croisaient. Elle ne pouvait imaginer la vieille dame avec des enfants – trop agités, trop bruyants, demandant trop d'attention. Personnellement, Tamara comprenait assez bien. Les deux petits chenapans de Gemma n'arrêtaient pas de fourrer leurs doigts dans tous les trous – le nez, la bouche, le derrière, les prises électriques – et leur mère se contentait de les regarder avec un sourire attendri. Un jour, Tamara les avait – pour la première et dernière fois – invités dans son appartement : elle avait eu l'impression d'être envahie par une horde de nains dépourvus d'hygiène. Il avait fallu des semaines pour nettoyer les traces de doigts sur les murs.

Le gentil frère lui faisait un signe.

« Délicieux, merci », lui dit-elle en mordant à belles dents dans le sandwich avant d'essuyer la glu jaune qui lui dégoulinait sur le menton.

*Honor Tait refuse de divulguer quoi que ce soit sur ses origines. Ce qui peut sans doute se comprendre, étant donné que cette pasionaria de la cause sociale est née et a grandi dans un château en Écosse. Avec son accent distingué, elle est la doublure virtuelle de Sa Majesté la reine.*

À regret, se résignant à obéir à son sens du devoir, Tamara laissa ses notes de côté pour ouvrir le premier livre de Tait et reprendre sa lecture de l'article qui lui avait valu le Pulitzer.

*D'après les rescapés à qui j'ai parlé, une fois le raid aérien terminé, les gardes et les détenus se ruèrent ensemble pour ramasser les éclats de bois qui n'avaient pas été brûlés afin de garder un*

273

*souvenir de l'arbre bombardé. Pour les nazis, ces fragments calcinés représentaient le rêve ancestral de la suprématie allemande ; pour les détenus, le chêne de Goethe possédait également une dimension sacrée. Ce lieu à l'ombre de la majestueuse ramée où le poète, savant, dramaturge, musicien et romancier Johann Wolfgang von Goethe s'était assis pour contempler « les royaumes du monde et leur splendeur » représentait pour les déportés, au fond même de leur désespoir, les lumières de l'Allemagne d'avant les nazis. Et aujourd'hui le voilà mutilé au milieu de l'horreur.*

Exaspérée, Tamara ferma le livre et retourna à son bloc-notes.

*Sur ses illustres ancêtres, dont les portraits ornent les boiseries du château écossais, Honor Tait maintient une omerta. Mais ce silence est peut-être en soi herméneutique...*

Le jour tombait et le frère souriant renversait les chaises sur les tables pendant que son frère taciturne balayait par terre.

*Elle se tient assise au milieu de la pièce comme une impératrice au milieu de ses courtisans. Le mélancolique Jason Kelly, qui vient de connaître un succès retentissant dans le blockbuster* L'Arbre de tous les ailleurs, *est à genoux à ses pieds. Ruth Lavenham, éditrice et déesse mère, prépare d'exotiques amuse-bouches dans la cuisine. Un Écossais loquace...*

274

Si Tamara n'avait été aussi absorbée dans son travail, elle aurait pu voir la silhouette penchée d'une vieille femme gravissant lentement l'escalier et franchissant le seuil d'Holmbrook Mansons. Les volets roulants étaient à présent abaissés et le frère triste, qui avait ouvert la caisse, comptait la recette de la journée. Tamara paya son addition, laissa un généreux pourboire, et ils lui tendirent deux factures vierges. Elle reviendrait.

*
\* \*

Il faisait noir quand Honor rentra chez elle. Elle alluma la radio. Bach. Comme le sourire d'Inigo, la musique de Bach était un baromètre fiable de la météo émotionnelle d'Honor. Quand elle était au beau fixe, la toccata, la fugue et même les inventions offraient aux mortels rationnels un aperçu du paradis. Les mauvais jours, les pièces au clavecin lui semblaient sinistres. Elle coupa la radio. Le silence était préférable. Elle avait envie de parler, de décrire sa visite à l'hôpital, d'évoquer la Loïs qu'elle avait connue afin de la ramener à la vie. Honor se servit un verre et prit son carnet d'adresses. Tant de noms avaient été biffés, certains après des disputes et des ruptures, mais la plupart emportés par la mort. Bientôt, le carnet lui-même serait aussi obsolète que sa propriétaire.

Et qu'en allait-il de ses « boys » ? Honor préférait les voir en tête à tête. Ainsi elle tirait de ces entrevues le maximum de plaisir en minimisant le risque de les voir nouer en traître des sous-alliances. Ils se battaient comme des chiffonniers pour récolter les miettes de son approbation, sachant qu'il n'y en aurait jamais assez pour tous, et pour sa part, elle encourageait ces rivalités. La possibilité qu'ils parlent dans son dos, la prennent en pitié, se moquent d'elle, lui était insupportable. Même si elle ne croyait pas à une vie après la mort, elle l'imaginait parfois ainsi : allongée, immobile, elle écoutait les bruits étouffés d'une joyeuse soirée qui se déroulait dans l'appartement voisin.

Il y aurait des larmes, au début. Ruth se lamenterait plus que les autres. Elle avait le gabarit et la garde-robe de la pleureuse professionnelle, style choreute grecque bien en chair, qui se jette en hurlant sur tout cercueil venant à passer. Bobby sangloterait plus esthétiquement et s'appuierait sur son dernier petit ami en date. Inigo verserait des larmes dans un grand mouchoir en soie et noierait son chagrin dans l'alcool – « Si on ne peut pas se prendre une cuite à l'enterrement d'une copine ! » dirait-il. Aidan serait muet et inconsolable, repoussant les attentions de son horrible petit ami. Quant à Clemency, elle créerait sans doute une bourse à son nom : le prix Tait pour les jeunes journalistes. Honor tressaillit. Et Paul ? Eh bien, Paul était comme elle. Il se montrerait fort. Verserait-il tout de même des larmes ? Elle doutait qu'il en ait jamais versé.

Il y aurait des nécros respectueuses et inexactes et un service funèbre, où de faux amis aux yeux humides, lointaines relations et anciens ennemis, viendraient dire des âneries pour rendre hommage à son humanité et à son professionnalisme exemplaire.

Elle ne se faisait pas d'illusions, et encore moins sur la question de la mortalité. Bientôt, même aux yeux de ses intimes, ses « boys » du Monday Club, son souvenir se résumerait à une anecdote amusante, un murmure de regret et, au bout d'un certain temps, à une bonne occasion de faire un peu d'humour noir. Inigo donnerait sans doute le coup d'envoi en lançant la première blague *post mortem* et les autres éclateraient de rire, reconnaissants et soulagés. Puis la fête continuerait, sans elle. Ce serait peut-être même plus gai en son absence.

En réalité, se dit-elle, la seule personne à qui elle avait vraiment envie de parler de la visite d'aujourd'hui n'était autre que Loïs elle-même. Elle ferma son carnet d'adresses et prit son stylo. Le désespoir, après tout, pouvait être propice. Pendant qu'elle avait encore toute sa tête, elle devait écrire cette postface.

*Buchenwald, le 14 avril 1945. La libération, jour 4. Toujours dans leurs costumes rayés de détenus du camp de concentration, les rescapés s'alignèrent devant la souche déchiquetée du chêne de Goethe afin de fêter leur liberté retrouvée, chacun brandissant un drapeau de leur pays fabriqué avec des bouts de chiffon. Ils étaient venus là aussi pour pleurer leurs camarades de captivité qui n'avaient pas survécu. Nombreux étaient ceux qui pleuraient en silence, et, parmi leurs libérateurs, les soldats de la 3ᵉ armée américaine, qui avaient vu de leurs yeux les preuves de la barbarie nazie, beaucoup pleuraient avec eux.*

Dans la chaleur âcre du pub, où le personnel et les clients regardaient bouche bée et l'œil brillant un match de foot sur un écran de télé géant, Tamara commanda un gin tonic qu'elle emporta dehors. Cet endroit était moins confortable que le café, mais elle pouvait toujours glisser une nouvelle cassette dans son dictaphone et enregistrer la suite de son article.

*Quand je l'interroge sur son enfance, l'octogénaire Honor Tait, autrefois surnommée « un gros QI en robe décolletée », me fusille du regard. Elle maintient une omerta glaciale sur tout ce qui touche à son enfance, qui s'est déroulée dans un gigantesque château écossais. Cette championne des damnés de la terre a passé ses premières années choyée par des domestiques et, avec son accent distingué, on croirait entendre la jumelle de Sa Majesté la reine...*

À 23 heures, au moment de la fermeture du pub, il se mit à pleuvoir. Elle n'avait pas pris de parapluie, son dictaphone menaçait de prendre l'eau. Elle le rangea dans son sac à dos et traversa la rue pour s'abriter sous l'auvent d'Holmbrook Mansions. Le hall d'entrée avait l'air hanté sous l'éclairage bleuté. Le portier dormait, pour changer.

## 12

HONOR PARVINT PÉNIBLEMENT À SE LEVER À 7 H 30, le lundi matin, ouvrit ses rideaux et, sans se sentir vraiment d'attaque pour une nouvelle journée, constata qu'elle l'envisageait plus sereinement que lorsqu'elle les avait fermés le samedi, après sa visite à Loïs. Elle n'avait pas bougé de l'appartement de tout le week-end, ayant débranché le téléphone, continué son nettoyage par le vide, mangé la moitié d'un paquet de biscuits et bu une bouteille et demie de vodka. Clemency l'aurait grondée, si elle l'avait vue faire.

Elle prit un bain en écoutant Radio 3 – un morceau enlevé au clavecin de Rameau – et mit sa jupe grise doublée de soie ainsi que son cardigan en cachemire lie-de-vin ; la douceur des étoffes contre sa peau était agréable, un peu comme une caresse. La radio diffusa les nouvelles du jour. Qu'avait-elle manqué ? Pas grand-chose. Les travaillistes s'engageaient à augmenter le budget de la culture, s'ils emportaient les élections ; un ancien soldat avait été arrêté pour le meurtre de sa fille, portée disparue ; des accusations de « discrimination antivieux » étaient dirigées contre la BBC par des présentateurs vieillissants. Elle rebrancha le téléphone et consulta son agenda dans l'entrée. Son rendez-vous de Wimpole Street était bien à 9 heures Elle ne devait pas manger avant. Cela l'arrangeait. Ensuite, elle avait ce déjeuner. Il fallait qu'elle s'arme de courage.

*
*   *

Assise devant la fenêtre, Tamara, en était à sa troisième tasse de café. C'était le jour de sa dernière chance – elle ne pouvait pas se permettre de prolonger plus longtemps son congé non payé de *Psst !* – et, après avoir passé son dimanche entier à cette même place sans apercevoir une seule fois Honor Tait, elle était arrivée très tôt ce lundi matin à Maida Vale, redoutant un troisième jour d'observation infructueuse. Même le frère aimable l'avait accueillie avec des marmonnements désagréables quand elle était entrée dans son établissement, à 8 heures. Elle allait devoir commander un autre sandwich et cela la déprimait encore plus, tandis qu'elle gardait le regard rivé à la fenêtre.

Lorsque enfin elle aperçut une silhouette, elle crut d'abord qu'il s'agissait d'un mirage, un mirage dû au désespoir. Elle essuya la buée sur la vitre et regarda plus attentivement. Honor Tait ! La voilà qui sortait d'Holmbrook Mansions à 8 h 30 ce lundi matin. Tamara se leva d'un bond, jeta de la monnaie sur la table, releva le col de son manteau et sortit en courant. Elle n'aurait pas dû se dépêcher. La vieille dame était toujours plantée sur le même carré d'asphalte et scrutait la rue d'un air timide, aussi petite et fragile qu'une enfant ayant échappé à la vigilance de sa mère. Tamara ralentit le pas et, sans changer de trottoir, s'arrêta devant la vitrine de l'agence immobilière du coin de la rue. Elle fit semblant d'étudier les photos des luxueux appartements proposés à la vente sans lâcher du regard le reflet d'Honor Tait. Soudain, la vieille dame leva le bras. Un taxi noir ralentit et s'arrêta devant elle. Alors qu'Honor s'y engouffrait, Tamara en chercha un pour elle. La chance lui sourit. Un taxi se gara le long du trottoir, elle grimpa dedans, indiqua la voiture d'Honor Tait qui attendait au feu, une centaine de mètres plus bas, et ordonna – que pouvait-elle dire d'autre ? – : « Suivez ce taxi ! »

Le chauffeur jeta un coup d'œil intrigué dans son rétroviseur. Les feux leur furent favorables, dans la mesure où ils permirent au taxi de Tamara de rattraper celui d'Honor Tait.

« C'est quoi, votre problème ? s'enquit le chauffeur.

— Hein ? »

Elle tendit le cou pour voir l'autre voiture qui fonçait devant.

« Vous êtes inspectrice des impôts ? Vous enquêtez sur une fraude à l'assurance invalidité ?

— Non, non, je suis journaliste.

— Un scoop ! J'ai été dans la presse, moi aussi. Fleet Street. Le bon vieux temps. »

Ils ne tardèrent pas à s'engager dans Marylebone Road.

« Vous avez déjà pris un pot au Stab in the Back[1] ? demanda-t-il.

— Non.

— Vous avez manqué quelque chose, dit-il en hochant la tête et en se faufilant entre deux bus londoniens.

— On va les perdre ! »

Il doubla une fourgonnette de la poste, et le taxi de Tait se trouva de nouveau devant eux.

« Accrochez-vous, Sherlock. »

Au feu suivant, le taxi de Tamara se plaça juste à côté de celui d'Honor Tait. Tamara se fit toute petite. Le chauffeur descendit sa vitre et fit signe à son collègue.

« Ça va, John ?

— Ouais. On fait aller. »

Le visage tendu d'Honor Tait se découpait nettement, les yeux fixés sur le cou de son chauffeur. Tamara s'écarta le plus possible, s'aplatissant sur son siège.

« Ça fait un bail qu'on t'a pas vu au club-house.

— Ma bursite de l'épaule s'est aggravée.

— Aïe. T'as intérêt à te soigner. Ça peut mener à une tendinite calcifiante.

— Ouais, je sais. On me fait une échographie, lundi. Ils vont tester la calcification.

— C'est moche. Ça pourrait nuire à ta titularisation. »

Le feu passa au vert et les deux voitures tournèrent côte à côte dans Harley Street pour s'engager dans

_____
1. Pub de Fleet Street, la rue des tabloïds, surnommé « Le couteau dans le dos ».

Wimpole Street. Là, le chauffeur de Tamara eut quand même assez de jugeote pour ralentir en saluant son collègue d'un signe de la main avant de lui lancer : « Bonne chance ! » Le taxi de Tait s'arrêta trente mètres plus loin devant une belle demeure au perron précédé d'un large escalier en pierre et à la porte d'entrée à deux battants flanquée de deux buis ornementaux.

« Ici, ce sera parfait », dit Tamara en observant la vieille dame qui gravissait les marches et appuyait sur la sonnette.

Dès que Tait eut disparu à l'intérieur, Tamara régla sa course et glissa au chauffeur un bon pourboire.

« C'est votre jour de veine, Sherlock, lui dit-il en lui tendant un carnet de reçus vierges. En général, j'exige un supplément pour les missions d'espionnage. »

La porte à double battant, noire et luisante, était encadrée d'une armature en verre biseauté dont les facettes étincelaient dans la lumière hivernale. La poignée en cuivre poli était aussi grosse qu'un melon. Tamara se pencha pour regarder dans le hall d'entrée. Un carrelage semblable à un damier noir et blanc. Elle distinguait les volutes en bois de la rampe de l'escalier en pierre. À droite de la porte, à côté de l'interphone, une plaque était gravée d'une suite de consonnes qui indiquaient qu'elle se trouvait à l'entrée d'un ensemble de cabinets médicaux privés.

Elle nota les noms et les initiales : *Professeur Hereward Browning MBChB FRCS (Plast) ; Mrs Isabelle Kerr MBBS FRCS (Glas) ; Rose A McCotter MBBS FRCS (OFMS) ; Dr Didier Mooney MBChB*

FRCP ; Dr F Bose Dch DGM FRCOG ; Mr Eliot
J. Tregunter BDS FDSRCS.

Maintenant, il ne lui restait plus qu'à attendre. Au
moment où elle se détournait de la porte, une femme
âgée en manteau de fourrure, coiffée de ce qui ressemblait à une meringue pointue et qui était en fait
ses cheveux blancs, lui passa sous le nez d'un air hautain et appuya sur le bouton du Pr Browning. Encore
une candidate à la chirurgie esthétique hostile aux
jeunes et jolies femmes.

Il y avait quelque chose de répugnant chez ces
vieilles qui permettaient à un mercenaire en blouse
blanche de leur reconstruire le visage, comme un
tailleur retouche un costume devenu démodé. Toute
cette souffrance, le sang, les bleus, l'argent. Et pour
quoi faire ? Personne, de toute façon, ne les désire-
rait, quelle que soit la quantité de peau qu'on leur
enlève ou de graisse qu'on leur suce. Elles habitaient
un au-delà de la séduction. Elles devraient apprendre
à faire de la dentelle, ou s'occuper de leurs petits-
enfants ou de leur jardin. Elles avaient eu leur
chance ; qu'elles laissent leur tour aux autres. À moi,
songea Tamara.

Cela n'avait rien de rationnel, mais elle ne pouvait
s'empêcher de penser que les ravages du grand âge
– la peau parcheminée, les bajoues, les lèvres fri-
pées – avaient pour cause une simple négligence. Les
vieilles peaux n'avaient pas bien pris soin d'elles-
mêmes. Elles s'étaient laissées aller. Même si la disci-
pline n'était pas son fort, Tamara était sourcilleuse à
propos de sa beauté. Elle se démaquillait tous les
soirs, se mettait de la crème hydratante, et ne sortait

jamais sans avoir appliqué sur son visage de la crème solaire IP 15. Honor Tait était l'exemple même de ce qu'il fallait éviter : Tamara était sûre et certaine qu'elle ne s'était jamais protégée contre le soleil et s'était toute sa vie lavé la figure à l'eau et au savon.

De l'autre côté de la rue, un bâtiment plus petit et plus miteux, sans doute administratif, allait lui servir de poste d'observation. Personne ne s'y bousculait. Tamara s'adossa à la grille en fer forgé sur le côté des marches et sortit son bloc-notes.

*Le visage d'Honor Tait est un palimpseste de la connaissance. Sous les plis et les rides qu'aucune chirurgie esthétique ne pourra jamais effacer, on perçoit les vestiges de la glamour girl, le gros QI en robe décolletée qui a réussi par son charme à décrocher certains des plus grands scoops des cinquante dernières années.*

\*

\* \*

En se couchant, les paupières closes, Honor se prépara à avoir mal. Elle avait connu des douleurs plus vives, aussi bien moralement que physiquement. Et, tout bien considéré – mettons, par rapport aux souffrances du citoyen lambda de l'Afrique sub-saharienne –, elle n'était pas si mal lotie. Une petite piqûre, voilà tout. Oser cette comparaison, c'était déjà s'apitoyer sur soi-même. Non seulement elle envisageait sereinement que l'on tranche dans sa chair, mais elle l'anticipait avec délectation. Au moins ses synapses étaient-elles en état de marche, contrairement à celles, de la pauvre Loïs. « Si vous nous piquez, ne saignons-nous pas[1] ? » Et en plus je grimacerai de douleur... Elle considérait que les insultes faites à son corps étaient autant de rappels qu'elle était en vie et encore de ce monde. La douleur la punirait de ne pas s'être rendue plutôt à l'assistance publique. Cela allait lui coûter une somme astronomique. Pour le même montant, elle aurait pu approvisionner en eau potable un village africain pendant un an, financer trois cents opérations des yeux à des malvoyants du tiers-monde, organiser un dispensaire militaire chez les Kurdes d'Irak. Peut-être aurait-elle dû refuser l'anesthésie. Elle méritait de souffrir. Mais c'était trop tard.

Le Dr Bose, masqué et ganté, se pencha vers elle, ses instruments étincelants dans la lumière froide des lampes au-dessus de leurs têtes. Ses yeux aux cils papillotants semblaient étrangement féminins.

« Vous êtes prête, miss Tait ? »

Elle fit signe que oui.

La douleur. C'est ainsi que commence notre brutale percée dans la clameur du monde. Et c'est ainsi que cela se termine.

---

1. Citation. William Shakespeare –, *Le Marchand de Venise*.

## 13

ABRUTIE D'ENNUI APRÈS TROIS HEURES ET DEMIE
D'ATTENTE, Tamara ne reconnut pas tout de suite la
petite silhouette qui marqua un temps d'arrêt dans
l'encadrement de la porte du cabinet médical. Elle
portait des verres fumés et avait la tête emmaillotée
dans un foulard comme une starlette des années 1950.
Ses pas n'étaient guère assurés, elle fut obligée de se
cramponner à la rampe pour descendre les marches
jusqu'à la rue. Puis elle se redressa – quelle que fût
l'intervention qu'elle avait subie, elle était relativement mineure – et se dirigea, lentement mais sûrement, vers Wigmore Street, passant devant Tamara
plantée de l'autre côté de la rue sans même tourner
la tête.

Afin de ne pas dépasser Honor Tait, Tamara
s'obligea à marcher tout doucement. Quinze minutes
plus tard, elles arrivèrent devant un petit restaurant
italien. Tait y entra. Tamara s'attarda devant et fit
semblant d'étudier le menu tout en surveillant la
vieille dame voûtée, toujours affublée de ses lunettes
de soleil, qui parlait à un serveur. L'espace, inondé

de lumière, était exigu entre les tables toutes occupées. Le serveur conduisit la doyenne voûtée à une table dans un coin. Si elle se rapprochait de la fenêtre, Tamara la verrait mieux. Quelqu'un attendait Honor Tait. Un excentrique bohème d'une trentaine d'années – cheveux soigneusement hirsutes, veston en lin froissé, qu'elle avait déjà vu quelque part. Au Monday Club ? Tamara mit sa main en visière sur ses yeux et se pencha davantage vers la fenêtre. Non. Trop beau gosse pour être un intellectuel, trop brun et bouclé pour être Jason Kelly. Un autre acteur ? Il se leva pour dire bonjour à la vieille dame, qui ôta ses lunettes de soleil et se laissa embrasser manifestement sans enthousiasme. Une fois qu'ils furent assis, il tendit la main vers la bouteille de vin rouge et lui remplit son verre. C'est alors qu'avec un coup au cœur Tamara le reconnut : le héros de la salle paroissiale des Baptistes Stricts.

Était-ce pour ce rendez-vous, ou pour d'autres semblables, qu'Honor Tait avait bravé le scalpel et les points de suture ? La visite d'aujourd'hui au chirurgien esthétique ne devait pas être la première. Lifting partiel ou total ? Ils se parlaient, penchés l'un vers l'autre, avec passion. Le serveur reparut pour prendre la commande. La frêle octogénaire – qui, du point de vue de Tamara, n'avait pas l'air plus jeune que lors de leur interview – jeta un coup d'œil au menu et leva son verre à sa bouche. Elle avait autre chose en tête que la cuisine du chef. Son compagnon, encore hésitant, se massait le front, les lèvres serrées, tandis que le serveur agitait impatiemment son crayon. En fin de compte, ils commandèrent et, de nouveau seuls, se

288

remirent à discuter, si près l'un de l'autre que leurs profils se touchaient presque, le relief sculptural de celui de l'homme contrastant tristement avec les traits effondrés et asymétriques de la femme.

Soudain, la vieille dame se recula et s'appuya au dossier de sa chaise, muette, tandis qu'il continuait à parler. Il avait un look de militant écologiste ; la version « fashion » et douchée de ces manifestants contre un tunnel dans le Devon qui venaient d'être dispersés par la police. Les sourcils froncés, il semblait en colère, à moins qu'il ne fût en train de protester ? Difficile de déchiffrer l'expression d'Honor Tait au moment où, brusquement, elle se pencha pour ramasser son sac à main. Il se tut et l'observa en ramenant ses cheveux en arrière du bout des doigts tandis qu'elle poussait vers lui sur la table une enveloppe marron. Il l'ouvrit et feuilleta la liasse de billets. Puis, il referma l'enveloppe, la glissa dans la poche de son veston et but une rasade de vin.

Tamara écarquilla les yeux. « Oui ! » murmura-t-elle. C'était encore mieux que prévu. D'après le langage corporel de la vieille dame, et l'intensité de la conversation, il était évident qu'elle n'était pas là pour payer en liquide son entrepreneur pour ne pas payer la TVA après la rénovation de sa salle de bains. Quels autres services un jeune homme aussi beau pouvait-il rendre à une vieille femme, qui mériteraient un déjeuner discret et une enveloppe bourrée de billets de banque ?

Le serveur revint avec une assiette de pâtes pour le compagnon de Tait. Celle-ci avait commandé un bol de soupe. *Pas de nourriture solide après une opération de chirurgie esthétique*, écrivit Tamara.

À présent, c'était lui qui parlait. Honor Tait se contentait d'écouter, immobile, la bouche entrouverte, comme si elle buvait ses paroles, puis elle tendit le bras au-dessus de la table et lui caressa les doigts. Il baissa les yeux sur sa main. Sûrement dégoûté, songea Tamara, mais il ne fit rien pour repousser la pince griffue. Un coin de l'enveloppe dépassait de sa poche de veston. Cela n'aurait pas pu être plus clair. Il se pencha vers la vieille dame avec un sourire complice.

« Alors, vous vous décidez, mademoiselle ? »

Tamara sursauta. Le serveur, un torchon à petits carreaux sur l'avant-bras, se tenait sur le seuil du restaurant.

« Vous voulez déjeuner ? demanda-t-il. Sinon, vous seriez gentille de laisser les autres regarder le menu. »

Après avoir bégayé des excuses, elle s'éloigna un peu et se réfugia sur le pas de la porte d'un marchand de pianos. On y avait une bonne vue sur l'entrée du restaurant. Le serveur resta encore un moment à la regarder, puis rentra en secouant la tête.

Au bout de cinquante pénibles minutes, Tamara vit sa patience récompensée. Le couple émergea dans la clarté argentée et, à cet instant, elle tint enfin sa preuve. Il ploya le cou pour rapprocher son visage de celui d'Honor Tait. Tamara exulta ; sa supposition se confirmait. Il avait empoché l'argent et maintenant ce beau jeune homme embrassait sa bienfaitrice de quatre-vingts ans sur la bouche.

La vérité éclatait au grand jour. *Grâce à l'observation patiente, à l'accumulation méticuleuse de détails et à une soif inextinguible de vérité, vous comprendrez tout.* Exactement ce qu'avait prévu Honor Tait. Il se trouvait là, sous les yeux, le plus incongru des couples. Ils continuèrent à se parler intensément, puis, soudain, comme s'ils avaient deviné qu'ils étaient épiés, ils se séparèrent. La vieille dame se dirigea vers Oxford Circus et le jeune homme prit la direction opposée.

Tamara eut un moment d'affolement. Il fallait qu'elle laisse l'un des deux filer. Mais lequel ? Mais oui, bien sûr. C'était lui qu'elle devait suivre. Elle avait besoin de savoir qui il était, où il habitait. Ce qu'il faisait dans la vie, elle en avait déjà une bonne idée. Il fallait qu'elle trouve un moyen de lui parler. Sans lui, pas de papier. Honor Tait pouvait attendre. Elle lui emboîta le pas jusqu'à Marylebone High Street, où il grimpa dans un taxi. Cette fois, aucun autre taxi n'était libre. Elle se maudit en regardant la voiture s'éloigner. Maintenant le personnage clé de son histoire lui avait échappé. L'enveloppe qu'Honor Tait lui avait glissée au déjeuner était peut-être un dernier versement, une indemnité de licenciement, et ni l'une ni l'autre ne le reverrait jamais plus.

\*

\* \*

Honor poussa la porte. Le soulagement qu'elle éprouva à la pensée qu'elle était de retour chez elle fut de courte durée. L'appartement était obscur et froid, plus tombeau que sanctuaire. Elle accrocha son manteau à la patère sur le battant de la porte d'entrée et se dirigea droit vers la cuisine pour se verser à boire. Elle commençait à avoir mal – la douleur physique ayant été occultée jusqu'ici par une douleur d'une autre nature. Jamais elle n'arriverait à trouver le sommeil. Elle qui n'avait déjà pas fermé l'œil du week-end. Quand elle était sortie du cabinet du Dr Bose, mortifiée dans son âme et dans sa chair après un petit somme à la suite de l'anesthésie locale, elle n'avait aspiré qu'à s'allonger dans le noir. Pourtant elle avait dû endurer ce déjeuner, à côté duquel une coloscopie était une partie de plaisir.

Tout à la fois un désir et une crainte. L'amour – sous sa forme la plus violente et la plus destructrice – pouvait ressembler à cela. Accoucher aussi, sans doute. Pour un correspondant qui a échoué dans une région reculée du monde, une escarmouche locale qui se transforme en conflit international est une aubaine dont il tire une joie coupable. Plus il y a de morts, plus le scoop est gros, et la gloire retentissante. Et son propre rendez-vous avec la mort ? Tu pourrais aussi la rechercher, la paix infinie, tout en redoutant les moments de terreur qui, tu le sais, la précéderont.

Ce restaurant, elle l'avait trouvé tape-à-l'œil et inconfortable. Mais, très vite, le cadre avait disparu, les gens, le brouhaha du service et des conversations. Elle n'avait vu et entendu que lui. Son visage, quoique gagné par un fin réseau de rides, était encore très beau. Il avait toujours ses boucles, même si ses tempes commençaient à grisonner. Elle s'était interdit de le toucher, de repousser les cheveux sur son front.

Il était en forme. Un peu plus maigre, peut-être, plus buriné. Plus viril. Il n'avait rien de renfermé ni de déprimé, comme elle l'avait craint. Au contraire, il abordait la quarantaine avec panache. Et elle, qu'est-ce qu'elle devenait, là-dedans ? Vers quoi s'acheminait-elle ?

« Réglons d'abord nos petites affaires. »

Les premiers mots qu'il lui avait adressés. Sa voix, au timbre riche et velouté avait-elle acquise une nuance démoniaque ? Jamais il ne parviendrait à dissimuler l'accent aristocratique, si mal vu de nos jours, peaufiné sur les bancs des écoles les plus onéreuses du pays. Car on ne peut pas renier sa caste ; il garderait pour toujours sur les épaules l'épitoge d'hermine.

Elle avait commandé de la soupe – c'était agréable de parler italien, même pour dire trois mots – afin de lui tenir compagnie pendant qu'il mangeait sa platée de pâtes. Et alors que, comme toujours, il ne cessait de se plaindre, elle s'était surprise à regretter de ne pas se trouver avec lui sous un beau ciel bleu italien, sur la terrasse d'un restaurant dans un joli petit port.

Les ténèbres de l'appartement ne contribuaient pas à lui égayer l'esprit. Elle se mit à la fenêtre et regarda en contrebas le bout de jardin pelé où un voisin, un haut fonctionnaire à la retraite, détournait la tête, le bras tendu dans le prolongement de la laisse sur laquelle un terrier tirait pour s'accroupir dans un buisson d'ellébore. Brusquement, contre toute attente, s'éleva un chant d'oiseau sonore. Les branchages dépouillés de leurs feuilles n'abritaient en général que des pigeons asthmatiques – des sans-domicile miteux qui, s'ils le pouvaient, feraient la manche sur les trottoirs –, mais, en l'occurrence, il s'agissait d'oiseaux chanteurs. Que venaient-ils faire ici, alors qu'ils pourraient être en train de nicher dans les chênes du Tarn, ou les bois de châtaigniers du mont Falterona, ou même parmi les hêtres fantomatiques de l'Ettersberg ? Le printemps était encore loin. Étaient-ils – ces merles ? ces grives ? – des amoureux appelant leurs bien-aimées ou avertissant leurs rivaux ?

C'était étrange qu'elle ait échoué ici, dans la grisaille de Londres. Car il s'agissait bien d'un naufrage. Elle aurait pu choisir Rome. Ou Paris. Ou New York. Bizarrement, c'était dans le Berlin de l'après-guerre qu'elle avait été le plus heureuse, installée dans le confort festif, incongru après les privations de la guerre, d'une villa réquisitionnée, au bord d'un lac, pourvue d'un cellier plein de bonnes bouteilles et d'une cuisinière allemande. Elle partageait la villa avec deux Américains, qui l'avaient présentée à la jeune et brillante traductrice Loïs Meyer. La compétition et les intrigues au sein du microcosme journalistique n'étaient qu'une innocente réplique du jeu auquel se livraient les grandes puissances à une échelle bien plus importante et plus dangereuse.

Elle alluma l'électricité. Le portrait de Tad apparut soudain sur le guéridon en palissandre. « Malgré la grisaille, avait-il un jour déclaré, Londres est plus accueillant pour les vieux, surtout pour les dames, que New York ou Paris. »

Ce n'était pas totalement faux, mais, sur le moment, elle s'était rebiffée contre l'idée d'appartenir dans un avenir plus ou moins proche à cette catégorie de la population. Depuis, elle avait vu des femmes riches de sa génération à Paris et à New York qui vivaient seules (ou parfois avec un horrible petit chien), habillées comme des femmes ayant vingt ans de moins, le cheveu frisé ou portant perruque, aussi lisses que des poupées en plastique. Leurs traits, tendus par de multiples interventions de chirurgie esthétique, faisaient penser au *Cri*, le tableau de Munch, ou à des têtes de mort en robe de designer. Peut-être les chirurgiens étaient-ils plus compétents à Londres. Qu'importait ? S'il avait été choqué par son délabrement tout à l'heure, il ne l'avait pas montré. Beaucoup de mots pour ne pas dire grand-chose.

Assez. Le grand âge était une contre-utopie ; il n'avait rien de communautaire, ce n'était pas une expérience que l'on partageait avec d'autres. C'était un enfer qui vous était propre, programmé spécialement pour vous. À Londres ou à Limavady, à Paris ou à Poughkeepsie, déjà vos soixante et vos soixante-dix ans n'avaient pas été folichons, mais au-delà, vous étiez prise comme une guêpe dans une bouteille ; seule, folle de rage, pour vous le monde était réduit à un tourbillon de couleurs et à un bruit lointain.

*Buchenwald, le 14 avril 1945. La libération, jour 4. J'observai les rescapés du camp, toujours dans leurs costumes de détenus, qui s'alignaient autour de la souche déchiquetée du chêne de Goethe afin de célébrer leur liberté et pleurer leurs camarades de captivité qui n'avaient pas survécu à la brutalité du régime. Nombreux étaient ceux qui pleuraient en silence, et certains de leurs libérateurs, les soldats*

*de la 3ᵉ armée américaine qui avaient été témoins*
*de la barbarie nazie, pleuraient avec eux.*
*J'ai quitté le camp afin de mieux rassembler mes*
*pensées et j'ai marché seule dans les bois au-delà*
*de la clôture...*

## 14

LES CÉLÉBRITÉS ET LA CELLULITE, TEL ÉTAIT LE THÈME. Tamara passa une matinée tranquille à piocher dans le magot de clichés glamour de la photothèque ; des images volées à des top models, des actrices et des chanteuses, entre autres deux Spice Girls, Lucy Hartson, Liselotte Selsby et Pernilla Perssen, les unes et les autres en jupe courte ou maillot de bain, qui, lorsqu'on y regardait de plus près, révélaient sur les cuisses et les fesses la présence de peau gélatineuse peu ragoûtante. Les photos de Liselotte devaient obligatoirement être retouchées à cause de ses liens avec le *Monitor* mais, même sans elle, il y avait dans le lot assez de chair flasque pour remplir une double page. Alors que Tamara montrait le résultat de sa matinée de travail à Simon, Tania passa près d'eux et jeta un regard à la maquette colorée au titre accrocheur : *LA CELLULITE CACHÉE DES STARS : ELLES NE SONT PAS ÉPARGNÉES PAR LA PEAU D'ORANGE !* Tania poussa un grognement et s'éloigna.

« On s'amuse, Tania ! » lança Simon.

Et, quand elle fut hors de portée de voix, il marmonna dans sa barbe :

« Peste.

— En fait, c'est pas seulement amusant, lui fit observer Tamara. Cela a des connotations sociales profondes.

— Ah ouais ? Tu peux m'en dire un peu plus, s'il te plaît ?

— Je te parle sérieusement. En montrant que même les stars les plus glamour, sans Photoshop, ont des défauts, on rassure les femmes ordinaires. Ça impose un nivellement entre nous toutes, un peu comme le communisme.

— Hum. On dirait que t'as passé trop de temps avec les potes d'Honor Tait. Au fait, comment ça va, de ce côté-là ?

— Pas trop mal. Pas mal du tout.

— Tu me raconteras ça au déjeuner ? »

Une heure plus tard, à leur table du Bubbles, Tamara brossa un tableau succinct du meeting des Kids' Crusaders de la semaine précédente et décrivit à Simon l'énigmatique personnage du fond de la salle.

Simon était perplexe.

« Tu ne m'as pas déjà raconté cette histoire de meeting ?

— Oui, mais j'avais oublié de te parler de ce type incroyablement beau qui est arrivé à la dernière minute.

— OK, dit Simon en prenant son bipeur. Il t'a tapé dans l'œil, hein ? Et après ça il s'est tiré ? Dommage pour toi, une mauvaise soirée, en plus. Mais je ne vois pas le rapport avec Honor Tait.

— Attends... »

Tamara, trop excitée pour manger, s'agrippa à la table pour lui raconter en détail la scène du restaurant. Simon ne l'interrompit pas, même quand son portable sonna. Sans la quitter des yeux, il coupa l'appareil, posa son panini et prit son verre.

« La vieille hypocrite ! s'exclama-t-il. Elle a déjà un pied dans la tombe et elle les prend au berceau, elle se paie des gigolos. Quelle histoire ! Pornographie et culture, cocktail génial. »

Dans la lumière tamisée imitation éclairage à la chandelle, Tamara flottait sur un nuage. Simon fit signe au serveur d'apporter une seconde bouteille pour fêter ça, détourna la conversation, embraya sur Serena (de nouveau dans la course) et répondit à l'appel de Jan (un problème de décoration de table). Pendant tout ce temps, elle l'écouta en souriant. Elle ne s'était pas sentie aussi bien depuis des semaines.

Ils retournèrent au bureau de bonne humeur en titubant légèrement. Elle se mit en tête de se constituer une réserve de top 10 dans laquelle elle pourrait piocher en cas d'urgence. Elle nota quelques idées – fashion faux pas, bébés laids, crêpages de chignon – et pilla la photothèque. Une opération plutôt distrayante mais, quand elle tenta de collationner le tout, elle trouva le résultat étrangement lourd et ennuyeux.

Au bout d'un moment, les effets du vin se dissipant, les choses se gâtèrent. Ses boyaux se révoltaient et elle avait mal à la tête. Elle rêvait de s'allonger. Soudain, Simon surgit dans son dos.

« Encore un truc, Tam. Vendredi en huit, c'est la Saint-Valentin. »

Ah, ça, c'était cruel, surtout de la part de Simon, qui serait obligé de tirer à la courte paille pour savoir avec qui il la fêterait. Son premier réflexe fut de se hérisser, puis elle comprit qu'il parlait boulot.

« On devrait faire un petit quelque chose sur l'amour, dans notre numéro de samedi, dit-il.

— Bien sûr. "La plus belle pelle", ça irait ? »

Elle brassa un tas de photos de couples qui s'embrassaient sur la bouche. Surprenantes, les variantes infinies de ce simple geste, qui paraissait tout à coup peu hygiénique. Elle bâilla et jeta un coup d'œil sous son bureau. Quelqu'un s'en apercevrait-il, si elle se couchait pour dormir une demi-heure ? Deux pochettes bulle lui feraient un bon oreiller. Quinze minutes suffiraient. Mais Courtney lui jeta un regard noir et Tania rôdait dans le coin, guettant les fautes de goût.

Le départ de Courtney à 18 heures était en principe le signal qu'attendait Tamara pour mettre sa veste et prendre le chemin de la sortie, avec une brève halte parfois au Bubbles avant de rentrer chez elle. Ce soir, tout ce qu'elle voulait, c'était s'allonger avec une compresse froide sur le front et une bassine à son chevet. Au lieu de quoi, elle récoltait une nouvelle soirée de dur labeur. La vérité était une patronne exigeante, et l'éventualité de revoir le joujou d'Honor Tait un stimulant irrésistible.

Le vernissage battait son plein quand elle arriva à la galerie Rodel, nichée au fond d'une impasse tranquille donnant sur Old Compton Street. Les gens étaient agglutinés derrière la vitrine et, de la rue, on pouvait croire que c'étaient eux, plutôt que les peintures, qui étaient à vendre. Jusqu'où étiez-vous prêt à monter pour ce lot ? Une grosse dame en imprimé coloré style ethnique et dont les boucles d'oreilles se balançaient comme des lustres contre ses mâchoires dépassait de la tête et des épaules un petit bonhomme aux yeux cernés de noir qui avait l'air de se recroqueviller dans le coin tel un ouistiti. Embusqué près d'un dessin encadré représentant deux écoliers débraillés s'administrant mutuellement de joyeux coups de canne sur les fesses, un débauché sur le retour en costume de velours et béret – un artiste, quoi d'autre ? – roulait pensivement le pied de son verre de vin entre ses doigts. Il écoutait en hochant la tête un vieux boucanier avec un bandeau sur l'œil qui faisait de grands gestes avec des mains tachées d'encre. Un autre artiste. Ou un critique. Il ne devait y avoir que ça.

En se frayant un chemin dans la foule, assourdie par le brouhaha, Tamara eut soudain la tête qui lui tourna à la pensée qu'autant de prétention au mètre carré se pressait dans un espace aussi confiné. Suivant son intuition, et parce qu'elle avait très soif, elle parvint à percer le blocus devant le buffet, une petite table derrière laquelle un jeune homme exténué servait du vin. Elle prit un verre de blanc, l'avala d'un trait et se le fit remplir avant d'affronter de nouveau la cohue.

Les vieilles dames avaient beau être représentées en force ce soir, ainsi que les vieux messieurs libidineux – une main baladeuse, elle en était sûre, lui avait caressé les fesses au passage –, Honor Tait n'était en vue nulle part. Tamara reconnut l'artiste peintre Inigo Wint, qui gesticulait, le visage rouge, assailli au milieu de la galerie par ses admirateurs. Le poète écossais était là lui aussi et tenait la jambe à un type dont les lunettes avaient une monture si épaisse qu'on l'aurait pris pour un soudeur appelé pour une réparation urgente. Un groupe de jeunes filles en petite robe moulante, sans doute là pour la décoration, pouffaient dans un coin comme une bande de collégiennes à la boum de l'école. Et dans tout cela, pas l'ombre du ténébreux gigolo. La déception de Tamara n'était pas seulement d'ordre professionnel.

Elle fit lentement le tour de la pièce en rasant les murs, profitant de l'espèce de cordon sanitaire qui semblait protéger les tableaux. Tout le monde paraissait les éviter, à croire qu'il était mal élevé de s'y intéresser. Tamara les examina de près : toujours les mêmes dessins colorés représentant des écoliers faisant des choses inconcevables – fellations, joints, bondage... Un bon sujet ? Au temps où elle travaillait dans un quotidien, elle avait décroché une première page pour son article sur un journal estudiantin, l'habituel salmigondis de dessins humoristiques puérils et de blagues obscènes, qui se vendait lors de journées de vente caritative et était financé par les publicités des magasins et entreprises du quartier. Une semaine pauvre en nouvelles, elle s'était donné le mal de téléphoner à ces sponsors. Elle avait eu le nez de parier qu'aucun d'eux – tous des membres honorables de la chambre de commerce locale – n'avait même ouvert la feuille de chou en question.

« Ah, Mr Higgins, pourriez-vous nous dire ce que vous pensez, en tant que "boucher de la grand-rue depuis les années x", de la bestialité ?... Les rapports sexuels entre humains et animaux ?... Vous êtes contre ?... Autant que ça ?... Je me demande alors ce qui a pu motiver votre décision de placer un encart page 16, en face de la blague sur l'éleveur de moutons solitaire et son aimable troupeau. »

Les sponsors s'étaient désistés, le journal avait coulé et les étudiants avaient été renvoyés provisoirement à leurs études. Quant à l'article de Tamara, il avait fait quelques vagues, allant jusqu'à donner lieu à un bon mot de Chris Evans dans son show télévisé « The Big Breakfast ».

De même elle pourrait, si elle avait le temps, trouver les sponsors, actuels et passés, de la galerie Rodel (il y avait toujours des fondations d'entreprise derrière les expositions, même si c'était le traiteur qui fournissait l'alcool gratis) et leur demander s'ils soutenaient l'usage du cannabis, du bondage et des relations sexuelles entre mineurs. Le *Mail* achèterait tout de suite. Cette perspective lui donnant du peps, elle fit un grand signe au jeune préposé au vin.

Une brusque augmentation de décibels et une certaine agitation du côté de l'entrée signalèrent à Tamara l'arrivée de Ruth Lavenham avec, sur ses talons, Honor Tait au bras de Paul Tucker. Les gens s'écartèrent avec respect pour les laisser passer. En jouant des coudes, Tamara s'avança à la rencontre de Tait. Inigo Wint se plia en deux devant la grande dame, à croire que c'était elle, l'artiste exposée. Ils furent rcjoints par le poète et par la sinistre héritière

303

Twisk. Tandis que Tamara se rapprochait d'eux, elle fut étonnée de voir Tania Singh prendre la même direction qu'elle, une femme requin moulée dans de la soie. Que voulait-elle, celle-là ? Était-elle venue ici dans le but de manœuvrer ? Elle ignora Tamara et piqua droit sur Inigo Wint, le félicitant d'une voix forte et qualifiant l'exposition de « révolutionnaire ». Puis elle opéra ce qui, aux échecs, était qualifié de coup de maître et fondit sur Honor Tait, barrant le passage à Tamara. Celle-ci allait être obligée d'attendre son tour.

Une adolescente avec des nattes et un appareil dentaire se faufilait entre les groupes en présentant un plateau de canapés. Les invités observaient ce qu'on leur offrait – une pâte grisâtre surmontée de fines lamelles d'olives vertes sur des toasts, de l'œuf dur écrasé avec du persil servi dans des coupelles, des pointes d'asperge en érection sur des rondelles de saucisse – comme s'il s'agissait d'œuvres d'art soumises à leur expertise, sans pour autant interrompre leurs conversations.

Tania en avait terminé avec Honor Tait et s'employait à présent à flatter le poète. Mais le petit visage de Tait était toujours levé pour mieux recevoir les baisers, tandis que sa main droite faisait des gestes de bénédiction. Tamara prit distraitement un canapé sur le plateau. Au moment où elle s'apprêtait à mordre dans l'appétissant losange, l'odeur de la pâte d'anchois lui souleva le cœur. Elle recracha, aussi discrètement que possible, la bouchée dans sa main et y fourra en plus le bout de canapé qui lui restait. Trop tard. Elle sentit monter dans son œsophage un gargouillis qui menaçait de se transformer en geyser. Deux pensées lui vinrent à l'esprit : comment se débarrasser de l'horrible purée et, surtout, comment sortir de la galerie sans se couvrir de honte ?

Un bon Samaritain pourvu sans doute d'un sixième sens lui tendit alors sa main. Tamara y déposa la purée d'anchois avant de se ruer dehors.

Pendant qu'elle vomissait dans la rue, elle distingua une silhouette debout dans l'ombre non loin de l'entrée de la galerie. Le compagnon d'Honor Tait au restaurant. Il regardait à l'intérieur par la baie vitrée. Si seulement Tamara ne s'était pas sentie aussi mal, cela aurait été le moment parfait. Elle aurait pu l'aborder, l'inviter à prendre un verre dans un bar à vin et avoir avec lui une longue conversation, bénéfique pour tous les deux, autour d'une ou deux bouteilles de champagne (en note de frais). Soudain, il se retourna et se dirigea vers elle. Une chance à saisir à tout prix. Hélas, la nausée ne l'avait pas quittée. Elle se plia de nouveau en deux et vomit bruyamment tandis qu'il passait devant elle pour rejoindre la foule nocturne d'Old Compton Street.

C'est alors qu'elle entendit le bruit de talons hauts claquant sur le pavé. S'essuyant la bouche avec sa manche, elle s'aperçut avec stupéfaction que l'élégante en tailleur qui faisait son entrée dans la galerie n'était autre que Lyra Moore. Avait-elle reconnu Tamara ? Ce n'était pas le bon moment pour retourner à l'intérieur et interroger la rédactrice de *S*nday* sur la manière dont elle voulait qu'elle traite son sujet. Vomir dans le caniveau n'était pas un préambule favorable à une discussion avec une patronne en puissance. Tamara se demanda s'il ne serait pas judicieux de s'inventer une grossesse comme excuse. Seulement quand on était enceinte, se rappela-t-elle, on n'était malade que le matin !

Un retour à la galerie était exclu et son gibier, le gigolo d'Honor Tait, lui avait encore échappé. Au moins la nausée avait disparu, mais alors qu'elle tournait le coin d'Old Compton Street, une pensée la jeta de nouveau dans la consternation. Bien sûr ! La main tendue ! Pendant les quinze dernières minutes, elle avait perçu le monde autour d'elle sur le mode hallucinatoire. Maintenant qu'elle se sentait mieux, les choses reprenaient leur place et se révélaient encore pires que ce qu'elle pensait. La main du bon Samaritain était ridée, veineuse, ses articulations gonflées et noueuses. C'était la main d'une vieille femme. Honor Tait avait offert sa paume à Tamara. Honor Tait, embrassée et choyée par ses groupies, avait tendu une main magnanime à la personne suivante. Tamara était censée la lui serrer, et non pas y déposer une bouillie de pain et de pâte d'anchois.

*
* *

En fin de compte, comme l'avait prévu Honor, cela n'avait été qu'une soirée futile de plus. La galerie était bondée et elle avait été bousculée par les lèche-bottes. Se retrouver de nouveau, si longtemps après, un objet de curiosité et d'affection suscitait chez elle un sentiment qui n'avait plus rien d'ambivalent. Le grand âge la nimbait d'une aura de sainteté. Elle ris-

quait de devenir, selon le mot d'Inigo après le
« South Bank Show » et une proposition – rejetée –
des producteurs de « Desert Island Discs[1] », un tré-
sor national. Et cela ne lui plaisait pas du tout. À la
galerie, une petite Asiatique lui avait tenu la jambe en
lui exposant par le menu son analyse de *Dépêches*,
puis, quand elle s'était enfin débarrassée de ce pot de
colle et s'apprêtait à serrer une autre main, soudain
on avait rempli la sienne d'une pâte grisâtre nauséabonde. Celle qui lui avait présenté cette offrande
répugnante, qu'Honor n'avait reconnue qu'au moment
où elle avait quitté la galerie en toute hâte, était la
jeune femme qui l'avait interviewée pour le *Monitor*
puis s'était invitée à son dîner. Était-ce une blague ?
La véritable mission de Tara Sim était-elle non pas de
faire son portrait mais de l'insulter ?

Honor, qui avait insisté pour partir immédiatement, avait été ensuite obligée de supporter un repas
morose entre Inigo, gonflé à l'hélium de la vanité, et
Aidan, qui mitraillait ce dernier de remarques caus-
tiques. Ruth n'était pas parvenue à retenir Paul au-
delà de l'entrée : il avait un papier à envoyer de toute
urgence. Alors qu'il repoussait sa chaise et se levait
pour sauter dans le taxi qui l'attendait, Honor aurait
donné cher pour être celle qui fuyait cette table – les
verres à vin sales, les reliefs éparpillés sur les assiettes,
la ronde des visages fatigués, les bavardages sans
intérêt – et qui se dépêchait d'aller livrer son récit de
graves événements, guerres, famines, catastrophes.

---

1. Émission de la BBC Radio 4 où les célébrités invitées disent (entre
autres) quels disques elles emporteraient sur une île déserte.

Elle se versa du vin. Elle n'était pas tout à fait finie. Personne ne le lui réclamait à grands cris, mais elle avait encore un papier à envoyer.

*Buchenwald, le 14 avril 1945. La libération, jour 4. Alors que je contournais la clôture du camp, un bruit dans le sous-bois attira mon attention. Je l'entendis avant de le voir.*

## 15

PERNILLA PERSSEN S'ÉTAIT REMISE À BOIRE. Elle venait d'être photographiée aux petites heures en train de vomir devant une boîte de nuit du West End, les cheveux dans la figure, levant un regard perplexe vers l'objectif. Le thème du top 10 de la semaine était par conséquent tout trouvé : « De cure en rechute – le top 10 des épaves. » Caleb Hawkins, le footballeur récemment suspendu, et Tod Maloney figureraient tous les deux en bonne place. Tamara avait tout juste le temps de passer un rapide coup de fil à Ruth Lavenham avant le retour de Simon de la conférence de rédaction. Avec un peu de chance, personne ne l'aurait reconnue dans la cohue du vernissage, mais, dans le cas contraire, il fallait qu'elle présente ses excuses avant que l'on aille se plaindre d'elle à Lyra Moore ou à Austin Wedderburn.

Le répondeur de l'éditrice se déclencha dès la première sonnerie.

« Tu as pris tes plus belles fringues pour les Awards[1], ce soir ? » lui lança Simon en entrant dans le bureau.

---

1. Press Awards.

Courtney fronça les sourcils.

« Et comment », répondit Tamara.

Ils quittèrent le bureau de bonne heure. Courtney avait réservé en râlant une flotte de taxis pour acheminer les convives depuis le sous-sol jusqu'au lieu où devait se dérouler l'événement. Tamara avait l'impression de bénéficier d'un shoot de valium, installée dans ce taxi dans sa robe à dos nu rouge écarlate, ayant laissé derrière elle les déconvenues de la veille au soir, savourant les plaisirs à venir et écoutant d'une oreille, sans piper mot, le synopsis du dernier épisode du feuilleton de Simon. Lucinda ne faisait plus partie de sa vie et Simon commençait à en avoir assez de Serena, qui se montrait trop exigeante à propos des fêtes, des appartements et du divorce. Elle était adorable, certes, mais la petite étincelle s'était éteinte. Davina, toutefois, était une pure merveille. Avait-il parlé à Tamara de Davina ? La blonde qui jouait au polo et bossait aux relations publiques de la section cuisine. Il l'avait rencontrée la semaine dernière à une démonstration culinaire à la foire au *porc pie* de la Thames Valley.

« C'est quelque chose, Davina, dit-il en hochant la tête, enchanté de ne pas pouvoir trouver de qualificatif assez sublime pour la décrire. Ravissante. Et pas bégueule avec ça. Elle est géniale. En plus, on a plein de trucs en commun. J'ai jamais autant ri avec personne. En plus, elle est pleine aux as.

— Super. »

Il hocha de nouveau la tête et siffla doucement.

« Incroyable. Je te dis pas. La femme parfaite. »

Son téléphone sonna au même instant. Il écarquilla les yeux et, se tournant vers Tamara, il montra son portable du doigt.

« C'est elle », articula-t-il sans le son, comme si Davina pouvait l'entendre avant qu'il ait décroché.

« Vas-y », murmura Tamara.

Écouter vaguement Simon parler à quelqu'un d'autre était encore plus reposant que de l'écouter vaguement lui parler de sa vie sentimentale. Elle ne fit même pas l'effort d'approuver de la tête et de sourire.

*
* *

Cela faisait vingt ans qu'Honor n'avait pas assisté à l'un de ces événements. La dernière fois, on lui avait décerné un prix « pour l'œuvre de toute une vie » – la sculpture en cuivre d'un carnet et d'un crayon qui faisait penser à un cadran solaire tordu peint par Dalí ce vieux charlatan. Était-il indécent, macabre même, de refaire une apparition à ces Press Awards, même si c'était en qualité de figurante muette accompagnant Bobby ? Elle devait être la plus vieille personne dans la salle et se sentait désarçonnée par les coups d'œil de gens qui avaient l'air de la reconnaître et les sourires respectueux qui fleurissaient sur leur passage tandis qu'ils entraient dans le Belvedere Park Hotel.

La cérémonie se tenait dans la salle de bal, une arène impersonnelle ornée de grands miroirs fumés et éclairée par des lustres contemporains semblables à des cascades de glaçons effilés. Soixante tables rondes étaient disposées autour de l'estrade tel un mandala scintillant – les couverts en argent, les verres étincelants, les bouteilles. Peu à peu, elles se remplissaient, de journalistes, de cadres, les femmes se pavanant dans des robes en taffetas et en soie comme si elles assistaient à une première à Glynedbourne, les hommes roulant des mécaniques dans leurs smokings.

L'évêque de Limehouse, dans une soutane pourpre qui ressemblait étrangement à la robe que portait la responsable du courrier du cœur de *Sphere*, se leva pour dire le bénédicité et Honor observa avec quelle dévotion les athées, les blasphémateurs et autres pauvres pécheurs baissaient le front pour rendre grâce à la vérité et à l'intégrité, et remercier pour le repas qu'ils allaient consommer.

Un repas infect, servi par des immigrés clandestins nerveux habillés en valet et en femme de chambre. Quant au vin, c'était de la piquette, et il coulait à flots. À la table de Bobby, on était relativement sobre, mais le service eut du mal à fournir à la demande de bouteilles ailleurs, alors que la soirée battait son plein. Honor, poussant sur le côté de l'assiette de minuscules paquets de saumon fumé, se demanda si sa présence émérite n'inhibait pas quelque peu les collègues de Bobby.

Autour d'eux fusaient des félicitations et des insultes, selon que l'on s'adressait à ses amis ou à ses ennemis, tandis que les visages devenaient rubiconds, les nœuds de cravate se desserraient et les stilettos se balançaient au bout des pieds de ces dames. Impossible de distinguer les tabloïds des quotidiens sages.

Bobby, assis du côté de la bonne oreille d'Honor, faisait des commentaires sur leur entourage en criant pour se faire entendre malgré le vacarme. Ce freluquet qui braillait là-bas, ancien d'Harrow School sorti premier à Cambridge, avait soutenu une thèse sur la littérature gaélique et travaillait comme éditorialiste au *Daily Mirror*, où il faisait la pluie et le beau temps. Le gros skinhead avec un diamant à l'oreille, un type sorti de rien qui avait fait ses études dans sa banlieue de Dagenham – on racontait qu'il avait bossé dans la marine marchande avant de devenir journaliste –, eh bien, c'était un super secrétaire de rédaction, responsable de l'édition de la liste des engagements et des rendez-vous de la famille royale du *Times*. Une femme renfrognée, vêtue toute de noir et de gris comme une avocate, qui faisait tourner un verre d'eau minérale entre ses paumes et consultait de temps à autre sa montre d'un air contrarié, rappelait à Honor Margaret Thatcher jeune, avec son casque de cheveux laqués. Eh bien, cette jeune femme, ancienne élève du Cheltenham Ladie's College, avait fait des études d'économie à Oxford et occupait à présent le poste de chef de rédaction au *Guardian*, dont elle menait à la baguette la section politique étrangère.

Le volume sonore baissa un instant pour faire place à une salve d'applaudissements qui salua l'arrivée sur l'estrade du maître de cérémonie. Un petit rondouillard à l'accent des Midlands et au rire emphysémateux.

« Jimmy Whipple, expliqua Bobby à Honor. Un comédien de la télé. Il a été nommé acteur de l'année par le *Guardian*. »

D'une gaieté forcenée, celui-ci s'exprima d'un ton badin et railleur taillé sur mesure pour l'assistance. Il avait été bien briefé et la salle manifesta une complicité bruyante quand il fit allusion au coup d'État à la rubrique sports du *Monitor*, à la bagarre au desk du *Courier* et au scandale des fausses notes de frais d'un rédacteur en chef non nommé de la section people d'un journal non nommé pour des séances hebdomadaires dans un salon de massage de Mile End.

« Non, mais soyons sérieux » lui servait de phrase de transition et, chaque fois qu'il la prononçait, un éclat de rire général et incompréhensible s'emparait de la salle. Bobby désigna du doigt la table du *Monitor* où, comme une vieille fille aux lupercales, Austin Wedderburn, lugubre, présidait l'assemblée de ses trublions.

Des bravos et des sifflets accueillirent l'apparition de quatre jeunes vamps en minirobe noire et bas résille, qui rejoignirent Whipple sur l'estrade. Honor supposa qu'elles avaient été conviées pour distribuer les prix au titre de ravissantes potiches, puis elle se ravisa quand elle vit les instruments. Elles formaient un quatuor à cordes, récent vainqueur d'un concours télévisé. Il fallait saluer l'intelligence de la chose : Haydn interprété par des mannequins de la « page 3 » des tabloïds. La salle devint silencieuse et les musiciennes se tirèrent convenablement du premier mouvement du *Quatuor op. 33 n°1*. S'ensuivirent des applaudissements. Whipple soupira en disant : « Dans ma prochaine vie, je veux renaître violoncelle. »

Le repas se termina par des puddings cubiques colorés et gélatineux qui ressemblaient à des Mondrian miniatures sur un lit de sauce rouge, des demi-tasses de café et une distribution de chocolats mentholés. Certaines tables s'impatientaient et réclamaient à grands cris des digestifs. Whipple, s'écartant de son script, apostropha les hommes les plus bruyants.

« Non, mais soyons sérieux. Allez donc. Vous avez l'organe vocal plus développé que l'autre. Je l'ai vu de mes propres yeux pas plus tard que tout à l'heure dans les toilettes messieurs. Faut pas compter sur la microtechnologie. »

Plusieurs journalistes, dont l'éditorialiste du *Mirror*, tapèrent des pieds et sifflèrent. L'heure de la remise des prix avait sonné.

Honor s'attendait à ce que des encouragements s'échangent d'une table à l'autre dans des manifestations de puérile solidarité à mesure que les lauréats étaient annoncés et montaient sur le podium pour recevoir leur trophée – au titre du meilleur scoop, du meilleur journaliste people, du meilleur journaliste sport, etc. Vingt ans plus tôt, il y avait eu un aimable chahut quand on avait appelé son nom, mais, dès qu'elle était montée pour recevoir son prix, tout le monde s'était tu. Aussi fut-elle surprise par le degré d'hostilité qui se manifestait dans la salle. Les discours de remerciement eurent beau être hurlés, ils étaient inaudibles au milieu des « bouh » et des sifflets. Certains lauréats, de tempérament plus belliqueux, donnèrent des coups de poing en l'air ou défièrent leurs rivaux en faisant le signe de la victoire avec les deux doigts.

Bobby, qui trouvait la soirée bien plus divertissante que les dîners en ville et les lancements de recueils de poésie dont il était coutumier, remarqua la stupéfaction d'Honor.

« Cocaïne », lui dit-il en chuchotant.

*
* *

Assise à vingt-deux tables de là, dans le fond de la salle, près de la double porte battante des cuisines, Tamara Sim, le coude sur la table, jouait avec son verre de vin. La soirée ne se déroulait pas comme elle l'aurait voulu. Les plats étaient insipides et ils avaient été obligés de supporter un morceau de musique classique pompeuse jouée par des écolières « gothiques ». Un peu plus tôt, elle avait repéré Tim dans le hall en compagnie d'une nymphette anorexique. Elle était sûre qu'il avait foncé dans les toilettes hommes pour l'éviter. À présent, elle s'efforçait d'avoir l'air passionnée par ce que lui racontait Alistair Porter, le responsable du service photo de *Psst !*, qui avait décidément une tête de fouine. Il était en train de lui décrire le dernier outrage de l'administration.

« Tu comprends, nos finances sont déjà hyperserrées et une fois que Jamal sera parti… »

Tamara lui présenta un froncement de sourcils compatissant au-dessus de son merlot – au moins le vin n'était pas mauvais, et ils en servaient à gogo. En son for intérieur, elle maudit Simon. Pourquoi l'avait-il placée à côté de ce type sans humour ? De l'autre côté, se trouvait Tania, dont le dos brun était visible à travers une échancrure de sa robe en soie vert pâle. Elle faisait la leçon à Simon sur les mérites relatifs de plusieurs moteurs de recherche, sur les « effets de serre » et la situation politique au Kosovo. Et lui, le traître, paraissait boire ses paroles.

Les gens qui avaient du pouvoir étaient tous à la table principale du *Monitor*, à une cinquantaine de mètres. Tamara les avait repérés en allant aux toilettes avant le pudding. Le directeur des ventes et du marketing, Erik Havergal, faisait des confidences à Lyra Moore, très élégante en bleu marine. Johnny Malkinson, qui, en ceinture de costume fuchsia, nœud papillon assorti et queue-de-pie grise, testait un spécial mode sur le « nouveau classicisme », haranguait avec de grands gestes le manager, qui contemplait avec consternation son assiette à laquelle il n'avait pas touché. Austin Wedderburn écoutait semble-t-il avec intérêt l'actionnaire majoritaire de son journal, un milliardaire au visage grêlé originaire de Vilnius qui possédait plusieurs équipes de foot au sein de l'Isthmian League. C'était là que se trouvaient ceux qui pouvaient faire votre carrière et, elle, elle avait été reléguée tout au fond, là où les carrières se défaisaient au contraire, et elle devait supporter les jérémiades du minable Alistair Porter.

Tout en parlant, il buvait goulûment.

« Tu vois, ils n'ont pas le droit de me priver de ma place de stationnement... »

Continuant à l'écouter d'une oreille distraite, Tamara se dit qu'elle aurait peut-être l'occasion d'enrichir son réseau social plus tard au bar. Le niveau sonore grimpait de nouveau. Une fanfare de trompettes : un enregistrement. Sur son estrade, Jimmy Whipple s'écria : « Non, soyons sérieux, voici le moment que vous attendez tous... »

Tamara en profita pour se détourner d'Alistair.

Un peu partout dans la salle, les hommes – et quelques femmes – se mirent à taper des pieds et à siffler les toutes petites silhouettes sur le lointain podium. L'hercule du nord de l'Angleterre aux joues écarlates qui aurait pu être un Monsieur Muscle de cirque mais était en fait le lauréat du prix couronnant « le journaliste régional de l'année » avait manifestement préparé son discours dans le train de Doncaster. Voyant qu'il ne pourrait jamais être entendu, il tourna le dos à l'assistance vociférante, se pencha en avant et baissa son pantalon. Il eut droit à une nouvelle distinction honorifique : les hourras les plus forts de la soirée.

*

\* \*

« La chute de Rome », dit Honor.

Bobby hocha la tête. Le stress avait fait reparaître son tic.

« Oui, c'est l'Enfer. Désolé de t'avoir traînée ici. »

À la table voisine, celle, selon Bobby, du tabloïd *Sunday Sphere*, se déroulait une scène digne d'un tableau de Hogarth. Un type chauve aux joues violacées buvait au goulot, indifférent au filet de vin rouge qui coulait sur sa chemise. Un autre, affalé sur la table, semblait s'être endormi, comme le loir d'*Alice au pays des merveilles*, tandis qu'à côté de lui une femme au bronzage jaunâtre et au décolleté flétri pleurait en silence. Une jeune fille pâle en combinaison de satin rose avait noué ses bras autour du cou d'un cadre obèse sur les genoux duquel elle était assise. L'extravagante tignasse grise de cet homme, qui suçait un cigare obscène, rappelait les perruques du XVIII<sup>e</sup> siècle.

Honor se sentait fatiguée. Aux yeux des collègues de Bobby, sa désapprobation était à mettre sur le compte d'une pruderie de vieille fille. Pourtant, sur le chapitre de la débauche, ces gens étaient des amateurs. Comment s'en seraient-ils tirés dans les années 1950 aux soirées d'Henry, à Laurel Canyon ? C'était la vulgarité qui lui répugnait. Autrefois, elle aurait trouvé déshonorant d'être associée à des journalistes capables de pareille muflerie, estimant qu'ils étaient la honte de la profession. À présent, elle ne se sentait aucun lien avec ces gens, et le regret du métier dont elle avait souffert se muait soudain en libération.

*
* *

Tamara avait du mal à suivre ce qui se passait sur l'estrade de là où elle était, ce qui ne l'empêchait pas d'imiter les bravos et les invectives de ses confrères et consœurs. Le présentateur avait accéléré le rythme ; il arrivait au bout de la liste, aux fonds de tiroir – l'article de l'année pour la rubrique sport, le maquettiste de l'année, l'article d'information économique et financière de l'année –, et l'intérêt de l'assistance commençait à s'émousser.

Al reprit l'inventaire de ses doléances.

319

« Et maintenant, ils sont en train de changer l'organisation des horaires de travail… »

Soudain, l'équipe de *Psst !* se leva comme un seul homme et lui fit une ovation. Tamara repoussa sa chaise et joignit sa voix à celle des autres. C'était Al qu'ils acclamaient, Al qui soliloquait sur sa place de stationnement. Son ennuyeux voisin de table était tout d'un coup devenu le roi de la fête. Tamara se rendit compte qu'elle avait été injuste. Sa modestie était charmante – il était le plus étonné de tous –, et, alors qu'il se dirigeait vers l'estrade pour recevoir son prix de « responsable du service photo de l'année (suppléments) », sa minceur et son sourire gêné lui parurent juvéniles. Au fond, il n'était pas si moche que ça.

*

\* \*

La soirée de remise des prix tirait à sa fin. Les cris et les bravos s'étaient peu à peu apaisés. Les gens circulaient de table en table, félicitant des lauréats qu'ils avaient hués une demi-heure plus tôt et embrassant de vieux ennemis, s'entraînant les uns les autres vers le bar à l'extérieur de la salle de bal, où la fête continuerait sous une forme plus décontractée. Commenceraient alors les choses sérieuses. Bobby proposa à Honor de la mettre dans un taxi.

« Ça va très bien. Je t'assure, lui dit-elle. Je suis juste éreintée. »

Alors qu'ils suivaient la foule vers la sortie, un photographe qui prenait en photo un groupe de lauréats interpella Bobby.

« Ça dérangerait la dame de monter sur l'estrade pour une ou deux photos ?

— La "dame" est capable de vous répondre elle-même. »

Honor, feignant le dégoût et la lassitude, permit qu'on l'aide à gravir les marches.

« Est-ce vraiment nécessaire ? » s'enquit-elle.

Plusieurs photos d'elle furent prises avec les lauréats puis avec le présentateur, qui passa un bras autour de ses épaules et grimaça pour l'objectif. En dépit de ses protestations, elle était flattée qu'on se souvienne d'elle.

Un des plus jeunes lauréats, un garçon au visage si frais qu'on aurait dit un lycéen, lui demanda un autographe.

« Vous êtes une vraie héroïne, lui dit-il en lui tendant un stylo et le dos du menu du dîner. Ce truc que vous avez fait en Espagne, c'était génial. Et vos articles sur le Vietnam étaient incroyables. »

Elle signa le menu et le lui rendit avec un sourire aimable.

« Merci beaucoup, Martha, dit-il. C'est très important pour moi. »

Bobby n'entendit pas cette phrase, mais le visage d'Honor était éloquent.

*
* *

Tamara regarda Tania quitter la table de *Psst !* pour aller vers celle des huiles du *Monitor*. Elle tenta d'engager la conversation avec Johnny Malkinson, qui avait transformé son nœud papillon fuchsia en serre-tête. Elle eut plus de chance avec l'actionnaire letton, qui l'invita à s'asseoir à côté de lui, à la place laissée libre par Austin Wedderburn.

Peu importait Tania. Passant son bras sous celui d'Alistair, Tamara se dirigea vers le bar avec l'équipe lauréate de *Psst !* pour fêter ça au champagne. Était-ce une bonne ou une mauvaise coïncidence que Tim se soit trouvé sur son passage, debout dans un coin, l'air débraillé, transpirant et provisoirement seul ? Son écolière pouffait de rire un peu plus loin avec l'éditorialiste du *Mirror*. Alistair décrocha le bras de Tamara du sien puis, après lui avoir serré la main pour lui montrer qu'il revenait tout de suite, il alla au bar commander leurs boissons.

Tout se passa si vite et, le vin lui ayant monté à la tête, ce fut seulement le lendemain, après avoir parlé avec un certain nombre de témoins, que Tamara put reconstituer les événements. Les seuls moments dont elle se souvenait avec précision étaient le début – la sensation d'un doigt froid courant de haut en bas le long de son épine dorsale – et le dénouement triomphal. Supposant que la main appartenait à Alistair, elle avait frissonné de plaisir, mais quand elle avait fait volte-face, le sourire aux lèvres, elle s'était trouvée nez à nez avec Tim, dont le visage effectuait une série de grimaces entre clins d'œil et moues grotesques.

« Qu'est-ce qui te prend... ? s'exclama-t-elle.

— Ne réagis pas comme ça, Tamara.

— T'es gonflé. Tu m'ignores pendant des semaines... Qu'est-ce que t'avais ? Trop de boulot ? Des ennuis familiaux ? Et ensuite tu passes la soirée à peloter ce petit mannequin de lingerie là-bas, qui n'a sûrement pas l'âge légal. »

Mais il n'allait pas abandonner.

« Voyons, Tammy. T'étais pas si méchante à Paris, hein ? »

Et soudain, il avança la main et lui prit le sein droit qu'il palpa comme on tâte un fruit sur l'étalage. Elle le repoussa d'un geste rageur.

« Tu ne peux pas juste... »

Elle laissa sa phrase en suspens, parce que Alistair s'était matérialisé à ses côtés, une bouteille de champagne ouverte à la main.

« Bas les pattes, papi », grogna-t-il à l'adresse de Tim.

Tamara commençait à comprendre à quel point elle avait sous-estimé Alistair.

« Qu'est-ce que tu comptes faire ? » susurra Tim.

Il vacillait sur ses jambes et paraissait avoir des difficultés à voir net.

« Ça ! »

Dans un mouvement aussi rapide que fluide, Alistair passa la bouteille à Tamara et envoya un direct du droit dans le menton méprisant de Tim. L'ex de Tamara, que celle-ci pleurait encore la veille, bascula lentement en arrière, aussi droit qu'un chêne qu'on abat, et tomba par terre avec un grand bruit. Des cris de surprise jaillirent de la foule.

Le chef barman joua des coudes pour arriver jusqu'à eux et se jeta sur Tim pour lui prendre le pouls. S'étant assuré que la victime était toujours en vie, et jugeant que sa perte de connaissance avait pour cause l'abus d'alcool, il émit un tss-tss sonore et alla chercher le médecin de l'hôtel. Tim ouvrit grand la bouche et se mit à ronfler très fort. Les gens autour de lui rirent, soulagés quoiqu'un peu déçus, et se résignèrent à se disperser. Un plaisantin s'amusa à donner un petit coup de pied au gisant tandis que quelques rédacteurs en chef de *Sphere* s'attardaient autour de lui d'un air embarrassé, se demandant comment réagir. Devaient-ils défendre l'honneur de leur patron et en découdre avec les petits malins de *Psst !* ou bien en rire et se payer une autre tournée ? Aucun d'eux n'avait le goût de la bagarre. Le patron s'en remettrait, si même il s'en souvenait. La nuit était belle, le bar servait toujours gratis et il y avait des filles affriolantes qui manifestement cherchaient à prendre du bon temps.

Au bar, Tamara fit toute une histoire à propos d'une tache de sang – celui de Tim – sur la chemise blanche d'Alistair. Bras dessus bras dessous, ils traversèrent le hall de l'hôtel en direction de la réception afin de prendre une chambre pour la nuit et, en passant près de Tim, qui dormait toujours allongé par terre, elle renversa la bouteille de champagne qu'elle avait à la main sur sa tête.

*  
\* \*

Il était tard. Pourtant, de retour chez elle, Honor ressentit le besoin pressant de continuer le rituel de purification entamé le matin de cette abominable interview. Était-ce il y a quinze jours ? Elle alluma la radio – une émission sur les préparatifs de la rétrocession de Hongkong à la Chine – et la coupa aussitôt, puis se planta devant sa bibliothèque et en sortit une pile de livres et de magazines : un catalogue de chez Christie's pour une vente de photographies, un essai sur l'œuvre de Lucian Freud, deux numéros de la *New York Review of Books*. Ceux-là allaient rejoindre les bannis permanents. Elle attrapa une histoire des Lumières écossaises, le dernier *New Statesman*, un Ian Crichton Smith – ce qui fit tomber plusieurs factures et, la vie étant cruelle, une vieille carte de Loïs, qui avait acheté le livre sur les Lumières à une époque où l'histoire, la sienne comprise, lui était encore accessible.

Honor se servit un autre verre et, laissant les livres par terre, s'assit devant le radiateur. Elle ramassa la carte. Elle avait beau mépriser la graphologie, la belle écriture de Loïs lui paraissait refléter sa nature : optimiste, impatiente, avide de nouvelles expériences et de réponses à ses questions. Loïs avait, en outre, été pour elle un indéfectible soutien moral. Elle avait suivi la carrière d'Honor avec une attention que celle-ci n'avait jamais eue à son égard.

Loïs lui envoyait des lettres avec des critiques détaillées et intelligentes pour chaque article publié. Elle l'avait mise sur le coup de ses meilleurs sujets, lui avait refilé le tuyau du lieu de résidence de Mme Tchang Kaï-chek, avait arrangé ses interviews de MacArthur, Henry Wallace et Dominic Behan, proposé son reportage sur le thème du retour à Weimar à l'occasion du trentième anniversaire de Buchenwald et organisé sa visite à l'orphelinat. Elle avait même vendu l'article à *Time Magazine*, grâce à un ancien voisin de Brentwood. Aussi bien dans sa vie privée que professionnelle, Loïs avait été à la fois un soutien et un témoin. Et à présent, Honor avait tant de choses à lui dire, tant de questions à lui poser ! Cette soirée avait été si sordide ! Ce fut seulement lorsque Loïs était devenue hors d'atteinte qu'Honor s'était rendu compte à quel point elle dépendait d'elle. Elle posa son verre. Ce chagrin-là, elle pouvait soit s'y vautrer, soit passer outre. Elle déchira la carte en deux, se servit encore un verre et prit les épreuves de *L'Œil inflexible*.

Des papiers sur des escarmouches en Corée. Le fleuve Kum… Sumgyo… Amsong… Busan… Avancée… Retraite… Attaque… Contre-attaque… Elle ferma les yeux. Cette description fidèle des mouvements de troupes et des positions clés avait été autrefois si essentielle. Désormais, tout cela semblait aussi laborieux et inutile qu'un de ces horribles spectacles de danses écossaises auxquels on l'avait obligée à participer, quand elle était petite.

Elle était épuisée, mais elle savait qu'elle ne parviendrait pas à dormir. À son tour de procéder à une ignominieuse retraite. Ne lui restait plus qu'à mettre à profit le temps qui lui restait pour mettre en ordre ses affaires. Elle tendit la main vers son carnet.

*Buchenwald, le 14 avril 1945. La libération, jour 4. Ils se réunirent dans leur tenue de détenus pour fêter leur liberté retrouvée devant la souche de cet immense symbole, le chêne de Goethe, et agitèrent les drapeaux de leurs patries.*

*C'est sous cet arbre tutélaire des monts Ettersberg
que le poète avait, dit-on, pique-niqué dans la
lumière dorée d'un jour d'automne en 1827 en
contemplant en contrebas la ville de Weimar,
émerveillé devant la gloire de la nature et la grandeur de l'homme. Cet arbre était devenu un symbole à deux faces, représentant le rêve ancestral de
la suprématie fasciste du Troisième Reich et, aux
yeux des déportés, les lumières et l'humanisme de
l'Allemagne prénazie.*

*En longeant par l'extérieur la clôture du camp,
j'entendis un bruit dans le sous-bois. C'est alors
que je le vis.*

# 16

TAMARA NE SAVAIT PAS COMMENT ELLE AVAIT TROUVÉ LA FORCE, après les abus en tous genres de la veille, de sortir du lit de la chambre du Belvedere, laissant Alistair ronfler comme un démarreur récalcitrant, de passer chez elle en coup de vent pour se changer et de se traîner jusqu'au journal. Elle se consolait en se disant qu'elle n'était pas seule à vivre ce calvaire. On se serait cru aux urgences, avec des corps à droite et à gauche présentant différents degrés de prostration et gémissant doucement.

Alistair avait pris un jour de congé maladie et Simon était arrivé en retard, toujours en smoking, un pansement collé sur l'oreille – il avait, à le croire, trébuché sur un pavé. Tous ceux qui avaient assisté à la cérémonie des Awards, à l'exception de Tania, ne prononcèrent pas un mot de la journée et, comme pour contrebalancer le silence inhabituel, la voix de Courtney donnait l'impression d'être amplifiée par un mégaphone. Tania, la personnification de la santé et de la vie saine, circulait au milieu de ses confrères et consœurs anéantis : un vivant reproche à la débauche.

Simon proposa de déjeuner tôt. Le bar à vin était rempli de collègues affligés, quoique la vertueuse Tania fût là – de nouveau – en grande conversation avec le rédacteur de la section littéraire, Caspar, qui avait lui aussi échappé aux effets de la bacchanale, pour la simple raison qu'il n'avait pas été invité.

Autour de deux bouteilles de vin thérapeutiques et d'une corbeille de pain, Simon confessa à Tamara que sa blessure n'avait rien à voir avec un pavé disjoint. Après le dîner de la veille, il s'était rendu chez Lucinda en se servant de son ancienne clé, qu'il avait négligé de lui rendre. Il avait voulu lui faire une surprise.

« Tu vois, ça m'est tombé dessus comme une illumination : j'ai su que c'était elle. Je me suis rendu compte que je faisais n'importe quoi... Serena, Davina... Une façon de passer le temps. Non, c'était évident. C'était Lucinda qui me plaisait vraiment. »

Elle plaisait aussi à Wayne, son entraîneur, qui se trouvait dans son lit au moment où Simon était entré dans l'appartement. Wayne n'avait pas trouvé la surprise à son goût. Simon pensait avoir aperçu une lueur de triomphe dans les yeux de Lucinda, qui, les bras croisés, jolie à croquer dans la combinaison en satin que Simon lui-même lui avait offerte, avait regardé tranquillement Wayne, tandis que celui-ci se chargeait de donner un cours de fitness à son ex.

« Eh bien, elle t'est sacrément tombée dessus, ton illumination », commenta Tamara.

Simon grignota un bout de pain et ignora la remarque.

« Maintenant, je sais qu'il faut que je regagne son cœur. D'une manière ou d'une autre. »

Son portable sonna. C'était Jan, avec les dernières nouvelles de la fête d'anniversaire de Dexter, prévue pour le week-end suivant. Le traiteur avait fait faillite.

« Eh bien, trouves-en un autre, dit Simon en levant les yeux au ciel. Non… Je sais pas, ajouta-t-il sèchement. Essaie les pages jaunes. »

Il coupa son téléphone et se servit un autre verre de vin.

« Pourquoi faire faire par d'autres ce que vous pouvez faire vous-même ? déclara-t-il.

— Je sais, marmonna Tamara, qui ne voyait pas très bien où il voulait en venir.

— Quelle soirée, hier, reprit-il en tapotant son pansement.

— C'est sûr.

— Il y a eu une énorme bagarre au bar, mais tu étais déjà montée dans la suite du vainqueur, sans doute pour discuter des finesses de la photo de paparazzi avec notre collègue commun. »

Elle rougit. Elle commençait à regretter son impulsion de la veille.

« Une bagarre à propos de quoi ?

— Le desk du *Courier* a fait des reproches au nôtre à cause d'un spoiler, Ricky Clegg s'est engueulé avec son vieil adjoint de *Sphere* et quelqu'un de la section people a flanqué un coup de poing au présentateur. On se serait cru à Dodge City.

— Alors, tu es parti à quel moment ?

— Je me rappelle pas bien. Je me souviens d'avoir eu une conversation à cœur ouvert avec le responsable des sports au *Courier* à propos de leur supplément sur la coupe d'Angleterre – pas un pet d'humour, ceux-là. Puis c'est le trou noir... jusqu'à chez Lucinda.

— Tu as revu Tim Farrow, après ? »

Simon retrouva sa bonne humeur à la pensée que quelqu'un s'en était plus mal tiré que lui, avec, par-dessus le marché, une humiliation publique.

« Complètement rétamé, hein ? On l'a emporté sur une civière, à ce qu'il paraît. Qui l'eût cru ? Le petit Al, hé.

— Mmm.

— Alors tu as passé une bonne nuit ? s'enquit-il en appuyant ses paroles d'un regard exagérément lubrique.

— Très bonne, répondit-elle, pressée de changer de sujet. Meilleure que celle de Tim, en tout cas.

— Vaut mieux pas se moquer des malheurs d'un employeur potentiel, déclara Simon, soudain rede-venu sérieux. Tim est peut-être un con, mais c'est un con utile. Tu ne peux pas savoir : un jour, un job à *Sphere* pourrait tomber à pic pour toi.

— *Sphere* ? J'en ai assez soupé comme ça, tu te rappelles ? C'est *S*nday* que j'ai en vue. »

Simon demanda l'addition puis, croisant les mains sur la table, il se pencha vers elle en adoptant une attitude paternaliste, quoique son autorité soit quelque peu sapée par son pansement.

« Tam, écoute, tu devrais pourtant savoir que, dans notre métier, on ne peut jamais compter sur rien.

— Tu n'as pas besoin de me faire la leçon. J'ai le droit de viser un peu plus haut que *Sphere*, d'accord ? Lyra est de mon avis, même si ce n'est pas le tien.

— Ne dis pas après que je ne t'aurai pas prévenue, dit-il en se levant.

— C'est gentil de te faire du souci pour moi. »

Il lui tapota l'épaule, soucieux surtout de rétablir la légèreté et la bonne humeur.

« Viens, Tam. Pour l'heure, nous avons tous les deux la plus haute des missions : notre lectorat attend impatiemment son *Psst !* hebdomadaire. C'est quoi, le top 10 de la semaine ?

— "Des frasques au flasque : de la grâce à la graisse." »

De retour au journal, Tamara réunit tout ce qu'elle avait trouvé le matin et apporta un tas de photos à Simon.

« Jette un coup d'œil à celles de Pernilla Perssen, dit-elle. Elle gonfle à vue d'œil. Elle va bientôt poser pour Weight Watchers. »

Simon rit.

« On ne peut pas vraiment dire qu'elle est ronde, mais il n'y a pas de doute, c'est le ventre d'une buveuse de bière. Super. Et la semaine prochaine ?

— "*Dsoudbras* : ces poils qui font horreur aux stars".

— Génial. C'est toi, la star, Tamara. Tu ne vas nulle part. *Psst !* a besoin de toi. »

C'était exactement ce qu'elle craignait.

Elle feuilleta les journaux du soir pour voir si on parlait déjà de la déconfiture de Tim dans les potins, corrigea son classement « graisse », l'envoya à Simon, fit un brouillon du prochain et passa le reste de l'après-midi à moissonner du matériel pour les classements des semaines à venir : le top 10 des stars de série qui aiment les rats ; les crêpages de chignon les plus mémorables et les chirurgies mammaires les plus ratées. Johnny lui envoya un message la priant de s'informer sur les parrains indignes – un autre tabloïd avait sorti un truc sur une vedette de série âgée de soixante-dix ans dont le filleul de cinquante ans était un plombier au chômage affligé de problèmes de santé. Ce dernier prétendait que le comédien ne lui avait pas envoyé un seul cadeau d'anniversaire, même pas une carte postale, depuis quarante ans. Quelques coups de fil aux mouchards habituels lui permirent de réunir un bon petit paquet d'aveux et de plaintes.

En fin de compte, ce fut une bonne journée de travail. Vu son état, c'était déjà extraordinaire qu'elle ait réussi à venir au bureau. Une soirée tranquille à la maison, voilà ce qu'il lui fallait. Mais le devoir l'appelait.

Elle prit le métro jusqu'à Maide Vale. Le café était toujours ouvert. Hélas, quelqu'un était assis à sa place, ses larges épaules lui cachant la vue de l'entrée d'Holmbrook Mansions. Avec un soupir d'exaspération bien sonore qui, espérait-elle, ne passerait pas inaperçu, elle s'installa à la table voisine. Soudain, elle reconnut l'importun, et son cœur cessa de battre : le gigolo d'Honor Tait. L'air préoccupé, il buvait une tasse de café noir à petites gorgées tout en comptant des pièces de monnaie sur la table. De près, il était encore plus beau : grand et mince, légèrement bronzé, un bobo-hippie aux yeux de velours en tee-shirt blanc et veste en lin froissée juste ce qu'il fallait.

Autour de son cou, il avait des perles marron et, à son poignet, un bracelet en cuir tressé.

Tamara pria le ciel pour qu'il lève les yeux mais, quand il le fit, secouant la tête pour ramener ses boucles en arrière, ce fut pour demander l'addition à l'un des frères. Il ne la vit même pas. Il avait les traits fins et réguliers, la mâchoire carrée, un nez aquilin qui aurait pu être sculpté par Michel-Ange, mais des lèvres dessinées pour autre chose que la prière. Il repoussa sa chaise, jeta quelques pièces sur la table et sortit en adressant un « Merci » aux deux frères.

Tamara ramassa son sac et se dépêcha de prendre sa place. La chaleur qui l'accueillit lui parut une sorte de cadeau, une petite douceur dont elle devait profiter. En le suivant des yeux alors qu'il traversait la rue d'une démarche chaloupée et montait quatre à quatre l'escalier du perron d'Holmbrook Mansions, elle se sentit en prise directe avec la réalité. Après tout ce travail, et plusieurs faux départs, ses efforts payaient. Mais son travail à lui ? Elle leva les yeux vers les fenêtres du quatrième étage de l'immeuble d'en face. Que se passait-il là-haut ? C'était du domaine de l'inconcevable.

Il ne lui était jamais venu à l'esprit que les vieux pouvaient avoir une vie sexuelle, mais, à la réflexion, c'était techniquement réalisable. Lorsqu'une personne âgée, en particulier un vieux monsieur, ne cessait de rappeler son intérêt pour le sexe, elle avait toujours pensé que c'était pour dissimuler son impuissance. Son père, quoique de quinze ans plus jeune qu'Honor Tait, était un bon exemple. S'il savait combien il avait l'air idiot, ratatiné et dégarni comme il était, cravaté et puant l'eau de Cologne, au bras de la grande et pâle Ludmilla, un cygne géant auprès de lui, l'aigle chauve. Ils avaient eu un enfant, et Tamara avait beau essayer de surmonter son dégoût, elle ne parvenait pas à concevoir l'acte par lequel avait été conçu le robuste Boris, cet effarant miracle de l'hybridation. C'était un affront à la nature, comme la copulation interespèces, sûrement possible dans le seul cadre d'un laboratoire. Et Honor Tait et son escort boy ? Avec eux, on était au-delà de la bestialité.

Tait, contrairement au père de Tamara, n'était pas assez stupide pour croire que la compagnie d'un jeune amoureux, surtout un amant rémunéré, avait quoi que ce soit de valorisant ou de glamour. Honor Tait ne se faisait pas escorter par lui ; d'autres jeunes gens s'en chargeaient, gratuitement. Il était sûrement rémunéré à l'heure. Il s'agissait d'une transaction confidentielle, à la fois honteuse et commode pour l'un comme pour l'autre. Tamara se sentait écœurée à la pensée que la vieille dame était encore active sexuellement. C'était trop injuste, qu'elle fasse l'amour avec ce type beau comme un dieu pendant qu'elle, jeune et plutôt mignonne, était contrainte de dormir seule dans son grand lit. En ce moment, sa couette blanche lui rappelait la banquise. Et sous son lit, les vibromasseurs et godemichés de toutes sortes, encore dans leurs boîtes, qu'elle avait reçus en cadeau afin d'écrire un article sur le sujet pour le magazine *Œstrus* tenaient compagnie à ses pantoufles et semblaient se moquer de ses nuits solitaires.

Elle prit la tasse de café pisseux des mains du frère triste, commanda un sandwich – n'importe lequel, sauf celui au poulet –, ouvrit son bloc-notes, sortit son dictionnaire des synonymes et le dossier de coupures, et se mit au travail.

*La conversation dans son « salon » roule sur la politique mondiale, la littérature russe, Hegel, la musique concrète, la monnaie unique européenne et l'avenir de l'intelligence artificielle. Paul Tucker, fraîchement débarqué des zones de guerre de l'Europe de l'Est, est le plus prisé. Son style macho et ses souvenirs d'ancien combattant font se pâmer Honor Tait comme une adolescente. Aidan Delaney, le poète couvert de lauriers, a une conversation spirituelle et érudite... et pas qu'un peu mythomane. Mais il y a un jeune homme dont elle préfère la compagnie à celle de tous les autres. Grand, beau comme une star d'Hollywood [nom à venir]. Et lors de ses petites visites nocturnes, ce n'est pas sa conversation qui intéresse Honor Tait.*

Le temps que le visiteur d'Honor Tait ressorte d'Holmbrook Mansions, le café avait fermé et Tamara sirotait un gin tonic sur la terrasse frisquette du Gut & Bucket. Son imagination lui jouait-elle des tours ou y avait-il quelque chose de furtif dans la façon dont il rasait les murs, la tête basse, comme s'il fuyait la scène d'un crime ? Si crime il y avait, il était la victime plutôt que le coupable. Elle traversa la rue en courant sans plus penser à son gin tonic. Trop tard. Il grimpa dans sa camionnette et démarra. Retournait-il à un squat collectif à Hampstead ou à un austère studio de vieux garçon à Ladbroke Grove ? Peut-être avait-il femme et enfants à Clapham et l'argent sale d'Honor Tait finançait-il l'école privée de sa progéniture. Ce dernier scénario lui paraissait des plus improbables. Il était trop séduisant pour un père de famille.

Alors que la camionnette s'éloignait, Tamara imagina la passion de la vieille femme, la froide résignation de l'homme. Elle se demanda une fois de plus si elle n'avait pas commis une erreur d'interprétation. Pouvait-il être, malgré tout, un des habitués de son salon ? Un de ses flirts platoniques, un comédien shakespearien au chômage, peut-être, ou un dramaturge désespéré mais charmant ? Mais rien de tout cela n'expliquait l'enveloppe de billets, ni la clandestinité de leurs rendez-vous, ni l'intimité de leur baiser. En outre, Honor Tait était réputée pour être coutumière du fait.

Dans le dos de Tamara retentit un énorme éclat de rire à l'instant où un jeune couple sortant du pub, bras dessus bras dessous, poussa la porte qui s'ouvrit en laissant échapper une salve de sifflets et une bouffée d'air rance. Cela ne servait à rien de rester seule debout dans le froid. Sa proie lui avait échappé. Le jeune homme était parti, une fois sa mission accomplie. Il ne reviendrait pas ce soir et Honor Tait resterait allongée dans le noir, morte de fatigue, ses désirs malsains comblés. Tamara s'efforça de repousser ces pensées. Elle travaillait à *Psst !* le lendemain, puis elle passerait son week-end à rédiger un article en retard pour *Mile High* – sur la fête des Craquelins en Belgique, où l'on avale des poissons vivants –, et le rédacteur d'*Œstrus* la tannait pour avoir son papier sur les vibromasseurs. Il fallait qu'elle se concentre. Elle devait remettre son article à *S*nday* dans moins de deux semaines et Lyra Moore avait beau être fuyante dans bien des domaines, elle était intraitable lorsqu'il s'agissait du respect des délais.

*<br>* *

Il était venu, comme il l'avait promis. C'était déjà ça. Et elle serait bien obligée de s'en contenter. Cette amertume lui était devenue familière. La visite d'aujourd'hui avait été moins précipitée. Il avait respecté les convenances, s'était intéressé à elle, l'avait interrogée sur ses activités, ses fréquentations. Son baiser aurait pu sembler tendre. Pourtant cela n'avait été qu'une transaction. Pour lui, une affaire d'argent. Comme toujours. Pourquoi éprouvait-elle alors une telle angoisse à l'idée qu'il puisse disparaître de sa vie ? Le garçon – car, oui, il était encore jeune – était encore une affaire en cours. Ses sentiments pour lui étaient sombres, primordiaux ; une couche de sédiments au fond de l'eau stagnante de son cœur. Remuer cette couche, c'était à ses risques et périls.

Il y avait eu beaucoup de gens dans sa vie. Dans ses moments les plus noirs, elle les comptait, cherchait des braises dans les cendres du volcan éteint. Il lui semblait parfois que ses amours, ses amitiés de longue date avaient généré à peine assez de chaleur pour se réchauffer les mains. Elle songea de nouveau à Loïs. Honor ne pouvait s'empêcher de penser que son amie l'avait abandonnée. Avait-elle commencé à se détacher, à prendre ses distances, lorsqu'elle s'était aperçue de ce qui se passait et de ce que leur préparait l'avenir ? À Mantoue, lors de leur dernier voyage ensemble, elles avaient passé une matinée chacune de son côté ; Loïs faisait le tour des églises avec l'application d'une mécréante pendant qu'Honor, ce qui était ironique étant donné l'état précaire de son mariage à l'époque, visitait la *Camera degli Sposi*. Loïs n'étant pas à leur rendez-vous pour le déjeuner, Honor était partie à sa recherche et avait été horrifiée de trouver, quinze minutes plus tard, son intrépide amie, aussi intelligente que débrouillarde, perdue et en larmes sur la Piazza Sordello. Il avait fallu une bouteille de prosecco bue à deux pour la calmer. Par la suite, ce jour-là, elles avaient ri de sa mésaventure. Mais on ne riait plus, maintenant. Loïs moins que personne.

Le tintamarre nocturne avait repris. Honor n'était pas tellement gênée par les cris des enfants, ni par leurs parents avec leurs curieuses coiffures et leurs poussettes sophistiquées. Le problème venait des garçons des cités, derrière la station de métro. Ils n'avaient pas le droit de pénétrer dans le jardin, mais, une fois la nuit tombée, ils escaladaient les grilles. Ils piétinaient les buissons et glapissaient jusqu'aux petites heures du matin. Comme si elle n'avait déjà pas assez de mal à dormir.

C'était pire l'été, alors que les nuits étaient chaudes, quand les plantes dénaturées s'efforçaient de réactiver leur mémoire ancestrale pour se faire luxuriantes et parfumées. Les garçons – où étaient-ce les filles ? – se couchaient sur l'herbe pour blaguer et fumer, sûrement du cannabis, entre deux parties de foot qui ravageaient les plates-bandes et se prolongeaient jusqu'à l'aube. Obligée de fermer la fenêtre à cause du bruit, Honor, allongée dans l'air étouffant, et incapable de dormir, se disait qu'il n'y avait plus qu'à espérer des trombes d'eau. Comme les moucherons de Glenbuidhe, les adolescents de Londres n'aimaient pas la pluie.

Elle regarda l'heure. Il était tard. Presque trop tard. Le travail, voilà tout ce qui lui restait. Encore une chose qu'elle n'avait pas tout à fait finie.

*Buchenwal, le 14 avril 1945. La libération, jour 4. Nous pleurions en les regardant, les rescapés squelettiques – ceux qui avaient la force de se tenir debout –, se réunir dans leurs vêtements de détenus devant le chêne de Goethe réduit en charpie. Ils versaient des larmes pour leurs compatriotes qui n'avaient pas survécu et n'avaient pu voir ce jour de liberté. Il y avait chez eux de la fierté tandis que, dans l'air printanier, ils agitaient les drapeaux de leur patrie confectionnés à partir de papiers de couleur.*

*Il y avait plus d'un siècle de cela, ici même, sur le mont Ettersberg, dans la forêt de hêtres – c'est ce que signifie le mot Buchenwald –, le poète Goethe avait appuyé son dos large contre le chêne majestueux alors qu'il pique-niquait dans la lumière dorée de l'automne en contemplant la ville de Weimar à ses pieds et en s'enivrant de la gloire de la nature et de la grandeur de l'homme. Là il se sent grand et libre, aussi grand et libre que la vue qui s'offre à son regard, et comme il devrait toujours se sentir.*

*Cet arbre est devenu un symbole à deux faces, représentant pour le Troisième Reich un rêve séculaire de suprématie fasciste et, pour les prisonniers de celui-ci, l'humanisme éclairé de l'Allemagne pré-nazie.*

*Et debout, dans ce qui avait été l'ombre de ses branches, je fus le témoin – non, je fus un des protagonistes – d'une scène qui prouvait que la cruauté n'est pas la prérogative exclusive d'un régime inhumain, mais qu'elle fait partie, lorsque certaines circonstances la favorisent, de la condition humaine.*

\*

\* \*

Le bruit d'une sonnerie parvint à Tamara à travers son rêve – sa mère, souriante dans un sarrau blanc, lui servait à manger dans la cafétéria du *Monitor*. Alerte incendie ou cambriolage ? C'était le téléphone. Encore à moitié endormie, Tamara décrocha.

« Tam ?

— Ross. »

Elle émergea lentement, la bouche pâteuse et un filet de salive aux commissures des lèvres.

« Ça va, Tam ? »

Pour une fois que les rôles étaient inversés...

« Ça va. Et toi, moins dans le coaltar ? »

Il lui répondit que oui, mais elle sentait bien que c'était faux. Il semblait grelottant et effrayé.

« Où es-tu ? lui demanda Tamara.

— Chez Crystal. »

Encore !

« Pourquoi ? Qu'est-ce qui se passe ?

— C'est pas tellement cool chez moi, en ce moment, tu vois.

— Qu'est-ce qui se passe ?

— C'est fichu, de toute façon. »

Tamara s'assit, tout à fait réveillée à présent, et alluma sa lampe de chevet.

« Dis-moi ce qu'il y a, au moins.

— Pas grand-chose. »

Son rire sonnait creux, un aboiement sec.

« Quelques dettes, voilà tout. Des arriérés de loyer. Si je paie pas, ils m'expulsent.

— Mon Dieu, Ross, ce n'est pas vrai ! Pourquoi n'as-tu pas payé ton loyer ? Tu habites dans un logement social.

— Il y a eu une embrouille avec l'aide au logement. Et il y a la plainte des voisins, un couple de bigots qui se prend pour je sais pas quoi. Ils veulent me virer.

— Qu'est-ce que tu as fait du fric que je t'ai envoyé ?

— Quel fric ? »

Il se fichait d'elle ?

« Les quatre-vingts livres, je te les ai envoyées en recommandé, la semaine dernière ?

— Ah oui… Le fric est jamais arrivé. Le facteur préfère éviter le quartier. »

Mentait-il ? Ou avait-il tout claqué en drogue et oublié même qu'il l'avait reçu ?

« Je peux faire une réclamation à la poste. J'ai le récépissé.

— Tu devrais pas t'embêter avec ça, tu sais. »

Il avait raison.

« Tu dois combien ?

— Je te demande pas de payer.

— Dis-moi ce que tu dois.

— Deux cents livres.

— Comment t'as fait ? »

Elle regretta aussitôt son mouvement de colère.

« Non, finalement, c'est pas la peine. Ne dis rien.

— J'en sais rien. Je te demande pas de payer, répéta-t-il, agacé. De toute façon, Crystal me dit que je peux rester chez elle autant de temps que je veux. »

C'était le pire qui pouvait lui arriver.

« Je ne crois pas que ce soit une bonne idée... Crystal et toi...

— Et je voudrais bien savoir pourquoi ? Tu en as toujours après elle...

— Voyons, Ross. Vous ne vous rendez pas vraiment service.

— Qu'est-ce que t'en sais ? »

Sa voix se brisait d'indignation.

« Depuis quand tu y connais quelque chose ? »

Tamara, depuis le temps, était blindée contre ses insultes – il se défoulait sur elle parce qu'il souffrait.

« Ce que je veux dire, c'est que Crystal a ses propres problèmes, répondit-elle sans s'énerver.

— Ouais. C'est d'ailleurs pour ça que j'ai pas l'intention de la laisser tomber. Elle est en deuil.

— En deuil ?

343

— Ouais. Sa sœur, Dawn…

— Mais c'était il y a cinq ans !

— Tu sais, Tam, quelquefois, si tu n'étais pas ma petite sœur, je pourrais croire que tu n'as pas de cœur. »

Tamara regarda son réveil : 3 heures du matin. Il était trop tôt – ou trop tard – pour ce genre de discussion. Elle devait être au bureau dans quelques heures. Elle avait la tête grosse comme une citrouille. Une deuxième phase de la gueule de bois post-Press Awards ?

« Je m'inquiète pour toi. Je voudrais que tu ailles bien, dit-elle.

— Ça va aller. Une fois que j'aurai reçu ma pension invalidité, dans deux semaines.

— Comment tu vas faire jusque-là ? Et tes arriérés de loyer ?

— Je vais m'arranger.

— Tu es sûr que ton fric n'est pas passé dans la drogue ?

— Tu me crois pas, hein ? T'es comme papa, tiens. Maman, elle, elle me croyait. »

Il se mit à pleurer, un gémissement sourd qui, peu à peu, se mua en un hurlement affreux de chien blessé.

« Mais si, Ross, bien sûr, je te crois. »

Les larmes lui montèrent aux yeux. Il était malheureux, et elle ne pouvait pas le supporter.

« Tu me prends pour un menteur. Je sais. »

Il était furieux, maintenant.

« Je vois bien. J'en ai marre de vous tous, qui arrêtez pas de m'envoyer chier… »

344

« Vous tous ? » Pas question de prendre la mouche. D'un autre côté, elle ne voulait pas non plus le laisser de nouveau tomber entre les pattes de Crystal. Impossible de savoir si Ross disait la vérité. Mais si elle insistait, il risquait de lui raccrocher au nez. Et de ne plus donner signe de vie pendant des mois.

Il lui restait deux cent vingt livres sur son compte d'épargne-logement – elle faisait des économies afin de s'acheter un nouvel ordinateur. Elle irait les retirer à la banque demain. Mais ce devait être la dernière fois. Apaiser son frère, le protéger lui revenait cher. Mais que pouvait-elle faire d'autre ? Sa mère aurait payé. Ross était un garçon fragile. Ce n'était pas sa faute. Cela relevait sûrement de la maladie mentale car quel être doué de raison choisirait de vivre ainsi ?

« Écoute, je te les apporte demain soir. Chez Crystal, si tu veux. De la main à la main. En sortant du journal. Comme ça, tu pourras rentrer chez toi. Ça va aller d'ici là ? Tu as de quoi manger ? Va chez l'épicier du coin. Demande-lui de te faire crédit. Dis-lui que je le paierai par carte s'il me téléphone. Il peut m'appeler au *Monitor*. »

## 17

C'EST UNE TAMARA FATIGUÉE APRÈS SA MAUVAISE NUIT qui arriva au journal. Elle tomba au milieu d'une réunion impromptue. L'équipe de *Psst !* était agglutinée autour de Simon. Tous paraissaient graves. Seul Courtney était assis à son poste, où il ouvrait le courrier en souriant ostensiblement. Quant à Simon, il était pâle et silencieux.

« Que se passe-t-il ? » s'enquit Tamara auprès d'Alistair.

Ils ne s'étaient pas parlé depuis les Press Awards. De son côté, elle avait un peu honte de n'éprouver pour lui somme toute qu'une vague antipathie – au lendemain de la remise des prix, il avait perdu son charme de héros d'un soir et était redevenu le loser qu'il avait toujours été. Lui se sentait coupable : sa femme avait donné naissance à leur premier enfant une semaine avant leur nuit de passion. Une crise au bureau était une occasion à ne pas manquer pour rétablir des relations diplomatiques.

« On a été rétrogradés, lui annonça Alistair.

— Rétrogradés ? Qui ? Comment ?

346

— *Psst !* On nous a mis sur la touche. »

Rétrogradés *et* mis sur la touche. L'heure était grave, en effet.

« Simon s'est fait baiser. On travaille tous pour le site Internet à partir d'aujourd'hui.

— Quoi ! Le *site Internet* ? »

Comment était-ce possible ? Le papier représentait tout leur métier ! En outre, ils n'y connaissaient rien en informatique et ne s'y intéressaient pas.

« Je sais, dit Al, c'est dingue.

— Mais qui va prendre la place de Simon ?

— Tania Singh. »

Non, ce n'était pas vrai. Tamara avait-elle vraiment perdu son mentor ? Cette bêcheuse de Tania allait-elle vraiment devenir sa patronne ? Impossible. Tamara dévisagea ses collègues et nota que Simon était livide. Ce bureau avait été jusqu'ici le seul lieu où elle s'était sentie en sécurité et à l'aise dans son travail. Et voilà que tout s'éffondrait avec la défaite de Simon et la victoire du camp adverse.

« J'y crois pas », décréta Tamara.

Alistair lui montra la preuve : un mémo de Wedderburn. Il n'employait ni le terme « rétrogradé » ni l'expression « mis sur la touche », mais sa prose n'était pas rassurante pour autant. Le mot clé était « intégration ». Simon n'avait pas été viré mais « reclassé ». Il était désormais éditeur techno-pédagogique, une nomination présentée comme une promotion. Tania devenait rédactrice en chef de *Psst !* et, dès le mois suivant, le magazine, « dans le cadre d'une expérience audacieuse », n'existerait presque plus que sur Internet, tandis que la version originale papier, aussi

347

familière et réconfortante qu'une boîte de chocolat bon marché, se résumerait à un maigre amuse-gueule, un simple tract publicitaire annonçant le colossal banquet « en ligne ».

La réunion officieuse fut transférée au Beaded Bubbles pour un déjeuner anticipé. Personne, sauf Courtney, n'avait beaucoup d'appétit.

« On est des nazes, dit Simon. Des dinosaures, des dodos écrasés sous les bottes du progrès. »

Contrairement à son habitude, Jim, le délégué syndical, chercha à leur remonter le moral.

« Ça va pas durer, croyez-moi. Cette histoire d'Internet, c'est une mode, ça va forcément passer. Rappelez-vous le phonographe à vapeur et la Sinclair C5. Jamais ils n'arriveront à faire du fric là-dessus à long terme. »

Seulement, c'était le court terme qui inquiétait l'équipe de *Psst !*

« C'est pas pour ça que j'ai eu un prix, dit Alistair. Je n'ai pas choisi ce métier pour passer mes journées devant un écran à jouer à Pacman version photo...

— Attends une minute, Al, le coupa Courtney. C'est pas la peine de faire ton Salgado. On sait tous ce que tu fabriques. Il ne s'agit pas ici d'images de mineurs boliviens opprimés, mais de photos volées de stars de la télé pétées. Au contraire, le site Internet me semble parfait pour ce genre de truc.

— Traître, marmonna Al.

— Qu'est-ce que ça veut dire, de toute façon, éditeur techno-pédagogique ? lança Tamara.

— D'abord, cela n'a rien à voir avec la pédagogie, répliqua Simon. Comme ils ne veulent pas être poursuivis pour licenciement abusif, ils ont inventé ce poste bidon censé couvrir aussi bien la presse papier qu'Internet. En m'augmentant de quelques livres, ils prétendent qu'il s'agit d'une promotion. Mais personne n'est dupe. Dorénavant, c'est Tania, la patronne.

— Alors, c'est fini, fit observer Tamara. L'âge d'or est derrière nous.

— La machine à fric est tombée en panne, tu veux dire, intervint Courtney en commandant une bouteille de champagne. On déplore seulement quelques accidents du travail mineurs. Place à l'avenir ! »

De retour au journal, abattue et un peu ivre, l'équipe de *Psst !* fut convoquée à la cafétéria par Tania pour un « briefing ».

Simon arracha son veston du dossier de son fauteuil.

« Je me tire. Vous direz à la reine guerrière que je suis allé me recycler », claironna-t-il.

Tania s'assit sur une table – encore humide, constata Tamara, quoique son plaisir fût écourté par la vue d'un téléphone portable argenté qui scintillait dans la paume de sa jeune consœur. Un téléphone du journal, en plus.

Les employés de *Psst !* se laissèrent choir sur les chaises comme des écoliers boudeurs, le jour de la rentrée. Les bras croisés, ses bottes en daim croisées elles aussi, son pied droit se balançant avec grâce, leur nouvelle rédactrice en chef, aussi contente d'elle qu'un mannequin dans une pub pour shampoing, secoua sa crinière et embraya sur la meilleure prise en compte par les moteurs, la lisibilité web, l'interactivité et la perception des informations, la participation des lecteurs et les pages vues, la mise à jour des dernières nouvelles avec actualisation instantanée...

« Attends, l'arrêta Alistair. La mise à jour des dernières nouvelles ? L'actualisation instantanée ? Quelles vont être les conséquences pour les délais hebdomadaires ? »

Tania eut un sourire charmant.

« Tu penses comme autrefois, Alistair. On ne peut plus raisonner de la même façon. À l'avenir... dans deux ans, cinq ans peut-être... le *Monitor* ne sera plus seulement un quotidien avec des suppléments hebdomadaires, mais un système d'information multi-plateforme opérationnel vingt-quatre heures sur vingt-quatre, sept jours par semaine, pourvu d'un espace dédié à l'interactivité avec ses lecteurs, sans limite de frontières ni de fuseaux horaires.

— Et nos quatre jours par semaine, qu'est-ce que t'en fais ? » demanda le délégué syndical, Jim Frost, en pointant le bout mâchouillé de sa pipe vers Tania.

Celle-ci le gratifia d'un sourire condescendant.

« Et nos jours de congé compensatoire ? » ajouta Alistair.

Ce fut comme s'il n'avait rien dit. Leur nouvelle patronne déplia ses bras, et ses jambes, s'agrippa au bord de la table et se pencha vers eux comme si elle allait leur confier un secret d'État.

« Et le plus excitant, c'est que je..., je veux dire nous..., ou plutôt vous avez été choisis pour être le fer de lance... Vous serez les précurseurs, les pionniers… L'adaptation de *Psst !* au cyberespace va servir de modèle au reste du *Monitor*. Et, par extension, à l'ensemble de l'industrie de la presse !

— On commence quand ? » demanda Courtney.

La réunion se termina dans un silence lugubre. Tamara retourna à son poste, déterminée à s'initier à son propre rythme aux nouvelles technologies. Elle serait prête en temps voulu. Même s'il était insupportable de ne plus avoir Simon comme patron. Tania, c'est certain, allait exploiter avec le sourire et un enthousiasme impitoyable ses cyber-galériens.

Il fallait à tout prix qu'elle s'éloigne de cet univers multiplateforme vingt-quatre heures sur vingt-quatre, sept jours sur sept, où les journaux et les magazines finiraient tous emportés par une tornade technologique, tout là-haut, loin au-dessus des kiosques et des stations de métro, des bureaux et des pubs, des poubelles et des caniveaux, des centres de recyclage et des décharges, formant une chape obscurcissant la lumière avant de se réduire à une pluie de pixels qui arroserait la terre d'une poudre magique, minuscules particules d'information qui, dans chaque foyer, scintilleraient à l'intérieur de cubes en plastique.

*S*nday*, cette revue trop illustre pour être annexée par le stakhanovisme numérique de Tania, devenait pour Tamara une bouée de sauvetage. Elle devait coûte que coûte réussir son papier sur Honor Tait. Mais d'abord, elle avait quelque chose à faire. Et à côté de ce qui l'attendait, un mois à poireauter pour rien devant Holmbrook Mansions semblait une partie de plaisir.

Purgée, Honor Tait se soumit à la dernière série d'indignités. Toute petite comparée à l'énorme machine, allongée sur une table recouverte de papier, elle frissonnait de froid, nue sous une fine blouse de coton, pendant qu'une technicienne, de loin, à l'abri des rayons nocifs derrière un bouclier de verre et de plomb, télécommandait son déplacement, centimètre par centimètre, dans le tunnel blanc.

« Inspirez, prononça la voix désincarnée de la radiologue diffusée par une ouverture grillagée à l'entrée du tunnel. Bloquez... Ne bougez pas... Ne respirez pas... »

Elle obtempéra. Consumée par une rage muette, elle retint son souffle. Une consigne simple, mais pourtant difficile à observer. Son corps qui la lâchait, son système respiratoire usé et puis sa fibre rebelle de toujours, tout cela refusait d'obéir. De se soumettre. Cela ne lui avait jamais été facile.

« Vous pouvez respirer normalement. »

Elle regarda les parois glaciales du tunnel. Elle n'avait jamais été claustrophobe, mais ici, maintenant, elle imaginait aisément l'impression que l'on devait avoir. D'abord, on manquait d'oxygène, ensuite on se sentait coincé, sans défense, avant que la terreur ne s'en mêle. La condition humaine. La condition de l'être humain vieillissant.

« Inspirez... Bloquez... Ne bougez pas... Ne respirez pas. »

Elle avait besoin de toute sa concentration. La machine émit un drôle de bruit, un chuintement et un cliquetis, comme le son d'un sèche-linge dans lequel tournoie une chemise à gros boutons.

« Vous pouvez respirer normalement. »

Toute cette expérience, toute la curiosité d'esprit d'un cerveau ancien, tous les efforts exigés par des réussites obtenues à la force du poignet, toutes ces passions et tous ces préjugés réduits à ça, une chose enveloppée dans le linceul à motif floral de l'hôpital, convoyée sur un tapis roulant dans la gueule d'un scanner où elle n'existait plus que sous la forme d'un montage d'images au rendu granuleux – une recomposition de vues en noir et blanc de coupes de tissus et d'os, ondes lumineuses et flaques d'ombre –, aussi impersonnelles que les galaxies distinguées grâce au télescope.

« On reste bien sage, ajouta la radiologue d'un ton que l'on emploie en général pour s'adresser aux idiots, ou aux petits enfants. Il n'y en a plus pour longtemps. »

Il n'y en avait plus pour longtemps. On ne pouvait pas trouver mieux pour résumer sa vie, une queue de comète striant le ciel nocturne. Une étoile filante. Une parmi des milliards.

« Inspirez… Bloquez… Ne bougez pas du tout… Ne respirez pas. »

Sa santé avait toujours été si bonne qu'elle avait fini par l'assimiler à une qualité morale, peut-être sa seule vertu, ce qui, par corollaire, donnait un sens à sa vie. Hormis quelques petits ennuis quand elle avait une trentaine d'années, après deux avortements, elle avait été tranquille.

« Encore une et c'est fini. Inspirez... Bloquez... Ne bougez pas surtout... Ne respirez pas. »

Finalement, dans les salles d'attente des médecins et les services de consultation des hôpitaux, elle avait été enrôlée de force dans l'armée dépenaillée des malades – vieux et jeunes, intelligents et stupides, riches et pauvres, bons et méchants. Leur seul point commun était leur imperfection : leur corps, où logeait leur conscience de soi, était devenu leur pire ennemi.

« Restez allongée et attendez un peu, dit la radiologue d'une voix guillerette de coiffeuse qui vous laisse sous le casque. Au cas où il faudrait en recommencer certaines. Je vais vérifier. »

Oui, songea Honor. J'attendrai. Que puis-je faire d'autre ?

*

* *

Tamara chemina à travers le sinistre amphithéâtre de la cité, passant devant les carcasses de deux voitures abandonnées, un matelas maculé de taches dessinant une carte de géographie sépia, des postes de télé cassés, des chaises de jardin en plastique blanches disposées sur une rangée comme pour un thé post-apocalyptique qui aurait été brutalement interrompu, tout un chapelet de chariots de supermarché dont les paniers renversés brillaient comme des toiles d'araignée sous l'éclairage cru des lampadaires, et une poussette, couchée sur le côté, dont la toile du siège avait été déchirée de haut en bas.

La cité était déserte, hormis quelques gamins qui jouaient au foot sur la parcelle de gazon pelé. Des aboiements semblaient jaillir de tous les appartements. Et ce n'étaient ni d'affectueux labradors ni de mignons caniches, mais des masses de muscles aux crocs acérés, programmées pour vous lacérer, que vous soyez pauvre ou riche, policier ou dealer, gentil ou méchant. Même leurs propriétaires n'étaient pas en sécurité.

Le passage piétonnier qui reliait les bâtiments était une venelle nauséabonde où proliféraient les graffitis, des Jackson Pollock d'insultes obscènes (où il était question de mères, de chiens et de putes) et de tags, pathétique tentative pour marquer son territoire : *SyncKrew4ever*, *GBlokRule*, *KodyisKing*. Alors que Tamara s'enfonçait dans la cité, des voix se joignirent aux aboiements – marmonnements masculins et exclamations féminines annonçant une scène de ménage ; cri d'un bébé – avec, dominant le tout, une clameur émanant des postes de télévision. Certaines portes étaient protégées par des grillages, verrouillées de l'intérieur par des cadenas. Devant d'autres se trouvaient, pêle-mêle, des chaussures d'enfant, des poussettes, des voitures à pédales – tout le joyeux désordre de la vie de famille. Une des forteresses, dont la fenêtre était occultée par une plaque de métal, paraissait si bien barricadée derrière ses planches de bois qu'on ne pouvait l'imaginer occupée ; pourtant, en passant devant, Tamara entendit des murmures et les échos d'un match de foot, les hoquets d'un commentateur essayant de se faire entendre au milieu des rugissements de la foule.

Devant la porte, peinte en rouge vif, du logement suivant, elle remarque un paillasson sur lequel était écrit « bienvenue » et un bac de jacinthes. La locataire était sans doute une personne âgée, une survivante d'un temps antédiluvien où l'ennemi était l'aviation allemande, non le fumeur de crack du rez-de-chaussée.

Il n'y avait pas de paillasson « bienvenue » devant la porte d'entrée de Crystal, mais il n'y avait pas non plus de grillage. Les voilages étaient gris, mais, au moins, les vitres étaient indemnes. Au fil des ans, tandis que leurs espoirs pour Ross s'amenuisaient, Tamara et sa mère avaient appris à guetter ces petits signes rassurants. Avec Ross, leur niveau d'exigence avait chuté.

Après le choc de sa première arrestation pour vol à l'étalage, sa condamnation avec sursis avait eu la saveur de la rédemption. Cela avait sonné un nouveau départ pour la famille. Ils allaient mieux, ils allaient se montrer plus forts, se remettre sur les rails après ce faux pas, ragaillardis, l'esprit clair. Son deuxième délit, ou plutôt le délit pour lequel il avait été arrêté une deuxième fois, lui avait valu quatre mois de prison ferme – et non pas les dix-huit dont on l'avait menacé. Après les affres de l'angoisse qui avaient précédé le procès, leur mère avait fêté la victoire pendant des jours, ce qui, du même coup, avait totalement éclipsé la réussite de Tamara au baccalauréat. On aurait cru qu'un séjour dans une prison du Northamptonshire représentait un meilleur atout dans la vie qu'un passeport pour une première année universitaire à Brighton Poly.

Depuis lors, dans ses moments de déprime, Tamara se disait que leur optimisme tenace et leur conviction que Ross était capable de se reprendre – de laisser tomber la drogue, de retrouver sa joie de vivre, de trouver un travail et un appartement correct – étaient du délire, un délire d'un degré supérieur à celui de son frère. Son internement en hôpital psychiatrique avait été, selon Ross qui répétait ce qu'il entendait dans ses séances de thérapie de groupe, un « avertissement ». Tout comme l'avaient été l'hépatite C contractée avec des seringues usagées, l'alerte au sida et le coma causé par l'overdose de méthamphétamine dont il s'était miraculeusement sorti. Cela ne l'avait pourtant pas empêché de replonger aussitôt. Malgré ses rechutes, Tamara et sa mère s'accrochaient à l'espoir qu'il allait s'en sortir, s'efforçant de voir la seringue à moitié vide plutôt qu'à moitié pleine.

Le dernier coup de fil de Ross était néanmoins préoccupant. La sonnette de Crystal ne marchant pas, Tamara frappa à la porte, ce qui déclencha un aboiement rageur accompagné de bruits de griffes raclant un sol en linoléum.

« Non, Rex. Chut. Bon chien », dit une voix féminine rauque derrière le battant.

Tamara entendit le bruit d'un verrou qu'on ouvre, puis un visage hagard et méfiant encadré par d'épais cheveux teints au henné, apparut. L'effet était moins préraphaélite que *La Nuit des morts vivants*.

« Ah, Tam, bonjour. Entre. Il t'attend. »

De ses mains ornées de bagues en argent pointues, Crystal retenait par son collier Rex – un border collie dont l'unique œil bleu était déstabilisant –, prêt à sauter sur Tamara.

« N'aie pas peur. Il n'est pas méchant. »

Elle tira un bon coup sur le collier.

« Assis, Rex. Bon chien. »

Tamara rasa le mur de l'entrée.

« Je t'assure, t'as rien à craindre, continua Crystal en fermant la porte sans lâcher la bête. Tout ce que tu risques, c'est d'être léchée à mort. »

De la bave dégoulinait de ses babines. Tamara se contenta de sourire et garda ses distances.

Crystal poussa le chien dans la cuisine, claqua la porte et la ferma à clé.

« Il sait ouvrir les portes. Il saute et ouvre avec sa gueule, dit-elle avec un sourire qui en disait long sur son orgueil de mère.

— Oh. Super. »

La salle de séjour était plongée dans une pénombre que ne dissipaient pas une lampe à lave orange et les lueurs d'un écran de télévision qui diffusait un dessin animé où, dans une cacophonie de coups de sifflet et de coin-coin, des animaux de la ferme se lançaient les uns les autres dans une poursuite effrénée. Peu à peu, émergèrent six silhouettes assises en rond par terre, comme des Indiens de cinéma fumant le calumet de la paix. L'une d'elles prononça son prénom et le frère de Tamara se matérialisa sous ses yeux. Il s'efforça de se lever pour venir l'embrasser.

« Pas la peine, ne bouge pas », lui dit Tamara.

Elle s'accroupit pour lui dire bonjour, puis s'assit en tailleur à côté de lui. Une odeur rance flottait dans l'air. Dans le crépuscule artificiel, elle tenta d'évaluer l'état de Ross. Il ne tremblait pas. Il n'était pas en crise maniaque – pas de larmes, de ricanements, ou de monologue impossible à interrompre, ou d'histoire de conspiration, jusqu'ici. Il n'était pas non plus catatonique. Globalement, ça allait. Il semblait aussi content et à l'aise au milieu de ce cercle sordide qu'elle à sa table du Bubbles devant un bon déjeuner. Soudain, la moutarde lui monta au nez. Si Ross allait bien, pourquoi l'avait-il obligée à venir jusqu'ici, après une journée de travail, pour lui donner ses dernières économies ?

Quelqu'un passa à Tamara un joint mouillé de salive. Elle le tendit aussitôt à Ross, projetant de lui laisser l'argent et de filer au plus vite en évitant de toucher quoi que ce soit, d'aller aux toilettes et de respirer trop profondément. Mais elle savait aussi qu'il n'était pas prudent d'ouvrir son sac et de brandir des billets de banque sous le nez d'une bande de camés. Il fallait qu'elle prenne Ross à part.

Crystal entra avec un plateau chargé de tasses.

« Une infusion ? »

Tamara prit la tasse, un mug ébréché avec l'inscription *La meilleure maman du monde* – cadeau des jumeaux de Crystal, qui lui avaient été retirés à l'âge de huit ans –, et souffla sur le liquide rouge brûlant.

« C'est du cynorhodon, dit Ross. Bourré d'antioxydants. Ça booste le système immunitaire. Très équilibrant. »

Quand il se donnait la peine de s'alimenter, Ross ne mangeait pas n'importe quoi. Il fallait que ce soit macrobiotique et sans additifs. Sa seule lecture semblait celle de la liste des ingrédients sur les emballages.

Toute adjonction de substances chimiques était pour lui le signe d'un complot d'État contre sa personne visant à le détruire. En revanche les amphés, le crack et l'héroïne semblaient à ses yeux inoffensifs. Tamara souffla de nouveau sur sa tasse, comme si elle avait l'intention de la porter à ses lèvres.

Les autres ayant l'air de s'être réveillés entre deux bouffées de cannabis, Ross fit les présentations.

« Tam, voici Baz. Baz, Tam. »

Une gothique aux yeux charbonneux adressa un signe de tête à Tamara avec l'énergie d'une narcoleptique que l'on tire de sa sieste.

Sal, une frêle Jamaïcaine avec des tresses plaquées sur le crâne, se montra plus aimable.

« Ça va, Tam ? dit-elle en lui souriant d'un air ensommeillé mais chaleureux.

— Chiggy. Ma sœur, Tam. »

Un ivrogne tremblant, à la dentition semblable au monument mégalithique de Stonehenge en miniature, leva sa bouteille en guise de salut. Goody, un rasta à la tête de Méduse occupé à préparer un narguilé, ne lui accorda qu'un bref regard. Tamara masqua son malaise derrière un large sourire. Au moins, il n'y avait aucune seringue en vue. Un poster déchiré – deux dauphins bondissant dans des vagues turquoise – était punaisé au-dessus du radiateur électrique. Sur une table en osier, à côté d'un jeu de tarots, étaient posées des photos encadrées des jumeaux souriants dans les uniformes immaculés de leur école et d'une belle jeune fille à l'expression rebelle et aux nattes blondes couronnées d'un collier de pâquerettes. Dawn. La sœur défunte de Crystal.

Tamara étira ses pieds. Elle commençait à avoir des crampes. Comment les yogis pouvaient-ils méditer dans cette posture ? C'est alors que, stupéfaite, elle l'aperçut à l'autre bout du cercle. Époustouflant de beauté et de santé au milieu de ce ramassis d'épaves, il broyait méthodiquement de la poudre au moyen d'une lame de rasoir sur un boîtier de CD.

« Tam, je te présente Dev. »

L'espace d'un instant, Tamara se demanda si elle n'était pas victime d'une hallucination. Était-il possible d'être défoncé à ce point rien qu'en respirant l'atmosphère ? Mais non. C'était bien lui : le visiteur nocturne d'Honor Tait, son gigolo. Il était là, devant elle, à quelques mètres ; non, moins, elle aurait presque pu le toucher. Un cadeau tombé du ciel. Le mystère s'éclaircissait de lui-même. Son goût pour la consommation de psychotropes coûteux expliquait son gagne-pain sordide. Le chouchou de la vieille dame avait un vice à entretenir. Alors qu'il penchait son beau visage vers la poudre, ses boucles cachèrent son profil à Tamara. Il enfonça un billet de banque roulé dans une narine tout en bouchant l'autre avec son index. Puis il renversa la tête en arrière en reniflant et proposa à Tamara une ligne de cocaïne.

« Non, merci. J'en ai sniffé une avant de venir », lui dit-elle.

Ross lui lança un coup d'œil interloqué avant d'accepter le boîtier de CD.

« Fais pas gaffe à elle, Dev. Ma sœur est un peu coincée. »

Tamara rougit. Pour une fois que Ross aurait pu lui être utile, il se fichait d'elle en invitant les autres à

361

l'imiter. Elle aurait très bien pu sniffer cette ligne, mais elle avait trop de travail, elle ne pouvait pas se permettre de gâcher sa soirée, ni la matinée du lendemain. Tout le monde n'était pas en vacances permanentes. Bon, avait-elle envie de s'écrier, je suis coincée, et alors ? Où aurais-je trouvé tes deux cents livres sinon ? Comment aurais-tu fait pour manger ? Qui aurait payé ta caution ? Si ce trou à rats dans cette cité pourrie et cette bande de paumés que tu appelles tes amis représentent le mode de vie « alternatif », alors, oui, je préfère mille fois rester coincée !

Un deuxième joint circula, cette fois roulé par Sal. Tamara hésita. Elle pourrait à la rigueur prendre une toute petite taf, pour faire genre. C'est ce qu'elle fit ; c'était un truc fort, de la skunk sans doute, et, en passant le joint à Ross, elle sentit s'évanouir son agacement et son angoisse. Elle bougea les jambes : plus de crampes.

Les minutes s'écoulèrent. Qu'entendait-on ? De la musique ? La bande-son du dessin animé semblait s'être accélérée et elle percevait de nouveaux instruments, des percussions, tel un millier de battements de cœur, et une flûte, des notes si élevées, si pures, qu'on aurait cru un chant d'oiseaux au paradis. Maintenant qu'elle écoutait vraiment, la musique semblait contenir toute la beauté, toute la tragédie de l'existence. Et l'appartement de Crystal, tout bien considéré, était un lieu accueillant, baigné d'une luminosité rosée tout à fait agréable. Comment avait-elle fait pour ne pas s'en apercevoir ? Légèrement euphorique, elle sentait monter en elle une sensation de bien-être ; Tamara avait l'impression de tenir enfin en main les rênes de sa vie.

Ross et ses amis lui apparaissaient sous un nouveau jour : beaux, nobles même, chacun se présentant soudain comme un personnage, l'œil luisant, spirituel, philosophe, un héros ou une héroïne à qui on passait ses quelques défauts. Et le plus beau d'entre eux – il fallait bien l'avouer, la vieille Tait avait du goût – était Dev, qui la regardait à présent, paupières mi-closes, avec un désir ardent que son regard à elle lui rendait bien. Il la désirait, elle le désirait. Ce n'était pas plus compliqué que ça.

« Tam ? Tam ? Ça va ? »

L'inquiétude de Ross l'émut.

« Bien sûr. Écoute, je voudrais te parler, j'en ai pour une minute. Seul. »

Ils trouvèrent un coin dans le couloir devant la cuisine. De l'autre côté de la porte, Rex sautait sur la poignée en jappant comme un fou. L'euphorie de Tamara commençait à retomber. Elle tendit l'argent à Ross.

« Merci, Tam. T'es chouette. Ça va couvrir quelques frais. »

Tamara était sceptique.

« Occupe-toi d'abord de ton appartement. Rentre chez toi. Crystal et toi, vous ne vous rendez pas service. Mais je ne peux pas continuer comme ça, Ross. Te sortir d'affaire tout le temps. Ce n'est pas possible.

— Je sais, Tam. Désolé. Je vais me trouver un job, te rembourser, redresser la barre. »

Il l'embrassa sur la joue et elle esquissa un mouvement de recul. Sous la lumière crue du couloir, les dents de son frère paraissaient gâtées, son teint était

blafard, ses cheveux étaient gras, et ses ongles crasseux. Son jean déchiré, trop grand pour lui, laissait
voir le haut d'un caleçon sale. L'horrible odeur de
moisi venait de lui, pas de l'appartement de Crystal,
comme elle l'avait cru en arrivant.

« Tu n'as pas à me rembourser.

— Je te jure, Tam. C'est vraiment super de ta part.
Je te le rendrai. Tout ce que je te dois...

— Bon, alors, écoute, tu peux me rendre un service. Un truc pour mon boulot... »

Elle lui donna des instructions simples. Pas question de se fier à la discrétion de son frère, pas plus
qu'elle ne pouvait compter sur son honnêteté.

« Du boulot ? »

Il haussa un sourcil moqueur.

« Oh, d'accord. Appelle ça comme tu veux. Ton
secret est en sécurité avec moi.

— Il n'y a pas de secret. Je veux juste lui parler en
privé. Je te parle d'intérêts réciproques. Oui, de
boulot.

— Petite coquine, va, dit-il en lui faisant un clin
d'œil. Il est plus le copain de Crystal que le mien. Un
vieux pote. Des trucs de famille. Mais fais-moi
confiance, je vais me débrouiller. »

Un sourire roublard découvrit ses dents pourries.

Tamara se sentait de nouveau défoncée. Elle avait
tiré deux fois sur le joint, avant que Dev annonce son
départ et que Ross lui demande, d'un ton peut-être
un peu trop joyeux, s'il voulait bien rapprocher sa
sœur de chez elle. À présent, elle était assise dans la
camionnette de cet homme séduisant qui, en plus, lui

permettrait de décrocher le plus beau scoop de sa carrière.

« Le métro, ça ira ? »

Sa voix était aussi sensuelle qu'une voix off dans une pub à la télé.

« Super. »

Elle observa ses grandes mains aux doigts délicats et les imagina autour de ses seins. En regardant droit devant elle, elle parvint du coin de l'œil à étudier son profil, d'une beauté parfaite : un nez droit et fin, aux narines un peu ouvertes ; des lèvres bien dessinées, faites pour l'amour ; une barbe de trois jours, virile.

Il tourna la tête et surprit son regard.

« Tu connais bien Crystal ? s'enquit-il en fixant la route.

— Pas trop... C'est plutôt la copine de mon frère... Ross.

— Ah oui.

— Et toi ?

— On est de vieux amis. Presque de la famille. »

Son rire était ironique. Il devait se douter qu'ils formaient une drôle de paire ; lui beau comme un dieu, elle une ruine effrayante.

Il ralentit pour prendre un virage serré et, en changeant de vitesse, frôla de sa main le genou de Tamara, qui crut défaillir.

« Elle est... accueillante. Crystal, je veux dire », s'empressa-t-elle d'ajouter.

Il rit.

« Accueillante ? C'est une façon de présenter les choses, répliqua-t-il. Tu es une espèce d'écrivain, c'est ça ?

— Un peu. Oui. Je publie ici et là. »

Elle espérait qu'il n'entendrait pas le tremblement de sa voix.

« Comment tu sais ?

— Ross... ton frère... il en a parlé. Il est fier de toi, hein ? »

Elle éprouva une pointe de culpabilité.

« Et toi ? s'enquit-elle. Qu'est-ce que tu fais ? »

Il se passa la main dans les cheveux.

« Moi ? Je suis médium, répondit-il avec un grand sourire.

— C'est vrai ? fit Tamara en souriant. Alors, qu'est-ce que l'avenir me réserve ? »

Il plissa les yeux.

« Mmm. Je vois un voyage. Un long tunnel, sombre, jusqu'à Hornsey. »

Il exhalait un parfum exotique, une huile aromatique à l'odeur suave qui se mit soudain à piquer les yeux de Tamara.

« Pas mal ! s'exclama-t-elle. Sauf qu'il n'y a pas de station de métro à Hornsey. Il faut descendre à Turnpike Lane.

— Ah, mais bien sûr ! J'ai vu trop loin. Il y aura un métro à Hornsey... dans une vingtaine d'années. Crois-moi. »

Elle rit et, contemplant les rues vides, chercha un moyen de gagner du temps.

« Dis-moi, Dev, c'est quoi, ton nom de famille ? D'où tu es ?

— Oh, toutes ces questions ! s'écria-t-il d'un ton badin. Je m'appelle Dev, juste Dev, et je suis de partout et de nulle part.

366

— Juste Dev ?

— Autrefois, j'avais deux noms, comme tout le monde. Mais quand je me suis engagé dans la Voie, je me suis délesté de tout ce dont je n'avais pas besoin. Un patronyme ne valait pas mieux qu'un tas de biens matériels. Dev est un nom sanskrit. Il signifie "celui qui suit Dieu". Ça me suffit.

— Ah, d'accord. Un nom, une seule syllabe.

— Je veux peser le moins lourd possible sur la terre. »

Cherchait-il à la taquiner ? Le véhicule était garé devant le métro. Il ne lui restait pratiquement plus de temps.

« On gagne bien sa vie, quand on est médium ?

— Je suis aussi guérisseur.

— Guérisseur ? Comment ça ? »

Il se pencha vers elle et prononça à voix basse :

« De toutes les manières.

— Tu veux dire que tu imposes les mains, ce genre de chose ? »

Il lui montra ses mains, paumes en avant, en souriant.

« Oui, j'ai des mains qui guérissent.

— Qu'est-ce que tu fais alors, avec ces mains ? »

Elle s'aventurait en terrain miné. Mais, s'il l'avait remarqué, il n'en laissa rien paraître.

« Massage de l'aura, boule de cristal, chromothérapie, peinture médiumnique, chirurgie psychique… »

Un massage de l'aura ! Tamara eut la vision déplaisante d'Honor Tait allongée nue, comme un de ces cadavres conservés dans la tourbe, attendant les soins de Dev et de ses mains de guérisseur.

« Chromothérapie ?

— Tu connais l'acupuncture ? Eh bien, à la place des aiguilles, nous nous servons de couleurs. »

Tamara essaya d'imaginer en quoi consistait ce procédé. Elle avait une sainte horreur des piqûres – contrairement à Ross – et, quoiqu'on lui ait souvent recommandé l'acupuncture contre la gueule de bois, elle n'avait jamais suivi ces conseils.

« Des couleurs ?

— Des fioles remplies de liquides colorés. On les applique sur les points d'acupuncture. Mettons que tu aies des reins malades. Eh bien, j'appliquerai une fiole de rouge dans le bas de ton dos. L'énergie se répand dans le sang. »

Son scoop était-il en train de lui échapper ? Serait-ce là le service pour lequel Honor Tait l'avait rémunéré au restaurant ? *UNE VIEILLE DAME CONSULTE UN CHARLATAN NEW AGE...* Un titre peu alléchant. Cela dit, Tamara voyait mal Tait recourant à une thérapie alternative. Et cela n'expliquait pas le baiser, ni l'enveloppe bourrée de billets.

« Ou si tu es déprimée, j'applique du jaune sur le troisième méridien sous ta gorge. On obtient des résultats incroyables. Sans aucun effet secondaire.

— Où se pratiquent toutes ces choses ?

— À Clapton. »

Pas si loin que ça, finalement.

« Chez moi, dans mon appartement, précisa-t-il. Il y a aussi des ateliers... La vie antérieure, les voix intérieures, l'angélologie, le coaching de vie. »

Le coaching de vie ? Qu'est-ce que c'était ? Elle tenta de se figurer Honor Tait écoutant avec atten-

368

tion ce séduisant bonimenteur tandis qu'il lui donnait des conseils pour mener sa vie, du moins ce qu'il en restait. Cela dit, en regardant Dev, elle se disait qu'elle aurait elle-même besoin d'un peu de coaching. Et peut-être aussi d'un peu d'imposition de mains.

« Eh bien, c'est super. Je suis moi-même assez branchée sur la spiritualité.

— Je le savais. Je l'ai vu tout de suite. »

Après avoir consulté sa montre, il tira de sa poche une carte de visite sur laquelle était écrit, en caractères gothiques : *Dev – maître praticien en chromothérapie (RCPP). Massage d'aura.*

Il sortit un stylo à plume et écrivit un numéro de téléphone à l'encre violette.

« Tu n'as qu'à me passer un coup de fil, Tamara. J'ai un bon feeling avec toi. Tu as une aura magnifique. Beaucoup de violet. La couleur de la vérité. Et de l'or. La couleur de la force. Beaucoup d'or.

— Ben dis donc. »

Il se pencha vers elle si vivement qu'elle tressaillit.

« Et je viens d'avoir une autre prémonition, ajouta-t-il.

— Ah bon ? Laquelle ?

— Si tu ne te grouilles pas, tu vas louper le dernier métro. »

## 18

HONOR N'AVAIT AUCUNE NOUVELLE de Ruth ni de Clemency, et Bobby ne répondait pas à ses messages. Inigo, à qui le succès de son exposition était monté à la tête de façon grotesque, avait pris l'avion pour New York avec une jeune personne rencontrée le soir de son vernissage. Même Paul était injoignable. Aidan se trouvait en France pour une semaine en compagnie de Jorge et, avant son départ, il lui avait téléphoné pour lui dire que Paul avait été aperçu au National Theatre, au bras de Martha Gellhorn. Paul était le type d'homme qui plaisait à la Gellhorn, en avait conclu Honor.

Debout à la fenêtre, elle observait un couple d'une trentaine d'années, sans doute américain, qui retenait une poussette aérodynamique menaçant de dévaler les marches du jardin. Ces jeunes parents branchés faisaient tellement de manières, comme s'ils avaient inventé quelque chose de nouveau. La poussette effectuait des bonds et le bébé, emmitouflé dans des couvertures, un bonnet et des moufles, oscillait, aussi impassible qu'une idole de l'Himalaya dans une procession à flanc de montagne. Leur amour, supposait Honor, traînait des chaînes invisibles dans leur sillage.

Ce matin, elle avait lu dans le journal un article sur le syndrome de Diogène. Si c'était là une maladie qui touchait les personnes âgées, pensa-t-elle au premier abord, elle était plutôt enviable. Elle avait été attirée par ce philosophe grec dès son adolescence rebelle, le cynisme lui semblant alors le seul point de vue raisonnable sur le monde. Le vœu de pauvreté et de simplicité, la décision de se dépouiller de tous les biens pour vivre dans un tonneau, voilà qui avait de quoi plaire à une jeune fille dont la vie familiale était marquée par l'abondance matérielle et la pauvreté intellectuelle.

Mais, à la lecture de l'article en question, elle s'était aperçue que le nom de syndrome de Diogène était trompeur. En réalité, il désignait une maladie mentale poussant les gens à accumuler des détritus et correspondant davantage à son autre nom : « syndrome de décompensation sénile ». Ceux qui en souffraient transformaient leur logement en poubelle, entassant les journaux, les vieux chiffons, les boîtes de conserve vides, les papiers gras et jusqu'à leurs excréments parfois, si bien que, souvent, on retrouvait leurs cadavres enfouis sous les immondices, où ils pourrissaient depuis des semaines.

Pas de danger que cela se produise ici. Mais elle n'avait pas terminé son travail. Elle alluma la radio. Des émeutes islamiques secouaient la Chine. L'IRA avait déposé une bombe de trois cents kilos à Strabanc. Les Croates de Bosnie avaient tiré sur les musulmans dans la ville de Mostar. Le ramadan se terminait dans une escalade de violence en Algérie. Elle se mit à la fenêtre. Ce que M. Bose lui avait appris ne contribuait pas à l'égayer. La coloscopie n'avait pas été concluante : serait-elle prête à se soumettre à un nouvel examen ? Dehors, un croissant de lune brillait dans le ciel tel un tube au néon et, en contrebas, dans le jardin, les branches minces des hêtres étaient aussi pâles que des os contre les barreaux de la clôture.

Son isolement présent n'avait rien à voir avec la solitude qu'elle avait chérie autrefois. Aujourd'hui, c'était un vide épuisant ; autrefois, elle s'y ressourçait. Jeune, elle avait été portée par la pureté de son objectif. Son travail, c'était toute sa vie – la volonté de rapporter, d'être la première à raconter. Sur ce chapitre, les amitiés et l'amour, s'ils n'étaient pas toujours ennemis de la vérité, n'avaient pas été ses meilleurs alliés. Elle avait œuvré sans vergogne, cultivant une rigoureuse autarcie émotionnelle et disant le vrai à n'importe quel prix. Pourtant, auprès de ses collègues, elle avait eu la réputation – propagée de façon insidieuse par deux *romans à clef** stupides sous la plume de reporters du *Tribune* – d'être une peste. Et à présent ? Cela aurait dû la laisser indifférente. Mais voilà, elle était incapable de lâcher prise, comme un terrier avec un vieil os. Elle ramassa les épreuves de *L'Œil inflexible*.

*Le village musulman de Melouza, au sud de la Grande Kabylie, dans les hauts plateaux des monts du Hodna, était totalement silencieux tandis que j'en longeais les rues poussiéreuses. La totalité de la population masculine – jeunes comme vieux, en tout plus de trois cents personnes – a été massacrée par des rebelles algériens du Front de libération nationale (FLN). Les femmes et les enfants sont choqués au-delà des larmes. Le chagrin a fait perdre la raison à certaines.*

*D'emblée de sympathie nationaliste, le village avait été gagné à la cause du Mouvement national algérien (MNA). En dépit de leur hostilité commune à la France, les deux mouvements employèrent les tactiques les plus meurtrières pour se combattre l'un l'autre et lutter contre leurs alliés respectifs. Mais depuis que le MNA a subi une sanglante défaite face au FLN dans la région de Melouza, le village semble s'être rangé sous la protection des autorités françaises.*

Les sigles étaient rébarbatifs, l'article peu émouvant. Ses souvenirs de sa visite à Melouza avaient disparu comme, sans doute, toute trace des hommes et des garçons massacrés. Et si elle-même jugeait sa prose aride et ingrate, comment allait réagir le lecteur ? Elle se demandait pourquoi Ruth se donnait le mal d'éditer ce troisième bouquin. Par vanité d'éditeur ? Parce que ce genre de publication flatte davantage l'éditeur que l'auteur ? Alors, que Ruth se charge du travail éditorial. Après tout, c'était le sien. Honor n'avait plus aucune envie de se plonger là-dedans – les nouvelles périmées d'un monde englouti. En revanche, elle était seule à pouvoir revisiter le chêne

de Goethe. C'était l'occasion ou jamais de se racheter.

*En fin de compte, ce furent les Alliés qui ache-*
*vèrent le chêne de Goethe. Le mois précédent, un*
*bombardement britannique destiné à détruire*
*l'usine de munitions voisine avait touché le camp*
*de Buchenwald. En tout, trois cent seize détenus*
*et quatre-vingts officiers SS avaient été tués. Et il*
*y avait eu une victime supplémentaire ; tout ce qui*
*restait de l'arbre symbolique de Goethe était une*
*souche carbonisée et un tas de rameaux fumants.*
*Une fois l'attaque aérienne passée, des détenus et*
*des gardes se précipitèrent pour cueillir des frag-*
*ments de l'arbre, souvenirs, pour les fascistes*
*comme pour les antifascistes, d'un symbole de la*
*grandeur de l'Allemagne.*
*Après le défilé des survivants devant le tronc*
*déchiqueté du chêne du poète, je me suis aventu-*
*rée à pied dans la forêt en dehors du camp. Je l'ai*
*entendu avant de le voir et j'ai couru avertir les*
*troupes américaines.*

Le chauffage central ronronnait, consommant de
l'argent qu'elle n'avait pas, et pourtant elle était glacée jusqu'aux os. Rien ne la réchauffait, ni les couvertures dans lesquelles elle s'était enveloppée dans son
fauteuil, ni l'alcool, ni les fausses flammes qui scin-
tillaient faiblement dans l'âtre. Elle avait été changée,
un peu comme la femme de Loth, en statue de sel.
Était-ce pour un crime semblable ? Avait-elle, elle

aussi, regardé en arrière et vu ce qu'une mortelle n'aurait jamais dû voir ?

*

* *

Simon boudait. Il avait séché la conférence du matin, lui dit-il au téléphone. Tania était désormais aux commandes. Qu'elle leur énumère les thèmes d'actualité et écoute les agendas des autres lors des réunions ultérieures, qu'elle essaie d'arracher un sourire à Wedderburn et de rire à ses blagues minables.

« Tu ne peux pas la laisser nous marcher dessus comme ça, protesta Tamara. Nous avons encore un mois d'existence au format papier avant de disparaître dans le cyberespace. C'est nous qui avons fait tout le travail, nous méritons qu'il soit reconnu. *Psst !* a besoin d'être convenablement représenté.

— Tu n'as qu'à y aller, riposta-t-il sèchement. Je suis toujours chez Davina. Je te retrouve au déjeuner. »

Le temps que Tamara imprime le résumé des articles de la semaine, parcoure la presse de la matinée et monte au quatrième étage, tous les sièges dans la salle de rédaction étaient pris. Elle dut rester debout près de la porte, à côté de deux stagiaires dont la jeunesse était aussi remarquable que la nervosité. Elle se coula discrètement dans un coin, à bonne distance du chariot à thé.

Wedderburn, flanqué de Tania et de Lyra, qui prenaient des notes, n'était manifestement pas d'humeur à rire. Il s'éclaircit la gorge. Aussitôt, les deux femmes levèrent le nez et posèrent leurs stylos avec des gestes si bien synchronisés qu'on aurait dit une chorégraphie de Busby Berkeley. Il passa tout de suite aux choses sérieuses. Le *Courier* de ce matin publiait un spoiler s'attaquant à leur numéro spécial, « Les élites vues par le *Monitor* », un numéro spécial qui représentait des semaines de travail et des frais considérables, dont la sortie était prévue pour le samedi en huit. Le top 100 des personnages les plus influents de la politique, des arts, de l'édition, des affaires et du sport. La similitude entre le classement « Alpha » du *Courier* et celui du *Monitor* était flagrante, à une exception près : Wedderburn *lui-même* avait été omis dans la liste des géants de la presse et des médias du *Courier*, au même titre que Lukas Lukauskis, le principal actionnaire du *Monitor*. À leur place, on trouvait Neville Titmuss, le directeur du *Courier*, et Bohdan Bohdanovich, le propriétaire ukrainien du journal en question.

Et ce n'était pas tout : les cadeaux du *Monitor* « pour elle et pour lui » étaient battus en brèche par ceux du *Courier*, eux aussi « pour elle et pour lui » : une épingle à cravate et un collier en métal doré, tous deux estampillés de la lettre A, pour Alpha. Le numéro spécial du *Monitor* était déjà imprimé, prêt à la diffusion, la campagne de pub à la télé prépayée et les babioles en provenance de Taiwan attendaient d'être mises sous blister chez l'imprimeur. Il était donc impossible de faire machine arrière. Il faudrait bien sortir ce numéro spécial le samedi 1er mars, donnant ainsi l'impression que le *Monitor* ne faisait que copier le *Courier*.

« C'est révoltant », décréta Wedderburn.

Tout le monde, y compris les stagiaires, opina d'un air lugubre. En donnant de petits coups sur la table avec son stylo, le grand patron déclara que le seul moyen de sauver leur plan marketing consistait à s'assurer que le numéro du 1ᵉʳ mars serait d'une qualité exceptionnelle.

« Je voudrais qu'en me présentant leurs sujets, les chefs de service me précisent aussi leurs projets pour le 1ᵉʳ mars. Il faut absolument que vous donniez le meilleur de vous-mêmes. »

Le reste des affaires du jour fut examiné de façon sommaire ; d'un commun accord, il fut entendu que, pour l'heure, toute plaisanterie ou attaque visant la compétence des collègues n'était pas la bienvenue. Vu la tête qu'il faisait, Wedderburn semblait capable de les virer au premier mot de travers. Le chef du desk politique intérieure exposa ses sujets – toujours les affaires de corruption chez les conservateurs, les nominations britanniques aux Oscars, les noces Kensit-Gallagher repoussées – avec la célérité d'un homme vendant du tabac aux enchères. Quant au chef du desk politique étrangère, il fut un modèle de professionnalisme glacé tandis qu'il entonnait la mélopée des catastrophes et des massacres en terres lointaines. Le service politique n'était pas représenté – Tony Gadge assistait à une messe pour la fête de sainte Adélaïde de Villich – et Vida, qui remplaçait Johnny, lequel prenait un cours de communication non verbale, fit un exposé timide des différents thèmes qu'ils souhaitaient aborder dans le *Me2* du lendemain – « J'espère que tu ne viendras jamais ici : un guide en images des pires villégiatures des bords de mer de

Grande-Bretagne » et « Dire que je t'ai à peine connue, mamie », le récit exemplaire d'une vie après l'inceste.

Le chef du service information économique et financière, avec des intonations d'horloge parlante, énuméra les hausses de taux d'intérêt, les baisses de taux de profit et les fluctuations des taux de change. Ricky Clegg avait prévu la sobriété de la réunion, il avait mis un costume et une cravate. À moins qu'il n'ait un entretien d'embauche dans l'après-midi... Il s'attarda plus que nécessaire sur les pronostics concernant un certain David Becking – ou était-ce Beckham ? –, un joueur portant le maillot de Manchester United âgé de vingt et un ans et originaire de Londres, dont la prestation était attendue lors d'un match de qualification pour la coupe du monde qui devait se dérouler le lendemain. Tamara fut rassurée de voir que Wedderburn qui étudiait le classement du *Courier* comme si son nom était caché quelque part, avait l'air aussi peu intéressé qu'elle par les futures stars du foot. Avec un air de dignité offensée, le rédacteur en chef de la section arts résuma son article à paraître – une comparaison entre la poésie de Keats et les paroles des chansons de Kylie Minogue – et ne fit qu'une brève allusion à la descente en flammes du récital de lundi au Wigmore Hall.

Puis, à une vitesse stupéfiante, vint le tour des suppléments du week-end. Tamara baissa les yeux sur la table de *Psst !* Elle avait un scoop à annoncer : Pernilla Perssen était enceinte. Que Tamara ait réussi à l'obtenir grâce à une plainte pour diffamation – les avocats de la top model n'avaient pas trouvé drôles

les commentaires de *Psst !* sur son état nauséeux et sur sa prise de poids –, cela n'avait pas lieu d'être cité. Cette histoire allait faire du bruit. Les autres journaux allaient se jeter dessus et les spéculations sur l'identité du père du bébé alimenter la presse pendant des semaines. Peut-être devraient-ils le garder pour le 1er mars, le jour même de l'ultime numéro du véritable *Psst !* encre et papier. Ils disparaîtraient ainsi en beauté.

Tamara répéta son intervention en son for intérieur. Une efficacité hautaine, voilà l'attitude à adopter.

Lyra, avec la fébrilité passionnée d'une actrice shakespearienne auditionnant pour le rôle de Portia, était en train de nommer les contributeurs au *S*nday* de cette semaine – deux lauréats du Booker Prize et un prix Nobel, un top 100 des élites à lui tout seul. Un jour prochain, pensa Tamara, son nom figurerait parmi les Grands dans l'ours de *S*nday*. Le chef de la section littéraire prit ensuite la parole, ou plutôt bégaya son catalogue ennuyeux de critiques et de non-fiction littéraire – une étude attendue depuis longtemps sur le génie d'Alexandre le Grand ; une histoire globale de la colonisation et un nouveau roman d'un Bulgare punk et ivrogne. On aurait dit que Caspar Dyson n'arrêtait pas de s'excuser et l'indifférence d'Austin Wedderburn était évidente.

« ... On a aussi une étude sur la versification portugaise au XIXe siècle », ajouta Caspar en épongeant la sueur qui ourlait sa lèvre supérieure.

Tamara révisa encore une fois sa liste. Devait-elle attaquer par le scoop Pernilla Perssen ou le réserver pour la fin ? Mais Caspar n'en avait pas fini.

379

« … et le 1ᵉʳ mars nous publierons à la une un essai de quatre mille mots de Tania Singh en avant-première de la sortie du dernier Tait, *Dépêches des ténèbres.* »

Si sa chaise n'avait pas eu de dossier, Tamara serait tombée à la renverse. Avait-elle bien entendu ? Elle fixa Tania, qui semblait radieuse, puis Lyra, qui gribouillait distraitement sur un coin de son bloc-notes, de l'autre côté de la table.

« Vous ne pouvez pas faire ça ! » s'écria une voix vibrante de colère.

Toutes les têtes se tournèrent vers Tamara, sidérées par cette réflexion incongrue. Ce cri du cœur était donc le sien. Les mots avaient jailli de sa bouche sans qu'elle puisse les retenir.

Austin Wedderburn lâcha son stylo, qui tomba telle une guillotine dans le silence. Il regarda Tamara droit dans les yeux, la remarquant sans doute pour la première fois depuis qu'elle travaillait pour le *Monitor*.

« Pouvez-vous m'expliquer pourquoi nous ne pouvons pas "faire ça" ? »

Elle sentit sa gorge se serrer au point de ne plus pouvoir de respirer.

« C'est un spoiler, déclara-t-elle d'une voix éraillée.

— Un spoiler ? s'étonna le directeur. Un *autre* spoiler ? »

Il eut un rire amer, et tous se sentirent autorisés à l'imiter.

« Il faut bien avouer que nous sommes favorables aux spoilers, ici, continua-t-il, si cela peut nous faire gagner une manche sur l'adversaire. Ou auriez-vous des objections d'ordre moral ? »

Tamara s'efforça d'ignorer les sourires qui s'épanouissaient sur les visages de ses collègues. Ils savaient que tant que quelqu'un d'autre qu'eux subissait l'ire de Weddenburn, ils étaient eux-mêmes à l'abri.

« Il ne s'agit pas de l'adversaire, murmura Tamara. Ce n'est pas un spoiler dirigé contre eux, mais contre un papier de S*nday, contre l'un des nôtres. »

Wedderburn se tourna vers le visage innocent de Tania, puis vers Lyra, laquelle s'était remise à prendre des notes.

« Lyra ? Avez-vous des objections ? Ce papier sur Honor Tait dans la section littéraire ? Cela interfère-t-il avec votre programmation ? »

Lyra jeta un coup d'œil à Tamara avant de s'adresser à Wedderburn.

« Non, dit-elle en secouant la tête. Je n'ai rien de programmé. Rien du tout. »

Si ce n'était pas de la haute trahison, qu'est-ce que c'était ? Les espoirs de Tamara s'évanouirent d'un seul coup, comme un tonneau qui se vide. L'humiliation était cuisante.

« Comme ça, au moins, les choses sont claires, conclut Wedderburn. Un spoiler, c'est déjà malencontreux, mais deux, ce serait de la négligence ! »

Il esquissa un sourire crispé et des rires gênés s'élevèrent autour de la table. Il rassembla ses papiers indiquant qu'il était temps de passer au sujet suivant. À présent, seule Tania regardait Tamara avec une expression de profonde pitié, la tête penchée de côté comme un oiseau, l'air narquois.

Wedderburn désigna d'un signe de tête Xanthippe Sparks, dont le look du jour – cheveux coiffés en arrière, jupe à volant, bottines à lacets et bas résille déchirés – laissait à penser qu'elle revenait d'un foyer d'accueil pour artistes de burlesque nécessiteux.

« Cette semaine, déclara-t-elle, nous publions "Les coulisses des défilés" et un article sur les sœurs Sole[1], des créatrices de chaussures. La photo en, double page sera sur "Le nouveau rococo"... Froufrous et falbalas... L'histoire revisitée... »

Le chef du desk affaires intérieures et celui du desk affaires étrangères échangèrent un regard. Au moins, songea Tamara, quand viendrait son tour de s'exprimer, elle ne serait pas ridicule. Comparée au programme de la mode, la table de *Psst* semblait aussi sérieuse qu'un débat parlementaire.

« Et le 1er mars, dans notre spécial hommes, nous saluerons le retour de la chemise ouverte sur une poitrine velue et une médaille en or. La tendance virile. »

Tamara passa de nouveau en revue les sujets de la semaine de *Psst !* Devait-elle choisir : « Derrière les séries, l'incroyable réalité » ou bien : « *Dsoudbras* : ces poils qui font horreur aux stars » ?

Wedderburn consulta sa montre.

« Bon, dit-il en haussant un seul sourcil, nous allons nous arrêter là. Le temps nous est compté. Tania va maintenant nous faire part des dernières nouvelles de notre site web. Puis je vous rappelle que nous avons un journal à sortir ! »

S'ensuivit une nouvelle explosion de joie approbatrice, qui noya l'exclamation amère que Tamara laissa

---

1. *Sole* signifie « semelle ». Et « *sole* » sonne comme « *soul* », qui signifie âme.

échapper. Son tour sautait, une fois de plus ! Il y avait de quoi devenir paranoïaque ! Elle n'eut cependant pas le temps de s'apitoyer sur son sort. Soudain, dans son champ de vision, apparut un pichet en porcelaine blanc, qu'Hazel agitait sous son nez. Ignorant les deux stagiaires, la secrétaire du patron avait traversé la pièce afin que Tamara serve le thé. Pas moyen d'y couper. Tamara accomplit son devoir avec un zèle furieux. Elle versa trois cuillerées pleines dans le thé de Wedderburn et tendit une tasse à Tania, laquelle, sans marquer la moindre pause dans son exposé sur le trafic du web et les pages vues, leva deux doigts à l'adresse de Tamara. Sans le secours de son imagination, qui remplaça le sucre par du cyanure, Tamara n'aurait jamais eu la force d'aller jusqu'au bout et serait sortie de la salle de réunion en bouillant de rage, les larmes aux yeux.

Les pleurs vinrent plus tard, au Bubbles, à l'heure du déjeuner. Elle avait tant espéré faire enfin partie de l'équipe officielle de Lyra Moore. Elle devait néanmoins se rendre à l'évidence : son avenir ne serait que la morne prolongation de la réalité actuelle, un couloir gris éclairé par la lueur lointaine du crématorium.

Simon lui glissa une enveloppe de fiches vierges que lui avait refilées le maître d'hôtel d'un nouveau restaurant de la City étoilé par le guide Michelin.

« Tu veux bien les faire passer avant la fin de la semaine ? Ça me rendrait service, avec l'anniversaire de Dexter qui arrive et tout ça. »

Elle prit l'enveloppe sans prononcer un mot. C'est alors qu'il remarqua qu'elle pleurait.

« Ça va, Tam ? »

Elle vida son sac. Il lui tendit des mouchoirs en papier pour qu'elle essuie ses larmes et commanda une bouteille de champagne consolatrice.

« C'est Lyra que je ne comprends pas, dit Tamara en reniflant. Tania, je sais bien ce qu'elle veut. Elle a les dents qui rayent le parquet. Mais Lyra, pourquoi m'a-t-elle demandé de faire ce papier, alors ? Pour me tourner ensuite le dos, au moment où je tiens enfin quelque chose d'intéressant... après tout ce travail... »

Simon lui tapota la main.

« Écoute, Tamara, je ne savais pas comment te le dire... Tu n'étais pas censée faire ce papier, au départ. »

Tamara le fusilla du regard. Là, il poussait le bouchon trop loin. Son manque de confiance en elle était si flagrant que c'en était insultant.

« Simon, dit-elle, d'un ton plein de rancœur, je te rappelle que tu es l'éditeur techno-pédagogique de *Psst !.com* et non le rédacteur en chef de *S\*nday*. C'est Lyra Moore qui dirige la revue. Et c'est elle qui m'a commandé cet article. Cela n'a rien à voir avec toi. C'est sa décision. Son choix.

— Justement, ce n'était pas son choix. »

Que voulait-il dire ?

« C'était une erreur », précisa-t-il d'une voix douce.

Tamara sentit son estomac se nouer et elle eut soudain le mal de mer, comme sur la péniche le soir de la fête de la section people. Elle posa son verre.

384

« Qu'est-ce que tu racontes ? Elle m'a envoyé un mail. Elle m'a demandé expressément de le faire. J'ai la preuve, là, dans mon ordinateur. Je te le montrerai tout à l'heure, si tu ne me crois pas. »

Avec l'air d'un médecin qui s'apprête à annoncer une mauvaise nouvelle à un patient, Simon dit prudemment :

« Elle a envoyé un mail, oui. Elle souhaitait un portrait d'Honor Tait, c'est exact. Mais, dans son esprit, ce n'était pas toi qui devais le faire.

— Puisque je te répète que j'ai reçu un mail. C'est écrit là, noir sur blanc. De Lyra… à moi.

— Tamara, dit-il avec encore plus de douceur. Tu te rappelles Aurora Witherspoon ? Austin Wedderburn ? Le correcteur automatique ? Lyra a commencé à taper un nom sur son clavier et le logiciel s'est chargé du reste. Elle ne s'est aperçue de son erreur que lorsqu'elle a reçu ta réponse. »

Tamara enfouit son visage dans ses mains. Elle se rappelait son euphorie à la réception du mail de Lyra, et avec quel enthousiasme elle avait tout de suite répondu. Il lui fallut plusieurs secondes pour trouver la force de répliquer :

« Mais si ce mail ne m'était pas destiné, à qui… ? »

Elle connaissait bien entendu déjà la réponse. La sympathie de Simon était sincère.

« Tania, répondit-il. Pas Tamara Sim, mais l'omnipotente, la conquérante Tania Singh, la Médée des médias, la reine Sémiramis de l'ère de la communication. »

Tamara le regarda, horrifiée, tandis qu'il poursuivait :

« Elle tannait Lyra depuis des mois, prétendant avoir lu tout ce qu'avait écrit Honor Tait qu'elle admirait, disait-elle, presque autant que Lyra elle-même, dont la revue *S\*nday* était, à l'entendre, la publication la plus révolutionnaire depuis le Livre de Kells, etc. »

Tamara poussa un petit grognement en se rappelant la jouissance quasi toxicomaniaque que lui avait procurée le mail de Lyra, et sa propre réponse impulsive, presque amoureuse : *Je la vénère !... C'est formidable de penser que je vais contribuer à vos pages lumineuses !* Puis, la série pathétique de ses propositions pour la rencontrer à déjeuner ou pour prendre un café, afin de discuter de leur projet, propositions qui, pour des raisons qu'elle comprenait à présent, étaient toujours demeurées sans réponse.

« Lyra regrette ce qui s'est passé, lui expliqua Simon. En admettant qu'elle soit capable d'éprouver des sentiments. Tu avais l'air tellement contente dans ton mail, m'a-t-elle dit. "Folle de joie", c'est l'expression qu'elle a employée. Elle n'a pas eu le courage de te détromper. En fait, elle a esquivé le problème. Et puis elle a pensé que tu en sortirais peut-être un truc dont elle pourrait se servir pour les légendes.

— Les légendes ?

— Tu sais, les photos de la vieille au temps de sa gloire accompagnées d'un commentaire de toi d'une centaine de mots. Puis Lyra a eu vent du gros article que Tania préparait pour la section littéraire et elle a laissé tomber le sujet. De toute façon, ce portrait d'Honor Tait ne l'emballait pas plus que ça.

— Mais dans ce cas, pourquoi n'a-t-elle rien dit ? gémit Tamara.

— Tu la connais. Ce n'est pas le genre à reconnaître ses erreurs. Elle est passée à autre chose en se disant que toi, Tania et Caspar iriez voir ailleurs et la laisseriez communier avec les Grands.

— Tu aurais quand même pu m'avertir. Tu es mon ami, non ? Pourquoi ne m'as-tu rien dit ?

— Justement parce que je suis ton ami. Tu avais des chances d'en tirer un truc. D'ailleurs, c'est ce qui s'est passé. La commande de Lyra t'avait redonné la pêche... Ça faisait des semaines que tu te traînais. Ne dis pas le contraire. Tu flippais tellement à cause de Tim, j'avais même été obligé de te renvoyer chez toi. Tu te rappelles ? Et quand tu t'es vraiment décidée à attaquer le sujet, tu as été très loin...

— Génial, rétorqua Tamara, amère. Et ça me rapporte quoi ?

— C'est dur, je sais. Lyra a été nulle. Une grande journaliste, mais elle n'entretient pas de bonnes relations avec les autres. À mon avis, tu t'en sors quand même pas mal du tout, ta position est excellente.

— Ah, vraiment ? Et comment cela ? Perchée au bord d'une falaise ? »

Il prit sa main dans la sienne.

« Allons, Tam. Ce n'est pas si terrible. Au fond, c'est quoi ? Un petit pépin, et cela pourra jouer en ta faveur.

— Je voudrais bien savoir comment ? »

Il essayait à présent de minimiser la chose.

« Écris ton papier. Tu as superbien démarré. Tu tiens un scoop génial et, comme le *Monitor* n'en veut plus, tu as parfaitement le droit de le proposer ailleurs et de ramasser un paquet de pognon. Creuse donc cette histoire de gigolo, et les tabloïds vont te courir après. De toute façon, il n'aurait pas collé avec S*nday. Il faut que tu voies grand. Tim paierait cher une histoire comme ça et il y aurait peut-être même à la clé un boulot permanent à Sphere. Et puis, le moment est peut-être venu pour nous de nous tirer du Monitor, nous autres scribouillards qui sommes d'une époque où on aimait la vie. »

L'argument était séduisant. Mais il y avait un hic.

« Tim ? dit-elle. Il m'a larguée, tu te rappelles ? Et je n'ai pas été très sympa avec lui aux Press Awards, la semaine dernière. »

Simon poussa un soupir, consulta son bipeur et se leva. Il jeta un rouleau de billets dans la soucoupe et glissa dans sa poche l'addition qui rejoindrait les autres notes de frais cet après-midi même.

« Tu dois oublier cette histoire et aller de l'avant, dit-il. À ta place, je ne laisserais pas un détail aussi insignifiant me priver d'un scoop. Pense à ton avenir. »

*

\* \*

Honor ouvrit le journal du jour.

*Selon des sources officielles, vingt-quatre personnes, dont une ancienne star du football, ont été assassinées par des groupes armés en Algérie, le dernier jour du ramadan le plus sanglant depuis le début*

388

*de l'insurrection islamiste, cinq ans auparavant.*
*Mohamed Madani, ex-footballeur, âgé de cinquante-*
*deux ans, a été tué par balle alors qu'il sortait*
*d'une mosquée à Alger après la prière du ven-*
*dredi. Ailleurs, dans les banlieues au sud d'Alger,*
*des hommes déguisés en policier ont tranché la*
*gorge de quatorze civils appartenant à trois*
*familles. Dans le quartier de Beau-Fraisier, un*
*autre groupe a assassiné un couple et son bébé de*
*six mois.*

Violences en Algérie ; émeutes en Albanie ; sépara-
tistes basques poseurs de bombes revendiquant leur
indépendance ; famines ; exactions ; meurtres d'inno-
cents. Elle aurait pu lire ou écrire la même chose cinquante ans plus tôt, et pourtant elle ne pouvait
s'empêcher d'être attirée par ces récits effrayants. Ce
qui avait changé, c'était la place qu'ils occupaient
dans les journaux. Autrefois, ils faisaient la une de
pages aussi austères que des pierres tombales.
Aujourd'hui, il fallait les chercher au milieu d'un ver-
tigineux tourbillon d'images.

Ces histoires n'émettaient plus que de pauvres
bêlements, que l'on faisait taire par des révélations
ineptes sur la vie privée des têtes couronnées et des
pop stars, des acteurs et des footballeurs. L'actualité
politique, elle aussi – ses coups bas, ses protagonistes
suffisants, ses scandales sexuels vieux jeu, ses spéculations sans fin et inutiles sur la date des prochaines élections –, n'était plus qu'une annexe du showbiz. Sans
parler des éditoriaux consternants (« Cauchemar en
cuisine : il trompe sa femme et risque de perdre son

émission télévisée »), rédigés par des imbéciles souriant bêtement dans la marge des colonnes de leurs tribunes ; d'ailleurs, c'était à se demander si ces portraits n'étaient pas ce qui avait donné le *coup de grâce** à la presse écrite. L'introduction de cet élément tout simple, le photomaton couleur, afin de rendre les pages du journal plus attrayantes à un public infantilisé par la télévision avait créé un nouveau besoin : les jeunes et jolies journalistes, blondes de préférence – peu importaient leurs talents d'écrivain et de reporter –, se révélaient plus photogéniques que les messieurs d'un certain âge menacés de calvitie qui formaient jadis le gros des troupes dans les salles de rédaction. D'où la prépondérance de petites mijaurées comme Tara Sim.

Mais, à la réflexion, songea Honor, sa propre contribution pourrait se trouver mise en cause : la bannière de la vérité qu'elle avait si souvent brandie sur le front était réduite à des lambeaux ensanglantés. Le monde n'avait pas forcément été meilleur naguère et ses erreurs avaient eu des conséquences plus graves que les bourdes idiotes de Tara Sim et des autres tâcherons qui se prétendaient « journalistes ». Peut-être son plus grand crime avait-il été un délit d'omission. L'information qu'elle s'était abstenue de divulguer et qui, à présent, la hantait plus que toutes les autres dépêches haletantes transmises de la zone de guerre.

*Buchenwald, le 14 avril 1945. La libération, jour 4. Vingt minutes plus tard, je traversai à pied les bois en dehors du périmètre du camp, suivant le chemin que Goethe avait sans doute emprunté par une belle journée d'automne, cent vingt ans auparavant. Soudain, un bruit dans les fourrés me fit tressaillir. Je l'entendis avant de le voir, et je courus à toutes jambes prévenir les troupes américaines.*

## 19

LA MUSIQUE, PRODUITE PAR UN INSTRUMENT ORIENTAL NON IDENTIFIABLE mais certainement électrique, hurlait comme une sirène de police tandis que Tamara pénétrait dans la pénombre enfumée des lieux.

Le Chakra Bar, anciennement le Chequers Pub, semblait avoir été conçu par un club de vieux hippies en désaccord sur leurs souvenirs de défonce ; des drapeaux de prière bouddhistes étaient suspendus çà et là autour de la salle telles des décorations de Noël, des dieux hindous souriaient sur les murs violets, des narguilés se dressaient sur toutes les tables et, avec leurs tuyaux s'enroulant sur eux-mêmes, faisaient penser à des systèmes de perfusion exotiques.

La fumée des bâtons d'encens, des cigarettes, des narguilés et d'un joint parfumé quelque part dans la pièce était aussi épaisse que de la neige carbonique, et le peu de lumière était fournie par les flammes vacillantes d'une multitude de petites bougies « votives ».

Peu à peu, Tamara réussit à distinguer une silhouette solitaire à une table dans un coin. En s'approchant, elle vit qu'il était plongé dans la lecture d'un livre de poche, appuyé à un narguilé et éclairé à la bougie.

Il leva les yeux et lui sourit, ses paupières se plissant en une expression espiègle. Son bouquin s'intitulait *Le Livre des transformations*. Ils commandèrent à boire : le même cocktail vodka-kiwi qui portait le nom de « Son d'une main qui applaudit ».

« Tiens, voilà Tamara l'écrivain. Qu'est-ce que tu veux savoir ?

— C'est toi, le médium, répondit-elle. C'est à toi de me le dire. »

Il rit et effleura sa main. Elle fut parcourue d'un frisson de plaisir peu professionnel.

« Eh bien, Tamara. Chercheuse de vérité. Je suis ici pour t'aider. »

Il la contemplait d'un air approbateur. Elle s'était fait un look évoquant Paula Yates[1] à son époque la plus rock chic : coiffure soigneusement hérissée, haut léopard échancré et jupe droite.

« Ce que tu m'as dit sur ton travail m'a beaucoup intéressée. J'avais envie d'écrire un truc sur toi. »

Elle prit son verre. Le cocktail n'était pas mauvais.

« Pour un magazine ? »

Il resta imperturbable.

« Un magazine, oui. Ou peut-être un quotidien, ajouta-t-elle.

— J'ignorais que tu étais ce genre d'écrivain.

— En fait, je suis en train d'écrire un livre, mais je travaille aussi comme pigiste. Je suis le genre d'écrivain qui doit gagner sa croûte. »

---

1. Animatrice vedette à la télévision britannique.

Il rit de nouveau.

« Les deux font la paire, alors. Car je suis le genre de guérisseur qui doit gagner sa croûte. Combien tu paies ? »

Elle esquissa un mouvement de recul.

« Pour quoi ?

— Pour cet article que tu vas écrire sur moi.

— Oh, on ne se fait pas payer pour ces trucs-là », précisa-t-elle en secouant la tête, coquette.

Elle devait y aller mollo. Il ne fallait pas l'effrayer.

« C'est un article sur ton travail de guérisseur. Je ne vais pas ébruiter des secrets d'alcôve.

— On verra ça. »

Il sourit et frôla de nouveau sa main. Cette fois, ses doigts s'attardèrent une seconde sur les siens. Pourquoi ne pas profiter de ce moment ? Ce n'était pas comme si elle risquait de tout gâcher en acceptant de flirter un peu. En plus, c'était la première fois que cela lui arrivait depuis des semaines. Idéalement, elle aurait dû prendre rendez-vous pour le vendredi suivant, le jour de la Saint-Valentin, ce qui lui aurait permis de contrecarrer les remarques libidineuses de ses collègues. Mais c'était un cas d'urgence. Le travail avant tout, même l'amour. Ce devait être ce soir.

« Parle-moi un peu du massage de l'aura.

— Prenons par exemple ton aura, dit-il en plantant ses yeux dans les siens. Tu as une aura ravissante. Tu sais ça ? Beaucoup de rouge, la couleur de la sensualité. Et de l'argent. La couleur de la spiritualité. Beaucoup d'argent.

— Et tes clients et clientes ?

« — J'en ai de toutes sortes. Des jeunes, des vieux, des riches… surtout des riches.

— Des célèbres ? »

Il lui jeta un regard perplexe.

« Oh oui. J'ai eu quelques clients célèbres. Pas mal, même. Tu serais étonnée.

— Sûrement. »

Ils commandèrent un deuxième cocktail : deux tiers de grappa et un tiers d'infusion au ginseng, avec un unique haricot mongo, que fit flamber une serveuse blasée vêtue comme une danseuse du ventre. Le cocktail en question s'appelait « L'art du Tantra ».

*
*  *

Il fallait poursuivre le grand nettoyage. Toujours des livres – d'histoire, d'actualité, pamphlets alarmistes sur l'avenir de l'écosystème, analyses sur la politique américaine, biographies, romans de Graham, ces derniers ayant constitué un autre de ses contentieux avec Tad. Ses crises de jalousie, quoique fatigantes, ne l'avaient jamais impressionnée. Il lui était même arrivé – mais cela, elle ne le lui avait jamais avoué – de les trouver comiques. En dépit de ses serments répétés, il était toujours devenu vert de rage à la seule vue du nom de son deuxième mari. Tad était furieux chaque fois que la radio jouait du Bartók, avec qui Sandor, qui ne possédait pas la moindre oreille, n'avait d'autre point commun que le lieu de naissance, et il avait un jour disparu sans crier gare pour passer trois jours à Salzbourg parce qu'il avait vu des affiches annonçant un concert au Mozarteum du violoniste Tibor Varga, qui, comme des dizaines de milliers de Hongrois, portait le même patronyme que Sandor.

Les maris défunts, supposait Honor, étaient encore plus menaçants que les ex encore en vie ou les divorcés défunts, quoique la crise cardiaque de Sandor, probablement provoquée par les bons soins charnels de Miss Monte-Carlo, ait précédé d'un mois la prononciation de leur divorce. Les époux étaient en général béatifiés après leur mort, même si de leur vivant ils avaient été des monstres et des irresponsables. À présent, c'était au tour de Tad d'être canonisé.

Bougies, dessous-de-verre, stylos – de vieux feutres, un Montblanc comme neuf, quantité de Bic, une série de surligneurs fluorescents emballés comme des bonbons – furent précipités avec ô combien de satisfaction au fond de sacs en plastique noirs. Elle se rappelait une opération semblable après la mort de sa mère, sauf qu'une partie de ces détritus avait pris le chemin des salles des ventes et permis à son père de s'acheter son whisky et ses marcels pendant quelques années de plus.

Bradley, le beau-frère d'Honor, un chirurgien de Phoenix spécialisé dans la chirurgie cardiaque, affable et courtois, s'était chargé de faire place net. Il avait vidé les placards et les tiroirs de Tad et emporté le tout. Cela aurait été trop dur pour Honor. Elle avait pourtant gardé une malle fermée à clé, en racontant à Bradley qu'elle lui appartenait. Une semaine plus tard, consciente d'accomplir une sorte de cérémonial, elle l'avait ouverte et, les uns après les autres, avait jeté les costumes de Tad, qui s'étaient déployés un instant avant de disparaître dans la benne à ordures parquée derrière l'immeuble.

L'appartement de Loïs avait dû lui aussi être nettoyé avant la vente destinée à payer son incarcération dans la maison de retraite. Deux nièces cupides s'en étaient chargées, se disputant la bimbeloterie comme des pies.

Honor noua les sacs d'un geste décidé avant d'en dérouler un autre. Il faudrait bien que quelqu'un s'occupe de cette corvée posthume à sa place – Ruth, sans doute, dans une agitation qui lui permettrait de se gonfler d'importance. Ce nettoyage-ci était une mesure préventive, se dit Honor, plutôt contente d'elle.

La radio, elle n'avait pas besoin d'une autre compagnie. Elle l'alluma, écouta et perdit de plus en plus patience. Encore des conjectures sur la date des élections, le gouvernement conservateur faisait face à de nouvelles accusations de corruption et les tentatives d'une princesse récemment divorcée pour se rendre utile en posant avec des victimes de mines antipersonnel en Angola suscitaient des analyses bidon. Rien là-dedans ne l'intéressait. Le silence était préférable. Le moment de se mettre au travail ne pouvait plus être repoussé.

*C'est dans cette forêt de hêtres, Buchenwald, que Goethe a dit : « Je suis venu bien souvent ici et souvent je me suis dit, au cours de ces dernières années, que c'était la dernière fois que je contem-*

*plais de ce lieu les royaumes du monde et leur splendeur. Mais je tiens toujours bon, et j'espère encore aujourd'hui que ce n'est pas la dernière fois que nous passons tous deux une bonne journée... Ici l'on se sent grand et libre, comme la grande nature que l'on a sous les yeux, et comme on devrait, en somme, être toujours.* » À l'extérieur du camp de la mort qui portait le nom de la forêt où Goethe avait eu son illumination, sur la pente nord de l'Ettersberg où un siècle plus tôt le poète avait contemplé la splendeur du monde, j'entendis un bruit, un craquement de brindilles, et je vis un jeune soldat nazi recroquevillé de peur dans les fourrés. Je courus alerter les Américains. L'Allemand n'était pas armé et se rendit sans hésiter.

*<br>* *

Étendue de tout son long, Tamara contemplait les franges de la lanterne chinoise suspendue entre les poutres du studio miteux sous les combles. La journaliste qu'elle était exultait, tout comme la femme. Tim n'allait pas apprécier. Pas apprécier du tout. Il serait sûrement aussi ravi qu'elle, une fois qu'il aurait son papier en main et tiendrait de quoi remplir deux doubles pages, avec photos compromettantes et titres accrocheurs. En revanche, il allait détester l'idée de se trouver coincé dans un mariage mortel, réduit à peloter les petites stagiaires aux dents longues, tandis que Tamara était passée de ses bras à ceux d'un amant plus jeune, plus agile et infiniment plus séduisant.

Elle n'était pas près d'oublier la nuit qu'elle venait de passer : les langoureux baisers, l'étreinte passionnée avec, des heures plus tard, lui semblait-il, un orgasme mutuel d'une intensité particulièrement bruyante. Elle se tourna sur l'oreiller pour le regarder. À cet instant, elle faisait partie de ces gens qui pouvaient déclarer, la main sur le cœur : « J'adore mon travail. » Sauf que quelque chose la chiffonnait tout de même : la pensée que son nouvel amoureux couchait avec Honor Tait. Elle contempla la perfection touchante de ses traits, l'arc de Cupidon au-dessus de ses lèvres au dessin ravissant – et ce n'était que son visage. Quel gâchis.

Les principes de la prostitution féminine n'avaient rien de mystérieux. Ce ne devait pas être difficile de ne pas s'impliquer émotionnellement dans la transaction et, si le client n'était pas ragoûtant, on pouvait toujours se concentrer sur son portefeuille. Mais, dans le cas d'« escorts » de sexe masculin – masseurs, gigolos –, quand ils avaient affaire, forcément, à des clientes peu appétissantes, ce qui dépassait Tamara, c'était le problème strictement physique : comment faisaient-ils pour passer à l'acte ?

Il lui tournait à présent le dos et ses discrets ronflements lui rappelaient le ronron d'un chat. Il fallait qu'elle mène un peu plus loin ses investigations pour son article. Était-ce le bon moment ? Elle posa une main baladeuse sur son épaule. Il grogna doucement et parut passer à un stade de sommeil encore plus profond. Le bousculant un peu, elle passa la plante de son pied sur le mollet du dormeur. En grommelant, il se réveilla à regret et, se renversant sur le dos, il étira ses bras en bâillant avant de lui jeter un regard puis de fixer le plafond.

« Dev ? »

Elle caressa son bras.

« Mmm ?

— Tu es réveillé ?

— Maintenant, oui.

— C'était bien, hier soir.

— Mmm. »

Elle glissa sa main sur son entrejambe. Il ne s'y passait pas grand-chose non plus.

« Tes mains de guérisseur, c'est quelque chose. »

Il lui prit le poignet et le tint fermement.

« Tu ne dois pas travailler, ce matin ? » s'enquit-il.

Elle ne pouvait pas lui avouer que c'était justement ce qu'elle faisait, en ce moment même – alors qu'elle traînait au lit, comblée de plaisir, auprès d'une copie vivante du David de Michel-Ange.

« J'ai pris ma matinée, répondit-elle, ce qui n'était qu'un demi-mensonge, après tout.

— Parfait. »

Il se tourna vers elle et lâcha sa main.

« Bon, mais on ne peut pas se permettre de faire la grasse matinée. J'ai du boulot qui m'attend. Des clients.

— Des clients célèbres ?

— Peut-être.

— Comme qui ?

— Je ne crois pas que je puisse te le dire.

— Comme Honor Tait ? »

Le sourire de Dev s'évanouit.

« Tu la connais ? »

Elle sentit sa gorge se contracter. Est-ce qu'elle avait commis une bourde ? Avait-elle été trop directe ?

« Vaguement. Nous autres journalistes, on connaît toutes Honor Tait. De nom, bien sûr. »

Il rabattit la couette et se leva.

« Mais comment tu sais ? Pour elle et moi ? »

Elle se dirigea vers le coin cuisine – un réchaud à gaz avec deux feux posé sur une table en sapin à côté d'un évier.

« Ces choses-là finissent par se savoir, dit-elle.

— Quel genre de "choses" ? » demanda-t-il en remplissant la bouilloire.

Tamara s'assit dans le lit et s'appuya contre l'oreiller, l'air faussement décontracté. Elle s'était aventurée en territoire dangereux. Peut-être l'avait-il repérée à la soirée de bienfaisance ou au café en face de chez Tait. Ou bien même à la galerie, le soir du vernissage.

« Oh, tu sais, elle et toi, les anges, les prismes, les auras... ce genre de choses.

— De la camomille ?

— Super.

— Non mais sérieusement, comment tu sais pour elle et moi ?

— En fait, je t'avais déjà vu. À la soirée d'Archway, au bénéfice des enfants. J'étais, assise dans le fond.

— Vraiment ?

— Oui. Je t'ai remarqué quand tu es arrivé en retard. »

401

Il lui tourna le dos pour prendre deux tasses dans un placard branlant.

« Je voulais juste voir comment ça se passait, dit-il. La voir en action. En service. Elle a beaucoup d'admirateurs, n'est-ce pas ?

— Oui, sûrement. Et ensuite je vous ai vus ensemble, poursuivit Tamara. J'ai mes habitudes dans un café de Maida Vale et c'est là que je t'ai vu devant chez elle.

— Devant Holmbrook ? »

Il se figea.

« Oui. J'ai entendu dire que c'était là qu'elle habitait. Oh, c'était le plus grand des hasards. Je viens de temps en temps dans ce café où je suis tranquille pour écrire mon livre. »

Il apporta la camomille, se remit au lit et se pencha pour ramasser par terre un petit sac en velours rouge.

« Tu écris quoi, comme livre ?

— Oh, c'est un peu mes souvenirs, répondit-elle sans conviction.

— Et tu écris aussi pour la presse, non ? »

Son cœur fit de nouveau un bond. Ross lui avait-il parlé de ses piges pour *Sphere* ? Ou elle-même en avait-elle parlé dans un moment d'ivresse, hier soir ? Elle but une gorgée de camomille et eut un haut-le-cœur. Comment pouvait-on aimer un breuvage aussi infect ? Un échantillon d'urine réchauffé au micro-ondes.

« Quelquefois. Ça m'aide à payer les factures. »

Il ramassa un gros livre – *Le Livre des morts tibétain* – et se mit à rouler un joint. Il humidifia la bande collante de la feuille en léchant le papier.

« Bon, on a tous des factures à payer. Quel style de presse ? »

Son cœur battait si fort qu'elle craignait qu'il ne l'entende. Il était méfiant et elle dans une situation délicate – nue et seule avec lui dans un coin de Londres qu'elle connaissait à peine. Elle était vraiment sur le front, cette fois.

« Oh, quelques journaux et magazines. Je fais des grilles de programme télé... »

Il prit un briquet, approcha la flamme du joint et, en plissant les yeux, inhala profondément. Quelques secondes après, deux nuages de fumée jaillirent de ses narines comme de la vapeur des naseaux d'un taureau furieux. Lorsqu'il reprit la parole, sa voix était étranglée.

« Tu bosses jamais pour les tabloïds ? »

Nous y voilà. Il avait dû verrouiller la porte d'entrée la veille au soir alors qu'ils étaient entrés, lui les mains sur ses seins, elle sur son entrejambe. Mais où avait-il posé les clés ?

« Oh, une ou deux fois. Des petits trucs. »

Elle étudia sa solution de repli, notant la position de ses chaussures et de ses vêtements, en tas par terre là où ils les avaient laissés quand il l'avait déshabillée sur le canapé. Mais s'agissait-il bien d'un studio ? N'était-ce pas une pièce ou deux dans un squat – le style d'endroit où Ross logeait avant de plonger encore plus bas ?

« Combien ils paient pour des informations intéressantes ? »

Tamara n'avait plus aucun souvenir de leur arrivée ici, hormis celui, très vague, d'avoir croisé dans l'escalier une petite punk avec une minijupe en plastique.

« Pas grand-chose, j'en ai peur. Une soixantaine de livres, si je fais tous les programmes télé. »

Il lui passa le joint. Elle devait garder l'esprit clair. D'un autre côté, si elle refusait, il trouverait ça louche.

« Pas toi. Je ne te demande pas ce que toi tu gagnes. Mais, tu sais, les gens qui vendent des articles où ils révèlent des scandales ou des saloperies sur des ex ? Ceux-là, ils ne touchent pas des fortunes ? »

Elle porta le joint à ses lèvres et tira quelques petites bouffées. En dépit de sa prudence, un peu de fumée s'infiltra dans son œsophage et se répandit dans son corps. Au moins il ne lui paraissait plus hostile, à présent. Irritable, peut-être, mais pas ouvertement hostile.

« Ils peuvent se faire un paquet, oui. Cela dépend.

— Combien ? Mille, dix mille, cent mille livres ? »

En dépit de l'agitation de Dev, une agréable sensation de calme l'envahit. Elle se glissa voluptueusement dans les draps et lui repassa le joint. Curieusement, son impatience était séduisante.

« Cent mille, oui, ça arrive. Mais il faut que le scoop concerne une célébrité.

— Tu dirais qu'Honor Tait en est une ? interrogeat-il.

— Pas vraiment... »

Elle ne devait pas montrer trop d'enthousiasme, sinon il allait monter son prix.

« En un sens, oui, mais seulement pour les journalistes et les écrivains.

— On l'a vue dans une émission à la télé, fit-il remarquer. Et on raconte qu'elle a baisé avec Frank Sinatra. Lui, c'est une célébrité, non ?

— Mais il est mort. Alors où est le fun ? »

D'un geste, il ramena ses cheveux en arrière. Il était vraiment d'une beauté incroyable. Elle lutta contre l'envie de passer le doigt sur ses lèvres, puis le long de sa mâchoire avant de descendre sur sa poitrine. Ce n'était pas le moment.

« Elle est sûrement connue, insista t il. On l'a vue à la télé. Les gens la reconnaissent dans la rue. Son mari, Tad Challis, était un réalisateur célèbre. Il a été décoré par la reine et tout ça. C'est lui qui a fait *The Pleasure Seekers* et *Hairdressers' Honeymoon...* Des classiques de la comédie britannique. Il y a peut-être quelque chose à trouver sur lui. Tout le monde connaît son nom.

— Tout le monde, à condition d'avoir plus de trente ans et d'être amateur de comédies rétro. En plus, les scoops sur les morts, c'est pas tellement vendeur.

— Il doit bien y avoir quelque chose. »

Il mordilla l'ongle de son pouce. Elle profita de cette ouverture pour se lancer.

« Bon, eh bien, il y a peut-être de l'argent à faire avec l'histoire d'une respectable vieille dame qui vient de faire l'objet d'une émission très regardée et d'un portrait dans *Vogue*, la chouchoute des intellos, etc., qui est à tu et à toi avec les membres du cabinet fantôme, et qui aurait, par exemple, des pratiques sexuelles illicites. »

Se hissant sur un coude, il la dévisagea intensément.

« Tu parles bien de sexe ?

— Oui, c'est ridicule, je sais.

— Qu'est-ce que tu veux dire par "illicites"?

— Eh bien, qui sortent de l'ordinaire… transgressives. Si elle s'envoie en l'air avec un vieux, ça ne compte pas, personne n'a envie de lire ça. Un peu sordide, ça va, mais il y a une limite à ne pas dépasser. Pas de zoophilie, par exemple. C'est une presse familiale. »

Il entreprit de rouler un deuxième joint. Le regarder sans pouvoir le toucher la mettait au supplice.

« Quelle sexualité "transgressive" serait jugée acceptable par ta presse familiale, alors ?

— Tout érotisme au-delà de la soixantaine, je suppose. Mais si, mettons, elle couchait avec quelqu'un de plus jeune, de beaucoup plus jeune qu'elle, eh bien, ce serait le style d'histoire tordue qu'ils pourraient publier… Je sais, c'est difficile à imaginer.

— Et ils paieraient cher une histoire comme ça ?

— Oui, je pense. »

Il se pencha vers elle et lui passa le joint.

« Cent mille ?

— Peut-être. Cela dépend. »

Elle garda la fumée dans ses poumons, la savourant avant de l'exhaler doucement avec un petit sourire. Son travail était presque terminé. Il avait mordu à l'hameçon.

« Ça dépend de quoi ?

— De ce que cet homme serait prêt à révéler, répondit-elle d'une voix rauque. S'il y avait des photos… de lui avec Honor Tait. Pas de porno, s'entend. Personne n'a envie de voir une vieille à poil. »

À ces mots, il éclata de rire.

« Et toi, tu pourrais me brancher sur ces journaux ? »

Elle leva la main et lui caressa le visage.

« Si tu es gentil avec moi, je verrai ce que je peux faire. »

*

\* \*

La vie d'Honor donnait l'impression d'avoir été sinon enrichissante, du moins intéressante. Alors qu'elle se sentait vieille et inutile, elle avait tout de même réussi à entretenir l'illusion d'une raison de vivre : un travail, si on pouvait l'appeler ainsi, des amis, des concerts, des soirées au théâtre, un intérêt pour ce qui se passait dans le monde. Elle s'était occupée.

Voyager, c'était hélas fini pour elle, mais elle refusait de se laisser gagner par l'amertume. Elle pensait à Loïs, pour qui se rendre seule à la salle commune de l'hôpital, ou même aux toilettes au bout du couloir, était aussi périlleux, héroïque et même improbable que de remonter l'Amazone en solitaire. Leur univers avait rétréci. Il fallait l'accepter. L'esprit d'aventure qu'elle avait autrefois partagé avec Loïs, leur goût pour les lieux inconnus, elle devait désormais les tourner vers des horizons intérieurs. Honor pénétrait enfin la véritable *terra incognita* ; là, pas de cartes, personne pour la guider vers cette destination inconcevable. Et cette fois, elle ferait le voyage seule.

Jusqu'à il y a peu, une page blanche dans son agenda la faisait presque paniquer. Elle jonglait avec ses rendez-vous, les sorties, les soirées entre amis, même les coups de fil, en les espaçant avec soin, repères lumineux dans le crépuscule grandissant de son existence. Mais, au fond, à quoi rimait toute cette activité ? De joyeuses mélodies, des chansons de music-hall stupides, fredonnées dans la solitude pour masquer le terrible silence. « *My old man said : "Follow the van, and don't dilly dally on the way*[1]*."* » Le fourgon en question, se disait-elle à présent, devait être un fourgon mortuaire.

*Buchenwald. Le 14 avril 1945. La libération, jour 4. Dans les bois aux abords du camp, j'aperçus un soldat nazi caché sous des fourrés. Quelques minutes plus tard, les troupes américaines s'emparèrent de lui et le traînèrent dans l'enceinte du camp. Il se forma une queue de soldats américains, aussi guillerette que celles qu'on voit devant les salles de cinéma le samedi soir. Ils attendaient leur tour pour rouer de coups ce jeune Allemand. Dans le chaos de la victoire, avec la puanteur de la mort tout autour d'eux dans ce lieu épouvantable, à l'ombre du chêne de Goethe, les Américains étaient animés d'un vertueux esprit de vengeance.*

---

1. Chanson populaire du début du XXᵉ siècle. « Mon vieux me dit : "Suis ce fourgon, et traîne pas en chemin." »

## 20

« TIM !

— Oui. »

Il avait l'air sur ses gardes.

« C'est Tamara.

— Tamara ! »

Malgré son ton enjoué, elle perçut sa méfiance.

« Comment ça va ? demanda-t-elle.

— Pas trop fort, après la bagarre de la semaine dernière.

— Ah ?

— Les Press Awards. Tu as su ?

— J'y étais.

— Ah, c'est vrai... »

Il avait oublié son rôle pourtant central dans son humiliation. Elle se sentit à la fois soulagée et blessée.

« Qu'est-ce qui s'est passé ? demanda-t-elle, l'air innocent.

— Oh, je me suis pris le bec avec un enculé. Un de ta bande, tiens, je crois, du *Monitor*.

— Et ça va ?

— Œil au beurre noir, fierté égratignée, rien de plus. Tu aurais dû voir l'état de l'autre type.

— Mais pourquoi vous êtes-vous battus ?

— Aucune idée. Tu sais comment c'est. Sûrement à cause d'une pouffiasse. Bon, mais, comment ça va, toi, ma chérie ? Qu'est-ce qui me vaut le plaisir de t'entendre ? »

Il l'avait séduite, puis l'avait larguée, lui avait brisé le cœur et l'avait insultée. Et voilà qu'il s'adressait à elle comme s'ils étaient de vieux amis. Elle aurait voulu qu'Alistair frappe plus fort et lui fasse vraiment mal. Mais pour l'heure, se rappela-t-elle, il s'agissait d'une conversation d'affaires. La vengeance attendrait.

« Un scoop. Je me disais que tu serais peut-être intéressé.

— Dis toujours... »

Ils se donnèrent rendez-vous dans un pub à cinq minutes de son journal à lui. Le Swan était un bouge où un juke-box lumineux tonitruait de la musique dance des années 1980. Au milieu de l'après-midi, à l'heure où arriva Tamara, des hommes en casque de sécurité et bottes d'ouvrier y buvaient leur salaire de la journée. Les journaleux de *Sphere* débarqueraient plus tard, donnant le signal des vraies festivités. Au moment où son ex entra, elle se crispa, s'attendant à en avoir le cœur chaviré, mais elle constata qu'elle ne ressentait qu'une pointe d'embarras. Il ne soutenait pas la comparaison avec Dev. Vieux, le visage bouffi, débraillé, avec le cercle noir qui entourait son œil droit, il avait une allure de pirate. Il commanda leurs boissons puis s'installa en face d'elle. Il paraissait nerveux, assis au bord de la banquette en similicuir constellée de brûlures de cigarette.

« Ç'a intérêt à être bon, dit-il.

— Ça l'est. »

Il l'écouta en silence. Quand elle eut terminé, ils vidèrent chacun leur verre. Il avait laissé tomber le ton badin et le flirt de ce matin.

« Bon, si je comprends bien, finit-il par dire d'un ton sarcastique, une vieille bourrée de pognon s'envoie en l'air avec un jeune étalon ? Ça donne un peu envie de vomir, d'accord. Mais, à mon avis, ça tombe dans la catégorie des RAF de *Sphere*, comme "rien à foutre" ! »

Tamara protesta.

« Mais ce n'est pas n'importe quelle vieille bourrée de pognon. Elle est célèbre !

— Écoute, Tam, dit-il en allumant une cigarette, elle est peut-être célèbre chez vous… je veux dire, elle passe pour une célébrité dans vos quotidiens intellos qui se vendent à trois exemplaires, le *Monitor* et le *Courier*. Mais pour un tabloïd à gros tirage comme le nôtre, la seule vieille bourrée de pognon susceptible de nous intéresser est la reine, et si elle se tapait un beau gigolo, il ne nous resterait plus qu'à dire : *God Bless You, Ma'am !* »

La voix de Tamara, malgré ses efforts, se fit implorante.

« Mais Honor Tait est différente.

— Tu sais, j'adorerais t'aider, Tam. En souvenir du bon vieux temps. »

Il lui fit un clin d'œil, puis porta aussitôt sa main à son coquard. Les bons soins d'Alistair n'avaient pas terminé de se rappeler à lui. C'était déjà ça.

« Ce n'est pas notre truc, poursuivit-il. Je sais pas. Cette Honor Tait. C'est pas un top model avec des jambes de déesse, si ? Personne n'a envie de lire quoi que ce soit sur une vieille chouette comme elle. On ne voudrait pas que leur petit-déjeuner reste sur l'estomac de nos lecteurs, hein. »

Qu'est-ce qui parlait de petit-déjeuner ? Il n'y avait pas si longtemps, ce type petit-déjeunait en sniffant un rail de coke sur les seins de Tamara. Et maintenant il la rembarrait comme si elle était une vulgaire pigiste essayant de fourguer sa salade.

« On l'a vue dans tous les magazines. *Vogue*, *Tatler*... »

Elle secoua la tête.

« Désolé, ma chérie. On a déjà explosé notre budget avec notre nouvelle campagne de promotion... "Giflez un pédophile, et gagnez une Twingo"... et puis le truc sur Pernilla Perssen.

— Quel truc sur Pernilla Perssen ? » s'écria Tamara, paniquée.

Et si *Sphere* s'était emparé de son scoop sur la grossesse de Pernilla ? Ce serait le pompon.

« Un de ses ex nous a tout raconté sur ses sauteries à trois avec drogue à gogo », expliqua Tim.

Tamara était rassurée. Son exclusivité était sauve : tout *ménage à trois** devait logiquement avoir précédé la grossesse de la star. Ça sentait le réchauffé à l'avance. Elle continua à plaider sa cause.

« Dans trois semaines, le *Monitor* va publier un article de quatre mille mots sur Honor Tait dans sa section littéraire. Tu aurais tort de rater l'occasion d'un nouveau spoiler.

— La section littéraire ? Quatre mille mots ? Tu rigoles, ou quoi ? C'est pour une minorité. À *Sphere*, on a mieux à faire avec notre fric.

— Je croyais que tu voulais la peau du *Monitor*. Tu as bien déboursé du fric pour débaucher cette vieille snobinarde de Bernice Bullingdon, rétorqua-t-elle.

— Cette vieille Bernice ? s'écria-t-il en s'esclaffant. C'est vrai, on a bien eu Wedderburn sur ce coup-là, hein ? Ça lui apprendra : fallait pas nous jouer un sale tour comme il l'a fait avec Ricky Clegg. »

Tamara ne se laissa pas démonter.

« Mon truc est beaucoup plus intéressant que les tartines que nous sert Bernice sur les débats à la Chambre des communes.

— Ce n'est pas difficile. N'importe quoi vaut mieux que ça. Mais ne t'inquiète pas : les lecteurs de *Sphere* ont été épargnés. Disons que Bernice a été reclassée... On ne l'appelle plus que Bernie la reine des poubelles. »

Cependant Tamara tenait fermement son fil.

« Honor Tait était une célébrité *autrefois*. Elle était plus célèbre que Pernilla Perssen. À l'ancienne bien sûr, comme une star d'Hollywood. »

Il jeta un coup d'œil à sa montre.

« On est en train de cracher au bassinet pour des super photos de Pernilla, ajouta-t-il, les yeux soudain humides d'émotion. Attends un peu de voir ça...

— Génial, répondit Tamara sans enthousiasme. Mais ce dont je te parle n'a rien à voir.

— Écoute, ma chérie, ta Honor Tait... c'est une vieille peau, et nos lecteurs ne la connaissent ni d'Ève ni d'Adam.

— Mais ils connaissent Frank Sinatra. Et ses amis les stars. Liz Taylor, Marilyn, elle les connaissait toutes... »

Il se pencha en avant pour lui tapoter amicalement le genou.

« Désolé, mon cœur. Pas de chance pour cette fois. C'est pas pour nous. Un dernier verre pour la route ? »

Il se leva pour aller commander au bar. Elle en profita pour peaufiner son argumentation.

« Il y a eu toute une émission sur elle à la télé, il n'y a pas longtemps, dit-elle alors qu'il revenait avec leurs boissons. En *prime time*. Elle est très engagée à gauche, elle défend de grandes causes. Elle dîne en ville avec des députés travaillistes. Et des stars de cinéma. Jason Kelly, par exemple. Et des stars de la télé, comme Paul Tucker. »

Au nom de Tucker, il faillit s'étrangler avec sa bière.

« Me dis pas qu'elle se tape aussi Tucker ?

— Qui sait ? Mais elle s'en est tapé bien d'autres. Tous les Grands. »

Tim leva un sourcil perplexe, oubliant de nouveau sa blessure, puis grimaça de douleur quand elle se rappela à lui.

« Quels Grands ?

— Sinatra... Picasso... Bing Crosby... Bob Dylan... Castro...

— Des photos ? »

Il caressa du bout du doigt le tour de son coquard.

« Oui. Sûrement. Pour la majorité. Pas au lit ensemble. Mais ensemble.

— Pas mal.

— Justement. Elle n'a pas rendu les armes. À quatre-vingts et des poussières, elle est toujours insatiable.

— Alors, il ressemble à quoi, son escort boy ?

— Un mec canon, vraiment canon. »

Et elle laissa un sourire rêveur et satisfait errer sur ses lèvres.

Était-ce l'effet de ce dernier verre, ou l'idée de ridiculiser Paul Tucker, ou tout simplement la révélation de l'identité du troisième mari de Tait ? Toujours est-il que quelque chose changea la donne.

« Non, pas ce bon vieux Tad Challis ? *Hairdressers' Honeymoon* ? Le génie de la comédie ? s'exclama Tim. Celui-là, c'était un chaud lapin comme on en fait plus dans ce pays... Côté starlettes, il n'avait que l'embarras du choix. Ah, cette Honor Tait devait être une beauté, à l'époque.

— Oui, oui. Tu n'auras qu'à regarder. Une vraie beauté.

— Je sais pas, Tam. Tu me forces la main. »

Elle lui pinça malicieusement la cuisse à travers la flanelle grise de son pantalon.

« Tu sais combien c'est important pour moi. Il y a beaucoup de choses en jeu.

— Écoute, je ne te promets rien. Je suis trop gentil, voilà ce que c'est. Je vais voir ce que je peux faire. »

Tim la rappela l'après-midi même. Il s'était fait monter le dossier photo d'Honor Tait.

« Ils ont été obligés de retourner les profondeurs de la morgue pour trouver celles des débuts, mais, une fois dépoussiérées, c'est mégagénial ! De l'or en barre ! Elle était canon ! Et elle les a tous connus, hein ? Sinatra, Kennedy... Elle se les est tous faits, ta vieille bique.

— Tu vois, je t'avais dit.

— Les trucs plus récents sont pas mal non plus. Les photos d'elle avec le jeune Kelly. C'est une star, hein ? Toutes les filles au desk en sont folles. Elle a l'air d'une chatte devant un pot de crème, la vieille. On va prendre notre pied, avec cette histoire.

— Tu la veux pour quand ?

— C'est possible ce week-end ? On pourra la programmer pour le dimanche suivant. À la une et en double page à l'intérieur ? »

À l'autre bout du fil, Tamara leva un poing victorieux.

« Qu'est-ce que vous faites du truc sur Pernilla Perssen, alors ? s'enquit-elle.

— Il sort dans le *News of the World* de cette semaine. »

Pour un rédacteur en chef qui venait d'apprendre qu'il était la victime d'un spoiler, Tim avait l'air curieusement joyeux.

« Tu as perdu ton scoop ? demanda-t-elle.

— Le gars était un escroc. Les photos étaient trafiquées, avec un sosie de Pernilla à trois francs six sous. On l'a envoyé à *News of the World*. On dirait qu'ils vont gober l'arnaque et exploser leur budget pour six mois. Sans compter les frais du procès en diffamation. Ça va leur coûter la peau des fesses. »

*

\* \*

Combien de fois encore lui faudrait-il se plier à cet exercice dégradant ? se demanda Honor. Se forcer à se déshabiller, à faire sa toilette, à s'habiller, puis à sortir et à se traîner à contrecœur jusqu'à ce lieu où, de nouveau, il fallait ôter ses vêtements pour se trouver réduite à sa plus simple et peu ragoûtante expression ? Un mouton à l'abattoir. Elle n'avait pourtant pas à se plaindre. Si on avait donné le choix à Loïs, elle aurait préféré subir tous les jours des coloscopies et des scans en pleine possession de ses facultés, plutôt que d'être atteinte d'Alzheimer. Mais elle aurait quand même regimbé devant le jeune toubib qui s'occupait d'elle aujourd'hui. Un gosse de riche frimeur qui avait sûrement fait sa médecine dans le privé et dont la sympathie sonnait faux. Son indifférence ne faisait pas un pli. Il aurait aussi bien pu lui dire : « Vous vous attendiez à quoi ? »

De retour à l'appartement, elle reprit sa tâche. La bonne avait été si choquée en arrivant ce matin qu'elle avait cru à un cambriolage. En apprenant la vérité, elle avait été encore plus horrifiée et avait refusé de jeter les sacs de livres, vêtements et autres babioles. Elle ne voulait même pas les apporter à une œuvre de bienfaisance. Honor avait craint qu'elle ne se mette à pleurer, mais, finalement, elle l'avait persuadée de prendre elle-même tout ce fatras. Dieu sait comment elle allait caser tout ça dans son logement social surpeuplé.

Il ne lui restait plus grand-chose à faire. Honor déchira du papier journal afin d'emballer les précieuses tasses en porcelaine de Sèvres de Tad, qu'elle fourra dans un sac en plastique avec quelques autres objets fragiles – le flacon de parfum d'Aida, des verres à champagne et le vase. La bonne allait être contente.

Elle se servit un verre et s'assit dans le salon vide et sombre. À présent, se demanda-t-elle en regardant son ombre contre le mur dénudé, qu'est-ce qu'une journaliste pourrait déduire du décor de cette pièce ? Et quelle importance, de toute façon ? Il est beaucoup plus facile de percevoir l'erreur que de trouver la vérité – Goethe toujours –, mais il arrive que l'on ne puisse reconnaître ni l'une ni l'autre.

Les plus malins pouvaient se tromper. Elle en avait fait elle-même la fâcheuse expérience. Dans la forêt d'Ettersberg, de façon impardonnable. Mais, pour le moment, elle n'avait pas la force d'y penser. Il était plus aisé – car tout ce qu'elle risquait était de se sentir gênée – de se rappeler son papier pour la *Paris Review* sur le romancier canadien qui vivait en reclus dans une ferme en bois du nord de l'État de New York, sa femme l'ayant quitté depuis longtemps en emmenant les enfants. Il avait reçu Honor, voûté et les yeux chassieux dans sa maison glaciale, se réchauffant les mains, métaphoriquement parlant, sur les braises de sa célébrité littéraire. À côté de la cheminée, elle avait remarqué la présence d'un magnum de champagne vide, souvenir poussiéreux de ce que les tabloïds qualifient de « temps plus heureux ». Il avait transformé son grenier en musée : sur les murs se bousculaient des articles de journaux encadrés, les critiques de son unique best-seller, des affiches criardes et des images de l'adaptation cinématographique (pour laquelle Tad avait été premier assistant à la mise en scène) et des photos de starlettes courtvêtues, les yeux ourlés de cils extravagants, souriantes auprès de l'auteur à la mode dans son costume anglais de Carnaby Street, un homme qui avait l'air de ne pas croire à sa bonne étoile.

Il avait fait faire le tour du propriétaire à Honor, en ne l'entretenant que de ce roman-là, vieux de trente ans : son écriture, le travail d'édition, la publication, les tirages, le film. Chaque fois qu'elle avait tenté d'orienter la conversation sur autre chose – ses autres romans, la politique du jour, sa famille, la maison, le jardin –, il était revenu à l'époque glorieuse de cet unique triomphe que tous, même les critiques, avaient salué avec tant de ferveur qu'il lui avait semblé que les années de déconvenues et d'échecs étaient définitivement derrière lui. Comment aurait-il pu deviner que, après ce succès fulgurant, ce bref *scherzo* littéraire, l'échec deviendrait le leitmotiv d'une vie entière qui se déroulerait telle une symphonie de chagrin et d'amertume ?

Lorsque son article empreint de mélancolie était paru dans la revue, elle avait reçu un coup de téléphone d'un ancien confrère du *Herald Tribune*, qui avait pris sa retraite depuis longtemps et cultivait ses dahlias dans la Chenango Valley.

« Alors, comme ça, tu as vu ce vieux G… ? Tu as pu apercevoir ses Vierges de Vestal ? »

Elle n'avait pas tardé à apprendre que celles-ci étaient les jeunes maîtresses de l'écrivain – de vraies jumelles de vingt ans d'origine irlandaise, de pulpeuses beautés à la Renoir. Elles avaient troqué un logement social à Vestal, dans la banlieue de Binghamton, et des jobs de caissière au supermarché contre une aile de la ferme, du champagne à gogo et un grand shopping une fois par mois. Voilà comment on se faisait berner. Une fausse interprétation, si bien intentionnée fût-elle, pouvait faire autant de dégâts qu'une vérité bien fumante. Il fallait faire face.

*En traversant les bois en bordure du camp vingt minutes plus tard, je repérai un soldat allemand caché dans les fourrés et me dépêchai de retourner au camp avertir les troupes américaines. Je demeurai coite en regardant les Alliés faire joyeusement la queue pour passer à tabac le jeune nazi. Dans le chaos de la victoire, les Américains étaient ivres de leur propre vertu face aux horreurs dont ils avaient été témoins dans les camps qu'ils venaient de libérer. Le prisonnier allemand gémit doucement tandis qu'un GI le tenait par les cheveux, lesquels étaient couverts de sang, pour que ses camarades à tour de rôle puissent le rouer de coups en hurlant des insultes.*

« *Ça vous dit, madame ?* » *me proposa un soldat.*
*Je déclinai son offre.*
*Finalement, du sang ruisselant sur son visage et*
*détrempant son uniforme nazi tant haï, l'Alle-*
*mand roula à terre.*

## 21

TAMARA CHOISIT UN HÔTEL TROIS ÉTOILES À PAD-DINGTON TERRACE. Ce n'était pas le Ritz mais, si Tim avait en fin de compte proposé à Dev cinquante mille livres, plus la généreuse somme de trois mille cinq cents livres à Tamara, il avait été clair sur un point : les notes de frais devaient être réduites au minimum.

« J'ai déjà éclaté mon budget, mon petit chou, lui avait-il dit. Il a fallu que je me batte avec mon directeur financier. »

Dev, qui avait espéré recevoir plus de cent mille livres, n'avait pas été impressionné quand Tamara lui avait téléphoné pour lui annoncer la nouvelle.

« S'ils ne peuvent pas faire mieux, je ne suis pas sûr que ça vaille le coup.

— Mais tu l'as dit toi-même. Il faut que cette histoire sorte.

— Après ça, je peux dire au revoir à ma source principale de revenus. Elle ne me donnera plus un penny. Jamais. Point barre. Et moi, qu'est-ce que je vais faire ? »

Et une fois Honor Tait dans les pages des tabloïds, ses autres clientes se défileraient à leur tour.

« Je croyais que tu voulais repartir de zéro. Oublier tout ça. »

Un temps de pause. Cela ne voulait rien dire, songea Tamara.

Finalement, il reprit la parole :

« Entendu. Du moment que c'est payé en liquide. »

Tim tendit à Tamara une mallette remplie de billets de banque aussi propres et craquants que des contrefaçons, de quoi verser un premier acompte pour l'achat d'un appartement correct dans West London.

« Hautement illégal, dit-il en lui faisant un clin d'œil, cette fois de son bon œil. Mais je compte sur toi pour que ce soit extrêmement juteux. »

Elle réserva la chambre par téléphone et s'arrangea pour obtenir un rabais en promettant de citer le nom de l'hôtel dans la section voyage du *Monitor*. Elle insista pour avoir leur plus belle suite, laquelle comprenait semble-t-il un lit taille « empereur[1] » et un jacuzzi.

Curieusement, Tim paraissait l'encourager à faire fi de la déontologie journalistique.

« De jolies petites parties de jambes en l'air en perspective ? Il faut ce qu'il faut. À toi de jouer, ma belle. »

Cela agaçait Tamara de voir qu'il n'était pas jaloux, mais elle se réjouissait néanmoins de ce qui

---

1. En anglais, les matelas se déclinent ainsi : *single, full, queen, king*.

l'attendait : le confort, la détente, le divertissement ainsi qu'un travail bien payé... Il aurait été en effet dommage de ne pas profiter des commodités offertes par une chambre d'hôtel.

L'encart des pages jaunes avait promis « un luxe douillet avec un room service impeccable », mais la moquette usée du hall et l'air de profond ennui de la fille de la réception racontaient une autre histoire. Hélas, il était trop tard pour reculer. Dev surgit au moment où Tamara réceptionnait la clé. Ils se serrèrent dans l'ascenseur, une boîte en bois aussi étroite qu'un cercueil vertical où les inévitables frotti-frotta – pubis contre pubis, cuisse contre cuisse – s'avérèrent en fait plutôt malvenus.

Il paraissait presque timide, allant jusqu'à esquiver son regard lorsqu'elle essaya de le provoquer d'un sourire entendu. Elle allait devoir faire preuve de beaucoup de tact au cours de ces deux jours de promiscuité. Il se sentait humilié, c'était certain. Un homme ne perdait-il pas le respect de soi en criant sur les toits qu'il couchait avec un cas gériatrique ? Il pouvait aussi éprouver une certaine culpabilité à l'idée qu'il trahissait Honor Tait. C'était là un des aspects les plus pervers de l'abus sexuel : les victimes se sentaient coupables.

« Tu as l'argent ? demanda-t-il alors que l'ascenseur s'arrêtait au troisième étage.

— Oui. Ici. »

Elle tapota la mallette, frôlant sans le vouloir au passage l'entrecuisse de Dev.

Elle ouvrit la porte de leur suite. En guise d'accueil, il leur sauta à la figure une fanfare de couleurs : un énorme bouquet d'œillets arrangé en forme de cœur leur barrait le passage avec, au-dessus, un gros ballon rose sur lequel s'embrassaient deux cupidons dans le style des personnages de Disney.

« Qu'est-ce que c'est que ces conneries ? » s'exclama Dev en contournant l'arrangement floral géant qui dégageait une odeur douceâtre.

Des décorations roses – toujours des cœurs – étaient suspendues autour de la fenêtre qui donnait sur le parking de livraison à l'arrière de l'hôtel. En travers du lit (format « prince » plutôt qu'« empereur », pourvu d'un couvre-lit rose également) s'étalait une bannière où on lisait : « Félicitations ! »

« J'ai demandé la meilleure chambre. Je ne m'attendais pas à ça. Sans doute la chambre lune de miel.

— J'ai jamais rien vu d'aussi moche, dit-il avec une moue d'enfant gâté. Il n'est pas question que je reste ici. »

Puis il avisa la bouteille de champagne dans un seau près du lit.

« Voilà qui pourrait être utile, approuva-t-il.

— On pourra en commander autant qu'on veut », le rassura Tamara.

Il se versa une coupe, s'étendit avec une nonchalance boudeuse sur le lit et se mit à zapper.

« Il y en a pour moi ? »

Il lui passa la bouteille sans quitter des yeux le petit écran au pied du lit où des enfants jouaient à une sorte de « Questions pour un champion » junior – de petits bûcheurs se disputant un prix sans valeur. Elle appela le room service pour commander du champagne et la fille de la réception, qui entre-temps avait endossé un tablier de femme de chambre, leur monta plusieurs bouteilles qu'elle leur apporta avec précaution en évitant les œillets. Elle déposa le plateau sur la table et sortit de la chambre à reculons, bousculant les cupidons et le bouquet au passage.

Dev passa à une chaîne porno, contemplant de l'œil froid du connaisseur un corps à corps dans la boue tout en roulant un joint d'une seule main. Tamara déboucha une deuxième bouteille, ôta ses escarpins d'un coup de pied et lui tendit une coupe en échange d'une taffe. Couchés côte à côte tels des gisants, ils suivirent comme hypnotisés la lutte boueuse qui se mua en ébats d'un érotisme gluant. Elle lui caressa le bras. Il poussa un soupir.

« Quand est-ce qu'on commence ?

— Quand tu veux, murmura-t-elle.

— Je te parle de notre deal. »

Il était inexplicablement grincheux.

« Rien ne presse. »

Elle se leva pour baisser les lumières, s'allongea élégamment sur le lit et déboucha une autre bouteille de champagne.

« Tu es sûre que tu as l'argent ? s'enquit-il.

— Oui. Dans ma mallette.

— Montre. »

Pendant les quarante heures qu'ils passèrent enfermés dans leur suite, ils dormirent peu, fumèrent une trentaine de grammes d'herbe, sniffèrent presque un gramme de cocaïne, burent une caisse de champagne et parlèrent beaucoup, surtout. Ils snobèrent le jacuzzi et Tamara ne tarda pas à oublier qu'elle s'était promis un week-end de sexe. Ils ne firent l'amour qu'une fois, presque par accident ; il avait roulé sur elle en voulant attraper une bouteille, leurs minces peignoirs d'hôtel s'étaient entrouverts, la chair avait touché la chair, et le désir les avait pris au dépourvu. Leurs corps avaient accompli toutes les étapes, mais le cœur n'y était pas. Tandis qu'ils s'étreignaient consciencieusement, se balançant en cadence avec le bruit de métronome que faisait le ciel de lit contre le mur, il pensait à autre chose, c'était évident. Elle-même avait changé. Il était superbe, certes. Mais tout ce qu'elle voulait, c'était son scoop.

Et elle l'obtint. Un sacré scoop. Une fois qu'il se mit à parler, rien ne put l'arrêter, et l'histoire sordide se déroula au milieu d'un brouillard de récriminations et de fumée de cannabis. Tamara, qui prenait des notes, appuyée sur les oreillers à côté de lui, son dictaphone allumé sur la table de chevet, s'émerveillait de sa transformation ; l'énigmatique beau ténébreux se révélait intarissable. Elle dut utiliser plus de douze cassettes. Autrement dit, elle se préparait à un marathon de transcription, même si, grâce à ses notes, elle endiguerait le flot.

Il était en colère et s'exprimait avec une telle véhémence que sa confession semblait davantage motivée par la vengeance que par l'appât du gain. Il n'était pas, insista-t-il, un gigolo professionnel, ni un escort boy. Il ne l'avait jamais été. Il avait été totalement sincère avec Tamara lors de leur première rencontre ; il était un masseur qualifié, un guérisseur, un « chercheur de vérité » doté de dons psychiques, mais voilà, dès l'enfance, cette vieille femme l'avait manipulé pour qu'il devienne sa chose et avait détruit en lui jusqu'à l'espoir d'entretenir un jour une relation normale.

« J'ai tout essayé, crois-moi. Mais elle s'est toujours débrouillée pour me récupérer. »

Il secoua la tête, accablé de honte et de regret.

« À chaque fois, elle m'a ramené à elle de force. Je n'ai jamais pu lui échapper. »

Tamara leva le nez de son bloc-notes.

« Tu avais quel âge quand cela a commencé ? »

Il esquiva son regard, fixant l'écran éteint du poste de télévision.

« Douze ? Treize ans ? Je ne sais pas. Ce que je sais, c'est que j'étais totalement innocent. »

Au dégoût que ressentait Tamara se mêlait une secrète jubilation. Pareille dépravation… Elle bouillait d'impatience à la pensée qu'elle allait divulguer une histoire aussi énorme.

« Treize ans ? Tu allais à l'école ?

— À ton avis, qu'est-ce que tu voulais que je fasse, à cet âge-là ? »

Elle ne se laissa pas démonter par son sarcasme. L'hostilité de cet homme était dirigée contre Honor Tait, se rappela-t-elle.

« Comment l'as-tu connue ?

— Elle était proche de mon père.

— Ils couchaient ensemble ? »

Il se mordit la lèvre inférieure. Il était au supplice.

« Elle couchait avec tout le monde.

— Ton père sait pour vous deux ?

— Pas toute l'histoire, non. Il est mort il y a des années. »

Il ferma les yeux. Elle lui caressa la main.

« C'est dur pour toi. Tu dois avoir l'impression de la trahir, d'une certaine façon. Mais il faut que tu sois fort. C'est toi qui as été abusé. »

Il parut lui être reconnaissant de cette remarque.

« Peut-être qu'en racontant tout ça, je pourrai enfin guérir », dit-il en roulant un joint de plus.

Ils perdirent toute notion du temps, piquant parfois un petit somme, assis ou allongés, peu importait, sans tenir compte de l'heure. Ils appelaient le room service quand ils avaient faim ou besoin d'une autre bouteille de champagne, et plus il parlait, plus il devenait froid et distant. À un moment donné, elle craignit de ne plus pouvoir l'atteindre. La question était indélicate, mais elle la jugeait pourtant nécessaire.

« Tu es jeune et beau. Elle, non. Comment ça marche ?

— Comment quoi marche ?

— Tu sais... Quand vous êtes ensemble... Seuls... »

Il se hissa sur un coude et, l'espace d'un instant, son regard étincela d'une lueur dangereuse.

« Qu'est-ce que tu cherches à dire exactement ? »

Il n'y avait pas de façon diplomatique de tourner la chose.

« Tu sais... »

Elle plia et déplia son index levé.

« Comment tu fais pour bander ? »

Il donna dans son oreiller un coup de poing qui fit voler des plumes.

« Tu n'as qu'à te servir de ton imagination, putain de merde ! Il faut te faire un dessin ? »

Le moment était délicat. Ce fut avec toutes les peines du monde qu'elle réussit à l'apaiser, en commandant encore du champagne et en lui promettant (elle s'était avancée un peu vite, d'accord) que *Sphere* ajouterait au tarif entendu pour l'article un billet d'avion pour Goa, si c'était là son souhait.

« En première classe ?

— En première classe. »

Il se calma, s'empara de la bible Gideon et se fit un rail de coke.

« Comment cela a commencé ? Comment elle s'y est prise ? demanda-t-elle d'une voix neutre qui, à ses propres oreilles, sonna comme celle d'une thérapeute.

— Comment ces choses-là commencent, en général ? »

Il se conduisait comme un adolescent buté.

« J'en sais rien. Des câlins ? Des attouchements ? suggéra-t-elle.

— Oui. Des câlins, répéta-t-il avec un rire amer. Des câlins, des attouchements. La totale. Elle n'arrêtait pas. Elle me tenait contre elle. Elle me caressait. Elle m'appelait son petit chéri.

— Et Tad, son mari ? Le réalisateur ? Il était au courant ? »

Elle dut tendre l'oreille pour comprendre ce qu'il disait.

« Il était dans le coup. »

Tamara se tourna pour vérifier si son Sony enregistrait toujours.

« De quelle manière ? » demanda-t-elle.

Il posa le billet roulé, lécha le bout de son index et ramassa un peu de poudre restée collée à la bible. Il était plus loin d'elle que jamais, perdu dans les traumatismes du passé.

« De toutes les manières, répondit-il en fermant les yeux. Il aimait s'habiller en femme. Maquillage. Perruques. Talons aiguilles. La totale.

— Des malades, de vrais pervers.

— C'est le terme qui convient. Ils ont gâché ma jeunesse et détruit mon avenir. »

Le premier réflexe de Tamara, après avoir une fois de plus vérifié son dictaphone, fut de le prendre dans ses bras pour le réconforter, mais il s'écarta d'elle et se recroquevilla au bord du lit. Un homme brisé. Le poids de sa honte était trop lourd à porter. Maintenant qu'elle mesurait le degré d'intimité qui le liait à Honor Tait, Tamara se rendait compte qu'elle était dégoûtée non seulement par la vieille femme mais aussi par lui. Faire l'amour avec Dev après ça, ce serait comme se frotter intimement à cette vieille répugnante. Il était la créature de Tait.

Dès que leur affaire serait réglée, elle le quitterait. Il était important de raconter son histoire, et elle le ferait bien. Comme il était plaisant, valorisant même, de se trouver dans le bon camp, dans celui de la vertu qui dénoncerait la cruauté et l'hypocrisie. En même temps elle savait que leur première nuit d'amour et ce rendez-vous décevant à l'hôtel étaient à la fois le début et la fin de leur liaison.

Le lundi matin, tout avait été dit ; ne restait plus qu'à cueillir une preuve photographique avec l'aide du service photo du *Sunday Sphere*. Il était prévu que Dev sorte de la résidence Holmbrook en compagnie

431

d'Honor Tait à 17 heures, le mercredi suivant. Le photographe se tiendrait embusqué sur la terrasse du Gut & Bucket avec un téléobjectif et, une fois les images dans la boîte, il entrerait dans le pub et attendrait Dev, à qui il remettrait l'enveloppe contenant la somme promise pour son billet d'avion. Tamara se retint de demander à Dev si, avant cette séance photo officieuse, il s'offrirait une dernière fois à Tait.

Pendant qu'ils se rhabillaient, Tamara jeta un coup d'œil à son sexe, magnifique même au repos. Son visage, en revanche, avait l'air l'épuisé tandis qu'il s'approchait d'elle, comme s'il voulait quelque chose.

« Il nous reste peu de temps », dit-il.

Elle se prépara à un dernier baiser passionné, mais il esquiva sa bouche et désigna du doigt la mallette.

« Le fric ? » lui rappela-t-il.

*<br>* *

En contemplant le jardin hivernal au bas de son immeuble, Honor se dit qu'il y avait là plus de vie et de chaleur que chez elle. En se retournant vers l'espace désormais vide, elle éprouva un vif contentement. Que ne s'était-elle attelée à cette tâche il y a des années ?

À présent, enfin, elle se sentait prête à attaquer sa dernière purge. Elle pouvait exhumer la vérité enterrée cinquante ans auparavant.

*Je suis restée rivée sur place à regarder les Alliés former une queue pour rouer de coups ce jeune*

*Allemand. Dans le chaos de la victoire, face aux horreurs dont ils avaient été témoins dans le camp qu'ils venaient de libérer, les Américains étaient animés d'un vertueux esprit de vengeance.*

*Ce fut un jeune sergent, un grand et robuste fermier d'Idaho, qui mit fin à ces exactions. S'était-il ressaisi en entendant les couinements d'enfant de la victime ? Ou avait-il entendu les cris de protestation d'un des ex-détenus de langue allemande qui, tombant sur cette scène, avait compris le marmonnement suppliant du garçon ? Peut-être le sergent avait-il tout simplement été révolté à la vue de ce bain de sang. Le soldat nazi n'était en réalité qu'un collégien de quatorze ans qui n'avait jamais vu le feu. Prisonnier lui-même ; quatre jours plus tôt, des officiers allemands en déroute l'avaient obligé sous la menace de leurs pistolets à endosser l'uniforme et il avait été enrôlé de force dans un bataillon de travaux forcés. On lui avait fait creuser des tranchées destinées à ne jamais servir.*

Elle ignorait si le garçon avait survécu à ce lynchage allié. Son corps inerte avait été emporté par des secouristes et elle n'avait même pas essayé de prendre de ses nouvelles. Pas plus qu'elle n'avait décrit à quiconque, par écrit ou oralement, même pas à Loïs, la scène à laquelle elle avait assisté, ni sa complicité. Il n'y avait pas à chercher d'équivalence morale dans cet événement. Là où les soldats avaient administré leur justice expéditive, cinquante-six mille personnes étaient mortes assassinées par un État qui s'était mis au service du meurtre. Non, elle ne pouvait pas jeter la pierre aux Américains. C'était à elle-même qu'elle ne parvenait pas à pardonner ; l'œil froid, l'œil du reporter, comme elle se plaisait à le qualifier, rivé sur ce qu'il voyait, prenant des notes avec impartialité. *Ça vous dit, madame ?* lui avait proposé le GI. Elle avait refusé. Mais elle n'avait pas cillé pour autant. Elle s'était considérée comme une machine à révéler la vérité. Pourtant quelque chose d'autre s'était passé en elle, quelque chose de bestial, un ver de plaisir sadique rongeant son cœur, car elle avait regardé ce garçon se faire rouer de coups en souhaitant qu'ils continuent de le battre.

## 22

« LA VIEILLE DÉGUEULASSE », dit Tim en levant la photo d'Honor Tait agrippée à la main de Dev sur les marches du perron d'Holmbrook.

Elle se tenait courbée en avant pour ne pas tomber. Lui regardait droit dans l'objectif d'un air hagard. Sur une autre photo, elle se tournait vers lui avec une expression où se lisait clairement le triomphe de la possession.

« Regarde-moi ça ! L'amour qui brille dans ses yeux... »

Tim exultait.

« Attends. C'est presque de la pédophilie. C'est pas drôle, le tança Tamara.

— Tu aurais perdu ton sens de l'humour, mon chou ? Si on ne peut plus s'amuser un peu. »

Il brassa les dernières photos jusqu'à trouver celle qu'il cherchait.

« Et voilà. Le clou de la collection. La photo choc, dit-il en l'agitant sous le nez de Tamara.

— Arrête ! Laisse-moi voir. »

Il jeta la photo sur le bureau. Tamara devint blême. C'était trop moche. Penché vers la vieille dame, Dev tenait tendrement son visage entre ses mains, aux doigts si délicats. Ils étaient en train de s'embrasser. Honor Tait avait les yeux fermés, toute à son plaisir interdit, délicieux. Il avait aussi les paupières closes, mais Tamara savait qu'il n'éprouvait en réalité que haine et dégoût pour lui-même. Le baiser de Judas.

« Zut alors ! s'exclama Tim. C'est ça, ton dernier coup, Tam ? Et celle-là, ta rivale de quatre-vingts ans ? »

Tamara était trop furieuse pour répliquer. En gloussant, Tim fit une pile avec les photos, avec le Baiser au sommet.

« Y a un truc que j'aimerais quand même savoir, Tam.

— Quoi donc ?

— Comment il arrive à bander ?

— Tu n'as qu'à te servir de ton imagination, putain de merde ! »

*

\* \*

Il avait retéléphoné. Enfin. Une visite d'adieu, disait-il. Depuis qu'ils se connaissaient, même les meilleurs jours n'avaient été qu'un long au revoir. Il était arrivé dans l'heure, avait jeté un bref regard circulaire à l'appartement vide, sans faire le moindre commentaire. Il était allé droit au but. Ni l'un ni l'autre n'avait joué la comédie. Honor avait signé le chèque et le lui avait donné. Ils avaient pris l'ascenseur pour descendre et avaient marché ensemble jusqu'au distributeur de billets près du supermarché. Il l'avait embrassée à deux reprises ; une fois avec une tendresse inattendue, sur les marches du perron d'Holmbrook avant leur expédition au centre commercial. Puis il avait pris les billets, et son baiser d'adieu avait été plus sec. Il était parti vite et elle avait suivi des yeux sa silhouette tandis qu'il s'éloignait. Elle était sûre qu'il ne reviendrait plus. Cela avait été comme regarder son dernier coucher de soleil.

*

* *

Comme, pour boucler l'article, ils avaient besoin d'une citation d'Honor Tait en personne, un vétéran du desk du nom de Perry Gifford-Jones fut mis sur le coup. Ex-comédien de seconde zone devenu le rewriter le plus grinçant de Fleet Street, il végétait désormais à *Sphere*, où il était chargé d'écrire les chapeaux et pondait à l'occasion un papier à la une – économie du journal oblige –, quand il ne replongeait pas dans l'alcool. Il était aussi le cousin germain de l'épouse de Tim, d'où la tolérance de *Sphere* envers ses rechutes périodiques.

« Allô ? »

Sa voix chevrotait d'émotion.

« Allô. Miss Tait ? Miss Honor Tait ? »

Des années de whisky et de cigarettes avaient donné à sa voix d'acteur formé au conservatoire, avec son accent exagérément articulé de la région de Londres, une autorité grasseyante.

« Oui. Qui est à l'appareil ?

— Perry Gifford-Jones, de *Sunday Sphere*. Je voulais juste vous poser une ou deux petites questions. »

Un temps de silence précéda sa réponse.

« Vous savez quelle heure il est ?

— Je suis navré, miss Tait. Nos délais sont tels au desk que je n'ai pas réussi à vous joindre avant. Je suis sûr que vous comprenez.

— Je n'en suis pas si certaine.

— J'admire énormément votre œuvre, miss Tait, dit-il d'un ton lourd de sous-entendus. Je voulais simplement avoir votre avis à propos d'un article que nous publions ici, à *Sphere.* »

En quoi ce qu'elle pensait pouvait bien intéresser un torchon comme *Sphere* ?

« Nous faisons quelque chose sur l'exploitation, continua-t-il. L'exploitation sexuelle. À ce qu'on m'a dit, c'est un sujet que vous connaissez... »

Elle était sidérée. S'agissait-il de l'organisation de bienfaisance puérile de Clemency ?

« Si vous souhaitez des informations sur la fondation Twisk, vous devriez téléphoner à leurs bureaux, à une heure décente.

— Non, non. C'est à vous que je veux parler. Vous êtes experte en la matière. »

Elle résista au piège de la flatterie, tout en se disant que, après tout, si *Sphere* amenait des millions de lecteurs à une prise de conscience, ce ne serait pas si mal. Rester une puriste du *Guardian* était une chose, mais peut-être était-il plus efficace de prêcher les non-convertis.

« J'ai écrit sur les enfants des rues de Calcutta et de Rio, et sur la prostitution enfantine de Thaïlande, admit-elle. Ainsi que sur les trafics d'enfants depuis l'ex-Union soviétique et l'Afrique.

— Vous connaissez votre sujet. »

Elle n'appréciait guère sa flagornerie.

« C'était il y a longtemps. Mes informations sont dépassées.

— Au contraire. Ce n'est pas du tout ce que j'ai entendu, miss Tait.

— Je n'ai pas été en mesure de beaucoup voyager, ces dernière années. C'est bon de frayer avec la jeunesse, adressez-vous à quelqu'un qui est allé sur le terrain dernièrement. »

Cela lui faisait mal au cœur de l'admettre.

Il demeura inébranlable.

« Plus récemment que ça, et plus proche de chez nous, je me demandais ce que vous pensiez des jeunes gens qui se prostituent dans West London. »

Était-il ivre ?

« Je ne sais pas de quoi vous parlez. Je ne peux pas continuer longtemps cette conversation

— C'est un problème grave, insista-t-il. La prostitution masculine dans votre quartier. Nous publions un article, ce dimanche. »

Cet individu était décidément têtu !

« Y a-t-il plus de prostitution masculine dans West London que dans les autres quartiers ? Ou dans n'importe quel autre quartier des grandes villes du monde ? Et, somme toute, ces jeunes gens au moins ont le choix, et ils sont en tout cas moins exploités que les enfants en Asie du Sud-Est.

— Le tourisme sexuel ? Vous avez aussi des connaissances là-dessus ?

439

— Oui, je suis une spécialiste du tourisme sexuel, mais, comme je vous l'ai déjà dit, cela fait des années que je n'ai pas voyagé. Ma connaissance de première main est limitée. Vous ne parlez pas à la bonne personne. »

C'était instinctif, cette réticence à refuser une commande, même de la part d'un torchon comme *Sphere*. Le rejet du *Statesman* lui faisait encore mal. Qui sait quand le prochain journaliste l'appellerait ?

« Et que pensez-vous des bordels masculins dans votre quartier ? Maida Vale, n'est-ce pas ? »

Qui était cet imbécile ?

« Y a-t-il des bordels masculins à Maida Vale ? S'il y en a, je n'en connais aucun. Écoutez, vraiment, je ne crois pas que je puisse vous aider. »

Il était peut-être un peu fêlé. Elle était sur le point de raccrocher quand une question la fit vaciller.

« Connaissez-vous un certain Dev ? »

Elle reprit péniblement sa respiration et s'efforça de se ressaisir.

« Miss Tait ? Miss Tait ? Vous êtes toujours là, miss Tait ?

— Que voulez-vous, au juste ?

— Vous niez le connaître ?

— J'ai peut-être rencontré quelqu'un qui répond à ce nom. Je n'en suis pas certaine.

— Vous n'en êtes pas certaine ? Nous avons des photos, miss Tait.

— Des photos ? »

Impossible d'étouffer la panique dans sa voix.

« Vous et lui. Dev. Devant chez vous. Cette semaine. Mercredi. Après un de vos rendez-vous. »

Elle écarta l'écouteur de son oreille et le contempla, horrifiée, comme si les intonations onctueuses n'étaient pas celles d'un journaliste miteux assis à son bureau à l'autre bout de la ville, mais émises par l'appareil lui-même, lequel coassait dans sa main comme une grenouille maléfique. En tremblant, elle rapprocha de nouveau l'écouteur de son tympan.

« Qu'est-ce que vous insinuez ?

— Alors, vous niez connaître ce Dev ? »

Elle raccrocha, ferma les yeux et s'appuya au mur. Son cœur battait la chamade et la tête lui tournait. La joue contre le plâtre froid, elle attendit que son vertige se calme.

Elle parvint à marcher jusqu'à la cuisine et se servit un verre. Ses mains étaient agitées de tremblements. Le téléphone sonna de nouveau. Elle se crispa. Qu'il sonne ! Au bout de quelques secondes, le répondeur se mit en marche. C'était bien lui. Le journaliste de *Sphere*.

« Je voulais juste vous poser quelques questions... Nous le publierons de toute façon... Je voulais avoir votre point de vue sur l'affaire... »

Elle resta immobile jusqu'à ce que le répondeur se taise dans un dernier clic. Le *Sunday Sphere*, ce journal à scandale spécialisé dans les révélations chocs aussi insultantes que malfaisantes. Que préparaient-ils ? Quel affront immonde était-elle sur le point de subir ? Et lui ? Était-il en sécurité ? Pouvait-elle le joindre pour le prévenir ? Ils avaient trois jours avant la sortie du tabloïd ; trois jours avant que leur monde fragile n'implose.

## 23

LE TITRE EN PREMIÈRE PAGE, au-dessus de la photo volée, une parodie perverse du « Baiser de l'Hôtel de Ville » de Doisneau, était imprimé en lettres blanches sur un bandeau noir : *SON TOY BOY : LA HONTE DE L'EX DE SINATRA ÂGÉE DE QUATRE-VINGTS ANS.*

Dessous, à côté d'un gros plan de leurs mains jointes – les siennes parcheminées, celles de l'homme aussi belles et lisses que si elles avaient été sculptées dans le marbre –, on lisait ces mots : *Mémé de 5 à 7, qui est l'amant mystérieux de celle que vous avez vue à la télé ?*

Sur quatre pages à l'intérieur, d'autres photos montraient Honor, alors une ravissante jeune femme, dînant avec Frank Sinatra et Marilyn Monroe à une terrasse de restaurant. Il y avait un portrait colorisé de Bing Crosby fumant la pipe dans un gros pull d'Aran (avec la légende *BababaBing : encore une conquête de Tait*), même si, en dépit de recherches approfondies, *Sphere* n'avait pas réussi à mettre la main sur une image compromettante, ni sur la moindre photo d'ailleurs de Tait et de Crosby ensemble. Mais le reste était amplement suffisant. Tad Challis, « réalisateur de comédies british indémodables », était photographié sur un plateau de cinéma, « racontant une blague » à Diana Dors[1], avec cette légende : *JEUX DE SEXE COCHON : UN MARI CÉLÈBRE, AMI DES STARS ET TRAVESTI CLANDESTIN.*

Vers la cinquantaine, Tait était photographiée dans un tailleur pimpant à côté d'Elizabeth Taylor, dont la robe brodée de perles qui léchait le parquet suggérait que l'une ou l'autre de ces deux femmes avait mal lu l'invitation. Sur des instantanés plus récents, Tait apparaissait, voûtée et décharnée, à une première d'un théâtre du West End au bras de la « star sexy de *L'Arbre de tous les ailleurs* », Jason Kelly ; au côté du « présentateur des news », Tucker, lors d'une « exposition d'art dégénéré » ; à un « gala de bienfaisance pour les enfants » auprès d'un membre du cabinet fantôme au look de crapaud et, au récent dîner des Press Awards, avec « la star du comique Jimmy Whipple, décoré de l'OBE[2] » dont le langage corporel – un bras autour des épaules d'Honor Tait, et l'autre levant le pouce vers l'objectif – prenait à présent une autre signification. Le service photo de Tim avait bien travaillé. « Un rendez-vous amoureux secret », titrait la page 3. Et sous un gros plan de Dev en ange vengeur, l'accroche qui tuait : « Elle a abusé de moi quand j'étais petit. »

---

1. Star de cinéma anglaise (1931-1984) célèbre pour les « parties fines » qu'elle organisait chez elle.
2. Order of the British Empire.

Tamara n'était pas peu fière en se rendant ce matin-là chez son marchand de journaux afin d'y acheter le *Sunday Sphere.* Elle marchait d'un pas léger, souriante, et lorsque les nuages s'écartèrent et qu'un rayon de soleil balaya le pavé mouillé en éclaboussant les haies poussiéreuses de cristaux scintillants, elle éclata de rire – comme dans un film hollywoodien : après la pluie le beau temps.

Mais une fois devant le stand, en apercevant la couverture du journal, son humeur s'assombrit d'un seul coup. Où était son nom ? L'article était signé Perry Gifford-Jones. Une fois de plus, Tim l'avait trahie.

En buvant son café dans son sous-sol douillet, elle lut et relut le journal. Y avait-il rien de plus satisfaisant pour une jeune journaliste que ceci : son article, pour lequel elle avait travaillé durant des semaines, publié, enfin ? Les doubles pages étaient magnifiques. Hélas, il était signé par un autre. C'était du vol pur et simple. Tim allait l'entendre. Elle laissa un message incendiaire sur son répondeur.

Après avoir bu une deuxième tasse de café, elle finit par se calmer. Même si sa contribution n'était pas reconnue, le chèque, lui, était déjà sur son compte épargne-logement – Tim ne pouvait pas revenir sur sa parole là-dessus. À la troisième lecture, elle se prit à admirer, certes à contrecœur, le professionnalisme de la présentation et l'habileté avec laquelle Gifford-Jones avait tiré parti de son bref entretien téléphonique pour donner du poids à son sujet à elle. Il y avait des leçons à prendre.

*Dans une interview exclusive avec le* Sunday
Sphere *à son domicile de Maida Vale, l'octogénaire souffrante, amie des stars et des politiciens,
la journaliste engagée mascotte des intellos de
gauche, n'a pas cillé en déclarant : « Je suis une
spécialiste de l'exploitation sexuelle. »*
*Elle a refusé net d'aborder la question de ses rela-
tions avec le mystérieux jeune étalon, mais a eu le
culot de demander à notre reporter : « Y a-t-il encore
des prostitués masculins dans West London ? »*
*Elle a admis qu'elle avait autrefois pratiqué le
tourisme sexuel – « C'est bon de frayer avec la
jeunesse », a-t-elle déclaré –, mais la vieillesse a
mis fin à ses voyages d'un genre spécial, et désormais cette prédatrice traque ses proies dans les
rues de son quartier cossu autour de son appartement de grand luxe à deux cent soixante-quinze
mille livres. À propos de ses séances régulières
avec le beau masseur Dev, entre autres gigolos,
elle a rétorqué : « Ils ont le choix. » Et l'insatiable
vieille dame, à l'affût de nouvelles jeunes victimes, s'est informée : « Y a-t-il des bordels masculins à Maida Vale ? »*
*Une proche du couple nous a confié : « Dev a
beaucoup souffert de cette situation. Sa vie est fichue.
On a abusé de lui et il estime qu'il est temps de
prendre la parole et d'avertir les jeunes garçons
vulnérables et leurs parents. »*

La dernière phrase avait été prononcée par Tamara
elle-même. L'absence de son nom l'agaçait, mais elle
se consolait cn sc disant qu'elle pouvait se féliciter sur

un point : le long, respectueux et ennuyeux article de Tania Singh sur la désormais très mal vue Honor Tait serait jeté au panier. Même la section littéraire n'oserait pas sortir un papier sur cette vieille pédophile.

Une heure plus tard, le téléphone sonna. C'était Tim, fou d'excitation.

« C'est un superscoop ! Alors là, c'est fabuleux ! On ne parle que de nous, à la télé aussi.

— Et mon nom, alors, espèce de salaud ?

— Je voulais justement t'en parler.

— Qu'est-ce qui s'est passé ? »

Elle tremblait de rage.

« Tu m'avais promis !

— Je sais, je sais. Cet enfoiré de Perry a piqué sa crise. Je n'ai rien pu faire.

— Mais tu me l'avais promis ! T'as perdu la mémoire ?

— Écoute, notre arrangement tient toujours et il s'avère en fait que la parution de l'article sous un autre nom que le tien tourne peut-être à ton avantage. Tu n'as rien à voir avec ça, tu vois. Et si tu nous faisais une suite pour la semaine prochaine, un entretien avec la vieille où elle nous raconterait sa folle vie avec les stars ? »

Tamara hésita.

« Payé ? demanda-t-elle.

— Une fortune, ma jolie.

— Signé ?

— Avec ta photo à côté.

— Promis juré ?

— Promis juré.

— Un boulot permanent ?

« — Je verrai ce que je peux faire. C'est vrai. Cette histoire est énorme. Si tu t'y prends bien, tu pourras décrocher n'importe quel boulot à Fleet Street.

— Sauf que cela m'étonnerait beaucoup qu'Honor Tait accepte de recevoir qui que ce soit de *Sphere*. Surtout après aujourd'hui.

— Qui parle de *Sphere* ? Tu travailles pour le *Monitor*, non ? Pour l'instant, en tout cas. »

Les affaires du Gut & Bucket connaissaient une soudaine embellie. De l'autre côté de la rue, devant Holmbrook Mansions, se bousculaient photographes, reporters et équipes de télévision, embusqués dès l'aube à l'affût d'une apparition de « la mamie en manque ». Le pub était devenu leur cafétéria. Les desks de tous les journaux, depuis les tabloïds les plus ignobles jusqu'aux quotidiens représentant le *nec plus ultra* du lectorat britannique, étaient représentés dans la cohue. En réalité, les journalistes des quotidiens avaient été envoyés non pas pour couvrir le sujet, mais pour enquêter sur les mœurs des galériens des tabloïds, ce à quoi ils s'appliquaient avec un dédain d'anthropologues observant les rites sacrificiels d'une tribu de l'âge de pierre. Cela dit, leurs comptes rendus condescendants avaient leur utilité, puisqu'ils rapportaient à leurs distingués lecteurs les détails les plus croustillants de l'affaire Honor Tait.

De là où elle se tenait sur le trottoir d'en face, à bonne distance, Tamara repéra Bucknell qui se roulait une cigarette d'un air morose, un peu à l'écart de la meute. Tom O'Brien formait un groupe avec le reporter de showbiz du *Star* et le photographe de *Sphere*, avec qui Tamara avait travaillé sur le scoop du fils du policier supergradé. Milly Hall-Westmacott distribuait des gobelets de café en polystyrène. Tamara traversa, passa à côté d'eux sans se faire remarquer et s'engouffra dans une ruelle pavée jonchée de détritus.

Elle n'était pas seule. Une femme d'un certain âge, plutôt forte et vêtue de tweed comme si elle allait à la chasse au faisan, se tenait sur la pointe des pieds devant la benne à ordures placée à l'arrière des immeubles. Bernice Bullingdon. Elle portait des gants en caoutchouc jaunes. À ses pieds, ouverte, se trouvait une grosse valise à roulettes, dans laquelle elle jetait des choses dégoulinantes. En entendant Tamara approcher, elle releva la tête avec la vivacité d'un suricate. Pas un mot ne fut échangé. Bernice Bullingdon, qui ne reconnut pas Tamara – la jeune journaliste était placée trop bas sur l'échelle hiérarchique pour mériter son attention lorsqu'elles se croisaient au *Monitor* –, estima qu'elle ne présentait aucun danger. Aussi continua-t-elle à retourner son tas gluant de vieux journaux et d'épluchures. Que cherchait-elle ? Des lettres d'amour d'Honor Tait ? Ses tickets de carte bleue révélant des escapades à Paris ou à Rome ?

C'était le scoop de Tamara qui avait engendré tout ce remue-ménage devant l'immeuble et poussé Bernice Bullingdon à se transformer en chiffonnière. Éprouvant soudain un sentiment de pouvoir, Tamara se dirigea vers l'entrée de service et sonna. Ruth Lavenham avait tout organisé ; le portier lui ouvrit et l'invita à entrer en souriant. Il était enchanté de toute cette histoire.

« Je ne me suis pas autant amusé depuis qu'un des Beatles a passé la nuit ici avec une princesse iranienne. Du chiqué, bien sûr. Mais on ne pouvait pas s'en débarrasser. Ils sont restés là je ne sais combien de jours. »

Elle le suivit au sous-sol, une casemate en béton à l'odeur fétide qui abritait une énorme chaudière datant de Mathusalem.

« Ils ont tout essayé, dit-il en la guidant vers un petit ascenseur de service. Ils se déguisaient en coursiers et prétendaient avoir un paquet pour elle. Ils faisaient semblant d'être des fleuristes et voulaient lui monter des bouquets géants. Ils s'étaient même débrouillés pour installer une nacelle de laveur de vitre. Ils ont débarqué avec des seaux et tout. Heureusement, j'ai vu les caméras. Je les ai menacés de couper les cordes. »

Il sortit de l'ascenseur au rez-de-chaussée et, avec un sourire de conspirateur, lui tendit une main trapue. Tamara la lui serra vigoureusement, surprise de le voir se renfrogner au moment où les portes se refermaient. Bien sûr, se dit-elle, il attendait un pourboire ! Tant pis ! De toute façon, elle n'allait pas revenir ici de sitôt. Elle monta jusqu'au quatrième. L'immeuble était silencieux. Seuls les talons de Tamara résonnaient lugubrement dans le couloir. Se cachaient-ils vraiment *tous* ?

Elle sonna à la porte et attendit. Au bout d'un moment, elle entendit un bruit de clés, puis le battant s'entrouvrit de quelques centimètres. Honor Tait, qui, par précaution, avait mis la chaîne de sécurité, vérifia que Tara Sim était bien venue seule. Elle défit la chaîne et, sans un mot, invita Tamara à entrer.

Cette fois, la vieille dame n'avait fait aucun effort pour se pomponner avant l'interview. Son chignon hirsute était sur le point de s'effondrer et sa robe noire – sans doute la même que celle qu'elle portait lors de leur premier entretien – était tachée et toute chiffonnée. Tandis qu'elle la menait au salon, Tamara remarqua son air hagard, celui que l'on s'attendait à observer chez une femme mangeuse de petits garçons et de beaux jeunes gens. La pièce avait été vidée. Honor Tait s'assit en posant une main sur sa poitrine osseuse, comme pour calmer les battements de son cœur.

« Que voulez-vous ? finit-elle par demander.

— Je croyais que c'était vous qui vouliez me voir », répondit Tamara en sortant en toute hâte son dictaphone et son bloc-notes.

Honor la regarda alors comme si elle la voyait pour la première fois – beaucoup d'ignorance emballée dans beaucoup de cupidité. Et cette petite moue, était-ce un sourire de satisfaction ?

« J'ai accepté une seconde interview de votre revue, *S*nday*, dit Honor. Je vous serais reconnaissante d'être aussi brève que possible.

— Cela ne prendra pas longtemps, répliqua Tamara en appuyant sur la touche "on" du dictaphone. J'ai seulement quelques trous à combler. La dernière fois, vous avez surtout parlé de votre travail et je voulais vous poser quelques questions sur votre vie. »

Honor soupira.

« Ce que vous n'avez pas l'air de comprendre, c'est que mon travail, c'est ma vie. Il n'y a… jamais eu… rien d'autre.

— Ce n'est pas votre travail qui les intéresse, eux, fit remarquer Tamara en désignant d'un signe de tête la porte d'entrée. Tous ces gens, là, dehors. »

Honor se pencha en avant en pétrissant les bras de son fauteuil et prononça doucement, comme pour elle-même :

« Tout ça est horrible. Je vis un vrai cauchemar.

— Vous devriez voir le bon côté de la chose : cela montre que vous êtes une personnalité respectée, dit Tamara, pressée d'obtenir ce qu'elle était venue chercher. Les gens ont toujours envie de lire des articles sur vous. Vous êtes une icône culturelle. »

Le rire d'Honor sonna comme un cri de douleur.

« Vous avez lu ces articles, si je comprends bien ?

— J'ai vu deux, trois choses dans la presse, oui.

— "Deux, trois choses" ? On ne voit que ça. Et l'on en parle aussi à la radio et à la télévision.

— Vraiment ? »

Tamara sentit monter une nouvelle bouffée d'orgueil.

Ils avaient en effet ressorti un vieux croûton d'universitaire, un certain T. P. Kettering, dont la prestation sur fauteuil roulant lors de plusieurs magazines télévisés, où il avait été invité à donner son point de vue sur la « vie amoureuse tempétueuse » d'Honor Tait, n'était pas passée inaperçue de Tamara. La biographie qu'il avait écrite sur la grande journaliste, hier encore épuisée, n'allait pas tarder à ressortir avec un nouveau chapitre contenant les dernières révélations.

« Pour les tabloïds, je suis le monstre de Maida Vale, continua Honor, et pour la presse de gauche, une vieille idiote prétentieuse. De toute façon, un objet de haine et de dérision national. »

Et aussi international. Sous la signature de Gifford-Jones, le scoop de Tamara avait intéressé la presse étrangère, au point que l'article était en train de faire le tour du monde. Au service de diffusion de *Sphere*, en général bien tranquille, ils avaient été obligés d'engager des intérimaires tant les demandes pour cet article étaient importantes. Tamara toucherait trente pour cent des ventes, mais l'argent n'était plus ce qui l'intéressait ; la vraie récompense était l'euphorie qu'elle ressentait à avoir réussi un tel coup. *El País*, *Le Monde*, *Frankfurter Allgemeine Zeitung*, *Izvestia*, *Kathimerini*, *O Globo*, *La Prensa*, *The Times of India* : ils l'avaient tous acheté. Quant aux journaux qui n'en avaient pas les moyens ou qui ne s'encombraient pas de scrupules, ils se l'étaient tout simplement approprié, gratis, et s'étaient dépêchés de le publier avant leurs rivaux, ce qui avait provoqué une pandémie de spoilers aux quatre coins de la planète. En tout cas, tous, sauf le *New York Times*, prétendaient en avoir l'exclusivité.

Aux États-Unis, les journaux et les magazines s'étaient surtout intéressés aux relations d'Honor Tait avec Hollywood et à son activisme contre la guerre du Vietnam. Les télévisions avaient exhumé un vieux film d'actualité sur un gala de charité auquel elle avait assisté avec Bing Crosby et Bob Hope, même si Tait n'apparaissait à aucun moment en compagnie de l'un ou de l'autre.

LA PLUS GRANDE REPORTER DE GUERRE BRITANNIQUE, ÂGÉE DE 80 ANS, ACCUSÉE DE SCANDALE SEXUEL PAR UN TABLOÏD ANGLAIS, titrait le New York Times. Le quotidien américain publiait la photo où elle était avec Sinatra, et un cliché beaucoup plus récent, où on la voyait à une première, au théâtre, entre un superbe dramaturge de gauche et l'acteur Jason Kelly. Mais il s'était abstenu de diffuser les photos volées de Tait avec Dev. El País, tout aussi réticent, s'était concentré sur le rôle de Tait dans la guerre civile et avait choisi la photo avec Franco. Le Monde en avait profité pour mettre en avant, d'un ton respectueux, son amitié* avec Cocteau et Picasso, et pour fustiger la pudibonderie britannique. Au Royaume-Uni, en revanche, l'approche était homogène, même si la présentation ne l'était pas toujours. Journaux comme tabloïds, tous condamnaient Honor Tait – l'hypocrite championne des pauvres, la marraine des Kids' Crusaders, qui n'avait en réalité cessé d'abuser de l'innocence.

En voyant la doyenne des reporters enfouir son visage dans ses mains, Tamara se demanda si elle devait sortir de son sac un mouchoir en papier et le lui présenter avec un sourire de compréhension. Mais Tait n'avait jamais eu pitié des larmes de Dev. Elle était à présent à la fin d'une longue vie de privilèges et jamais jusqu'à ce jour elle n'avait eu à rendre de comptes pour ses crimes. Quelques années de disgrâce avant la fin – des larmes avant de dormir –, ce n'était pas cher payé. Lui était jeune, il avait encore de nombreuses années devant lui, et elle l'avait détruit à jamais. Elle s'en tirait bien.

Dans un même mouvement, la vieille dame leva la tête et un poing frêle contre un adversaire invisible.

« Les pires, ce ne sont pas les lyncheurs et ceux qui me crachent leur mépris, finit-elle par dire. Ce sont les féministes, les Isadora Talbot, qui ont plaidé – contre des espèces sonnantes et trébuchantes, sûrement – la cause de "la sexualité de la femme ménopausée, ce continent inconnu".

— Ça finira par retomber.

— Retomber ? glapit Tait. Comme un cyclone, vous voulez dire. Qui ne laisse derrière lui que des ruines et des morts. »

Tamara jeta un coup d'œil à son dictaphone. Combien de temps encore faudrait-il qu'elle se prête au jeu de cette femme ?

« Votre éditrice estime, comme moi, que le meilleur moyen de répondre à ces attaques est de publier un portrait de vous sous un jour sympathique, en rappelant tout ce que vous avez fait de formidable, ainsi que d'autres aspects de votre jeunesse. »

Honor parut acquiescer.

« Ah oui... Vous voulez dire m'enfoncer encore plus pour le plus grand plaisir de vos lecteurs ? »

Honor s'était elle-même livrée à plusieurs reprises au cours de sa carrière à ce genre d'exercice, au détriment des imbéciles qu'elle interviewait, qui finissaient par cracher ce qu'ils avaient voulu cacher. Mais voilà, elle n'avait plus le choix. Ruth et Aidan avaient bien tenté de la persuader d'attaquer *Sphere* en diffamation. Quant à Clemency, après un silence boudeur – l'article avait fait une mauvaise publicité à sa nouvelle œuvre de bienfaisance –, elle lui avait proposé de payer l'avocat. Mais Honor avait refusé de s'engager dans un procès.

« Tu crois vraiment que j'ai envie de passer des semaines au tribunal, à payer des avocats et à entretenir ce cirque néfaste ? »

Bobby avait proposé d'écrire quelque chose dans *Zeitgeist*. Un article entièrement consacré à l'œuvre d'Honor, qui ne mentionnerait même pas l'orage médiatique. Mais Ruth n'en avait pas voulu.

« *Zeitgeist* n'a aucune influence. C'est bourré de critiques sans consistance de best-sellers. Cette revue est insignifiante sur le plan international. »

Elle ajouta que, de toute manière, Bobby n'avait aucun poids auprès de la direction du *Courier* et qu'un article sur Honor, même très édulcoré, serait catapulté à la une du quotidien et donnerait au desk une bonne excuse pour reprendre tous les détails rapportés par le tabloïd.

« Ton seul espoir, c'est une hagiographie, quelque chose qui vole un peu haut, avait enchaîné Ruth. Comme le *S\*nday*... Revois donc cette fille du *Monitor*. »

Et elle en était là. Aujourd'hui, à son propre domicile, avec cette meute aux abois sous ses fenêtres, Honor confiait sa réputation, son héritage, à cette miss mamelue et à sa revue stupide.

« A-t-il chanté pour vous ? lui demanda Tamara.

— Pardon ? »

Honor était perplexe.

« Chanté ? Qui ça ?

— Sinatra ! »

Sa voix était sardonique. La vieille dame était longue à la détente, c'était frustrant.

« Lorsque vous étiez tous les deux… seuls… dans l'intimité… dans ces moments-là. Vous savez "Strangers in the Night" ? "Fly Me to the Moon" ? »

Honor fit non de la tête.

« Écoutez, je ne le connaissais pas vraiment…

— Mais les photos !

— J'a dîné à côté de lui une fois, répondit Honor, soudain lasse. Je ne le connaissais pas. Je lui ai à peine parlé. Je ne supportais pas ses chansons. »

Tamara se pencha vers elle avec un sourire satisfait.

« Bing, alors. Parlez-moi de Bing Crosby. »

De quoi parlait cette imbécile ?

« Je ne l'ai jamais rencontré.

— Mais vous avez dansé avec lui. C'est vous-même qui me l'avez dit. »

Honor se redressa et rit à ce souvenir.

« Ah oui. Notre première interview. Quand vous étiez sur le départ. Vous n'aviez pas compris que je vous menais en bateau ? »

Au tour de Tamara de se raidir. La vieille dame prétendait que ce n'était qu'une plaisanterie. Eh bien, tant pis pour elle. Elle l'avait dit. C'était enregistré. Et Bing n'était plus là pour le nier.

« Marilyn, reprit Tamara. Vous a-t-elle fait des confidences ?

— Marilyn ?

— Monroe. À votre avis, elle était du genre à se suicider ?

456

« — Pour l'amour du ciel, je ne l'ai vue qu'une fois et nous avons à peine échangé un mot ! »

Même dans la défaite, cette vieille femme était têtue. Tamara décida de poursuivre. Elle pourrait toujours revenir plus tard sur Marilyn et Bing.

« Et Liz Taylor. Étiez-vous proches d'elle, vous et Tad ? »

Quel éclectisme dans la lubricité, songea Honor.

« Proches ? Non. Je crois que Tad a travaillé une fois avec elle. Sur un seul film.

— Et alors, ces folles soirées hollywoodiennes ? »

Où voulait-elle en venir avec ses questions ? se demanda Honor.

« Tad était grégaire, c'est certain. »

Tamara la fixa du regard.

« Grégaire jusqu'à quel point ? Était-il grégaire aussi dans l'alcôve ?

— Qu'est-ce que vous voulez dire, au juste ? »

À quoi rimait tout cela ? L'histoire de sa vie devait-elle être réduite à ces noms célèbres et à ces insinuations salaces ?

« Même les articles les plus sérieux ont besoin d'être pimentés », fit remarquer Tamara avec condescendance.

Du tac au tac, la vieille dame lui rétorqua :

« Je n'ai pas besoin que vous me fassiez une leçon de journalisme.

— Eh bien, vous avez tort. Quand avez-vous publié votre dernier papier ? Je veux dire, un vrai papier. Depuis combien de dizaines d'années ? Le monde a changé depuis. Vous auriez peut-être intérêt à vous mettre au parfum de ce qui se fait dans le journalisme du XXI<sup>e</sup> siècle. »

Tamara s'amusait énormément. Soudain, la vieille dame sembla s'animer.

« Le *journalisme* ? Vraiment ? Qu'y connaissez-vous ? Ce que vous et vos semblables appelez "journalisme" n'est que graffiti de pissotière comparé à la chapelle Sixtine.

— Je ne vois pas en quoi cela vous rend supérieure. »

Honor secoua la tête. Ce n'était pas la peine de gaspiller ses maigres forces dans une discussion qui ne menait à rien. Elle n'allait quand même pas s'abaisser à s'emporter contre une petite écervelée qui s'était retrouvée pigiste dans une revue au lieu de scanner des codes-barres à la caisse d'un supermarché. Cela aurait été lui accorder trop d'importance. C'était la société dans son ensemble qui était à blâmer, pas elle en particulier.

« Écoutez, dit Honor plus doucement, il ne s'agit pas de vous. Ce n'est pas votre faute si vous êtes née à votre époque. Vous n'êtes qu'un pion, un pion innocent, le produit d'un processus de déclin qui a élevé des riens du tout, planté la chambre à coucher sur la place publique et fait de la célébrité une vertu. »

Le ton conciliant ne rendait pas ses paroles moins blessantes.

« Vous n'aviez pas autant de morgue, n'est-ce pas, répliqua Tamara, au temps de votre gloire ? À force de fricoter avec les stars, sans doute pensiez-vous que vous en étiez une vous-même. Vous n'avez pas hésité à vous faire photographier en short avec un dictateur espagnol. Croyez-vous que cette photo aurait eu du succès, si vous n'aviez pas été belle et courtement vêtue ? Au moins, moi, je me suis toujours débrouillée pour rester habillée pendant que je fais mes interviews. Vous avez joué le jeu. Vous avez frimé un maximum, madame "Gros QI en robe décolletée"… Personne n'est dupe de votre numéro de grande dame intellectuelle. »

Le silence se prolongea, tendu. Honor entendait sa propre respiration siffler à ses oreilles comme le vent du nord. Tamara fixait ses notes, se demandant si elle n'était pas allée trop loin quand même, cette fois. Tim avait beaucoup insisté pour qu'elle y retourne, se rappela-t-elle, et les enjeux étaient importants. Soudain, aussi sonore dans le silence qu'une alarme incendie, le téléphone sonna. Honor se leva et sortit dans le couloir d'une démarche raide.

« Allô… Qui est à l'appareil ?… Comment avez-vous eu ce numéro ?… Non. Je n'ai rien à dire… Tout ça est ridicule… Qui vous a donné mon numéro ?… Je veux qu'on me laisse tranquille… Bien sûr que ce n'est pas vrai… Non. Je n'ai rien à dire… »

Elle lâcha l'écouteur comme s'il était brûlant et revint au salon à petits pas prudents. Tamara observa Honor – toujours en train de mentir, toujours en train de dénigrer – tandis que la vieille dame fermait les yeux et grimaçait de douleur en se rasseyant dans son fauteuil.

« Vous avez plus besoin de moi que moi de vous », déclara la jeune femme.

Les paupières d'Honor se soulevèrent aussitôt.

« Vous ne trouvez pas qu'on s'est assez moqué de moi comme ça ? Qu'on m'a assez humiliée ? Que voulez-vous de moi, au juste ? Dois-je sangloter dans votre magnétophone ? Ou sortir pleurer devant les photographes ? »

Elle pointa un index menaçant vers Tamara.

« Ce que votre génération ne paraît pas comprendre, c'est que chacun a droit à une vie privée ; que, pour certaines personnes, aucune somme d'argent, aucune promesse de quelque nature que ce soit n'a le pouvoir de les inciter à parler de ces choses-là. C'est une question d'intégrité. Et pour ces personnes-là, la publicité vulgaire et l'étalage médiatique qu'elles récolteraient en lavant leur linge sale dans des mémoires ou des articles ne leur inspirent que de la répugnance. Elles ne peuvent même pas y songer.

— Très noble, en effet, répondit Tamara avec un petit sourire, constatant que sa victoire était sur le point de virer au triomphe total. Mais votre "linge sale" n'est plus entre vos mains ! »

Honor s'affaissa dans son fauteuil.

« C'est absurde.

— Vous pouvez jouer la carte du mépris, mais plus d'une personne est concernée par votre "linge sale", et ce n'est pas sûr qu'elles aient les mêmes valeurs. Tout le monde ne peut pas se permettre d'être aussi à cheval sur les principes... ou aussi perverse. »

Les traits d'Honor Tait se figèrent en un masque d'une férocité qui fit craindre à Tamara un accès de violence.

« Qu'insinuez-vous exactement ? »

Tamara hésita. Honor Tait avait à peine la force de se lever toute seule, donc en aucun cas celle de la frapper. Au point où elle en était, elle n'allait pas, c'était évident, faire de révélations sur ses amis célèbres, mais si Tamara parvenait à la provoquer suffisamment pour que, aveuglée par la rage, elle laisse échapper un aveu au sujet de Dev, peut-être pour se justifier, elle tiendrait alors un nouvel angle qui lui permettrait d'écrire un deuxième papier. Tous les journaux l'achèteraient.

« Votre "petit ami" ou votre "compagnon", comme vous voulez, a manifestement estimé plus profitable de raconter votre histoire que de continuer à respecter votre "arrangement". Vous ne le payiez peut-être pas assez cher. Peut-être n'êtes-vous pas en réalité la grande dame qui soutient activement les causes humanitaires – Kids' Crusaders – et qui défend les victimes de la précarité et de l'injustice, mais bel et bien une criminelle qui abuse des enfants. »

Honor blêmit et fut prise d'une subite faiblesse, comme si ses os et ses tendons étaient en train de fondre. Tout ce qu'elle pouvait faire, c'était rester assise là, muette et horrifiée, tandis que la jeune femme continuait à l'insulter.

« Vous aviez le pouvoir – l'argent, la renommée – et lui n'était qu'un enfant, un garçon innocent. Est-ce à cela que vous pensiez en parlant de "défendre les faibles et de sonder les recoins les plus sombres de l'humanité" ? »

Honor ferma les yeux et serra les poings sur ses genoux. Lorsqu'elle reprit la parole, sa voix était si basse et chevrotante que Tamara dut tendre l'oreille.

« Voici que, à l'âge de soixante-dix-neuf ans, au bout d'une route longue, riche et passionnante, avec derrière moi une œuvre respectée, alors que je me suis consacrée à la recherche de la vérité et à la dénonciation des injustices, voici que le seul souvenir que je laisse derrière moi, c'est ce mensonge absurde.

— Ce *mensonge* ?

— Je serai à jamais cette vieille sotte vaniteuse, un objet de moquerie, le symbole d'une libido répugnante. »

Tamara était de plus en plus impatiente.

« Ce mensonge ? » insista-t-elle.

La vieille dame la foudroya du regard.

« Tout à fait. Ce mensonge, qui restera dans les coupures de presse avec tous les autres du même genre. Comme les déchets radioactifs, ils ne disparaîtront jamais complètement. »

Tamara n'allait pas se laisser désarçonner par ce qui n'était que du bluff.

« N'essayez pas de nier. Nous avons des preuves. Dev nous a tout raconté en détail. »

Nous ? Elle en avait trop dit. Mais la vieille dame n'eut pas l'air de le remarquer.

« Dans certaines cultures, dit Honor, votre *naïveté** serait considérée comme charmante. »

Elle retrouvait sa voix, qui était aussi plus forte tout d'un coup.

« Les faits sont pourtant là : la date et l'heure de vos rencontres…, dit Tamara.

— Des faits ? Ce n'est pas un fait. Vous autres ne vous intéressez qu'aux archétypes les plus simplistes. Les bons et les méchants. Les fins de conte de fées.

462

Les "comme on fait son lit on se couche". Des fables moralisantes imbéciles pour une époque amorale. »

Tamara ne se laisserait pas sermonner par une vieille pédophile écœurante.

« Attendez une minute. Le sujet est sérieux, l'opinion publique est choquée. Vous êtes une personnalité influente. Vous vous êtes prononcée sur des questions morales, vous avez parlé de la vérité en large, en long et en travers. Ce que vous faites, votre façon de vivre, tout cela compte.

— Un mensonge simple et horrible plaira toujours plus à des gens dans votre genre que l'ennuyeuse et complexe vérité.

— Ne me prenez pas de haut. Ce sont les gens dans votre genre qui posent problème ici. Quelle complexité ? Vous l'avez vu régulièrement, votre "masseur d'aura", votre gigolo ?

— "Masseur d'aura" ? Un de ses nombreux talents. Et gigolo, par-dessus le marché. Rien que ça.

— Ce n'est pas le moment de vous moquer. Il est venu vous voir pour des séances privées.

— Pur mensonge.

— On vous a photographiée avec lui ! »

Honor soupira et secoua la tête.

« En effet. J'ai été photographiée avec lui. »

Tamara était sûre d'elle. Elle connaissait la musique pour avoir vu dans d'innombrables séries télévisées les réquisitoires impitoyables des procureurs.

« Vous vous teniez par la main. »

La vieille dame baissa la tête, sur le point de plaider coupable.

« Oui.

— Vous vous embrassiez. »

La tête de Tait descendit encore d'un cran. Dire la vérité semblait être une épreuve pour elle.

« Oui.

— Comme des amoureux. »

À ces mots, Tait redressa la tête. Elle opinait du chef, à présent. Tamara interpréta cela comme un aveu de culpabilité. Elle l'avait enfin coincée.

Contre toute attente, la vieille dame répondit :

« Non ! Non ! Pas comme des amoureux. »

Tamara commençait à perdre patience, mais elle n'allait pas renoncer maintenant.

« Vous admettez pourtant que vous le connaissez. Il est bien venu vous voir. Vous vous êtes tenus par la main, et vous l'avez embrassé, comme vous le faites depuis son enfance. »

Le « oui » suivant fut à peine audible.

« Votre amant, insista Tamara. Votre amant rémunéré. »

Honor agrippa les bras de son fauteuil et se mit debout. En tremblant des pieds à la tête, elle marcha jusqu'à la cheminée, où elle se cramponna pour conserver son équilibre.

« Il était... un ami. Un ami très cher. Je l'ai a peine revu, ces dernières années. »

Elle cherchait un subterfuge. Tamara n'était pas dupe.

« Peu importent les dates. C'est la vérité qui nous intéresse ici. Vous l'avez embrassé.

— Oui, je l'ai embrassé, soupira la vieille dame en effleurant le chapelet de perles vertes enroulé autour de la pendule dorée.

— Vous étiez amants, enivrée par son réquisitoire. Vous l'avez embrassé comme une amoureuse, pas comme une amie.

— Pas comme une amie, ni comme une amante, répondit faiblement Honor tout en continuant à triturer le chapelet.

— On a vu les photos. Comment qualifieriez-vous ce baiser, alors ? »

Tamara la tenait.

Un bruit pareil à de la grêle frappant un carreau déchira le silence à l'instant où le fil du chapelet se cassa entre les doigts d'Honor Tait. Les perles tombèrent sur le parquet, où elles rebondirent et roulèrent en tous sens. La vieille femme ne réagit pas.

« Comme une mère », dit-elle doucement.

Tamara en eut le souffle coupé.

« Quoi ?

— Je l'ai embrassé, dit Honor Tait d'une voix vibrante de colère, ni comme une amie, ni comme une amante. Mais comme une mère. Une mère qui embrasse son fils. »

Tamara se jeta en arrière dans son fauteuil.

« Dev est votre fils ? Mais vous n'avez jamais dit que vous aviez un fils ! »

Honor se rassit et Tamara fixa la vieille dame qui faisait distraitement passer les dernières perles de son chapelet d'une de ses mains noueuses à l'autre.

« Il était... Il est mon fils unique : Daniel, Danny, Hari, Asgar, Dev... Il a souvent changé de prénom. Mon fils. Mon fils adoptif. »

Elle mentait. Forcément. Que pouvait-elle faire d'autre ? C'était la réaction désespérée d'une femme acculée, d'une femme qui était aussi une grande manipulatrice. Elle avait réussi à décontenancer Tamara, mais seulement provisoirement. Tamara vérifia son dictaphone – la cassette était encore loin d'être terminée – et ramassa son bloc-notes. Elle devait mettre les choses au clair.

« Il n'y avait aucune allusion à un fils dans les coupures que j'ai lues. »

Honor répondit d'une voix moqueuse :

« Alors là, si ce n'est pas dans les coupures de presse… »

Tamara se tint coite, se remémorant les accusations de Dev – ses mots exacts –, tandis qu'Honor poursuivait :

« Daniel Edmund Tait, ou Varga comme il le préférait, est parti – s'est enfui – en Nouvelle-Zélande en 1990 à l'âge de vingt-trois ans. Il a acheté assez de terre pour créer une communauté sur South Island avec une bande d'allumés comme lui. Tout est allé à vau-l'eau, naturellement. Alors il est allé à Hongkong, où il a claqué ce qui lui restait. Ensuite l'Inde du Nord, puis l'Espagne, etc.

— Vous mentez. »

Honor se raidit.

« Si ce sont les mensonges qui vous intéressent, Daniel en est le spécialiste. Adolescent, il a eu une brève période où il s'est pris pour un gosse de l'establishment. Il frimait à Chelsea dans une veste de chasse et se faisait appeler Edmund, qui est son deuxième prénom. Puis il a opté pour Ed, quand il a commencé à se droguer.

— Dev et Daniel sont la même personne ? »

466

Honor pencha la tête avec un sourire, comme si elle avait pitié de Tamara.

« Adolescent, au tout début, il voulait absolument qu'on l'appelle Varga, le nom de mon deuxième mari, qu'il n'a jamais rencontré. C'était évidemment une gifle pour Tad, et pour moi. À l'époque – nous l'avons appris par l'école –, il s'inventait des ancêtres aristocrates hongrois.

— Vous êtes en train de me dire, reprit Tamara en articulant bien ses mots pour l'enregistrement afin qu'il n'y ait pas d'erreur possible, que le jeune homme de la photo, Dev, l'homme que vous avez embrassé, est votre fils ?

— Je vous dis que mon fils, mon fils adoptif, Daniel, était... est un mythomane et un menteur pathologique », répondit Honor entre ses dents serrées.

Elle laissa tomber les perles sur ses genoux. Le komboloï de Daniel, son chapelet qu'il avait rapporté des îles grecques lorsqu'il avait vécu avec des adeptes de l'hédonisme. Ils étaient « à la recherche » d'eux-mêmes. Un beau prétexte. Il avait commencé par se trouver, avant de se perdre pour toujours.

Honor avait cessé de rejeter les questions de cette idiote. Elle lui racontait toute l'histoire parce qu'elle n'avait pas le choix. Et si la jeune femme était gênée, tant mieux. Désormais, elle n'avait rien à gagner à dissimuler quoi que ce soit, elle n'avait plus personne à protéger. Elle-même moins que personne.

« Il était à Glenbuidhe, la nuit de l'incendie. Il avait pris la clé et avait filé là-bas sans notre permission. On avait refusé de lui donner plus d'argent. Il s'est acheté un billet d'avion avec notre dernier versement et le lendemain il s'est envolé pour la Nouvelle-Zélande.

— Je ne comprends pas.

— Évidemment. Vous ne comprenez rien. »

Sûre d'elle et ignorante, autant parler de double malédiction, songea Honor. Était-ce la plaie de la génération de Tamara, des enfants de l'abondance nés à une époque de paix et de privilèges comme on n'en avait jamais connu ? La malédiction pesait aussi sur Daniel, qui n'était pas tellement plus vieux que cette petite. Lorsqu'il avait eu l'âge d'explorer le monde, aucun coin de la planète n'avait échappé à l'inventaire méthodique des guides touristiques ; le seul voyage encore non balisé était le voyage intérieur. Avec au bout, sûrement, une amère déception. Daniel avait découvert que sa psyché ne ressemblait finalement en rien aux cimes neigeuses et aux vallées secrètes d'un refuge céleste ni à un pavillon des plaisirs baigné de la douce clarté des bougies. Il pouvait prendre autant de drogues qu'il voulait, c'était ainsi : son paysage mental – ou son âme, s'il préférait – était pareil à un centre commercial ordinaire, un temple kitsch dédié à l'envie et à la cupidité.

« Pourquoi ? demanda Tamara en se rappelant avec un pincement au cœur leurs étreintes durant leur première nuit à Clapton, puis leur dernière à l'hôtel de Paddington.

— Parce que, étant le fils adoptif de parents un peu connus, il pouvait se permettre de raconter des histoires... et pour garder des ressentiments pour des choses vraies et imaginaires. En cela, au moins, il excellait. »

Cette révélation, qui n'avait rien à voir avec la version du tabloïd, avait fait ravaler son sourire à la petite journaliste, nota Honor non sans satisfaction. Accablée et silencieuse, Tamara écouta la suite du récit, que reprit la vieille dame sans qu'elle lui eût rien demandé.

Elle avait déjà cinquante ans lorsque son deuxième mariage avait fait naufrage.

« J'étais aussi entre deux liaisons. Une amie qui n'avait pas d'enfants, comme moi, s'est mis en tête que c'était ce qu'il me fallait, un bébé, que devenir mère m'apporterait le bonheur qu'elle aussi convoitait. Elle m'a convaincue. Comme une imbécile, je me suis dit que le fait de ne pas être mère me différenciait des autres femmes. De cette manière, je serais capable de faire partie de l'humanité, au lieu d'être une simple spectatrice. J'avais envie de ressentir cet amour, celui que l'on donne et celui que l'on reçoit. »

La vieille dame ferma les yeux.

« De la folie égoïste. Voilà ce que c'était. Je n'étais pas faite pour la maternité, tout comme il n'était pas fait pour être un bon fils. »

Elle se plongea de nouveau dans ses pensées. La féminité indissociable de la maternité, le désir d'enfant, l'instinct de préservation de l'espèce, tout cela lui avait toujours paru totalement bidon et elle s'était parfois demandé, en se revoyant berçant ce bébé dans l'orphelinat près de la forêt d'Ettersberg, s'il ne s'était pas agi d'un acte de repentance plutôt que d'amour.

Le silence était profond. En se tournant pour vérifier son dictaphone, Tamara laissa glisser par terre son bloc-notes. Honor sursauta et reprit le fil de sa confession.

« J'avais visité un orphelinat à Weimar pour un reportage sur l'adoption dans l'Allemagne de l'après-guerre – des milliers de jeunes femmes qui avaient eu des liaisons avec des soldats des armées d'occupation avaient abandonné leurs bébés. La beauté de l'enfant m'avait séduite. On avait belle allure tous les deux, ce petit bonhomme et moi. »

Elle l'avait envoyé dans les meilleurs internats et lui avait donné tout ce qu'il voulait.

« Plus tard, Tad et moi nous sommes mariés et il a fait de son mieux pour jouer son rôle de beau-père. Pendant les vacances, nous emmenions Daniel en voyage visiter les plus grands musées des plus belles villes d'Europe. On l'a présenté aux hommes et aux femmes les plus passionnants de notre époque. J'ai longtemps interprété son silence comme de la timidité, et… je me suis trompée. »

À l'adolescence, son fils si beau lui avait fait comprendre que, loin d'apprécier tout ce qu'elle avait fait pour lui, il lui en voulait depuis des années.

« Il fut un adolescent difficile : paresseux, uniquement intéressé par ses petits plaisirs et les bandes dessinées. »

Loïs, sa chère Loïs, avait essayé de l'aider. Elle avait accueilli Daniel chez elle quand Honor était en reportage, parfois pendant toutes les grandes vacances. Au début, Honor avait été jalouse de l'amitié entre son amie et le garçon. Son aide lui paraissait une intrusion. Loïs avait toujours été meilleure qu'elle dans ce domaine. Les gens. Les amitiés. Les enfants. L'amour.

Par la suite, cependant, Honor avait été soulagée lorsque son amie lui proposait de s'occuper de lui. Qu'elle le garde, même ! Cette adoption avait été une erreur. Honor avait été stupide de penser qu'elle avait quoi que ce soit à offrir à un enfant. Daniel avait remercié Loïs de sa bonté à son égard en lui volant de l'argent, des bijoux, des antiquités, des tableaux. Mais elle avait refusé de porter plainte et, avec patience, avait continué à lui prodiguer son affection et son hospitalité comme s'il ne s'était rien passé.

Une fois qu'il avait achevé ses études secondaires, il avait été admis dans une école d'art. Honor avait alors pensé que Loïs avait eu finalement raison de croire en lui. Mais cela n'avait pas duré bien longtemps. Les faits avaient confirmé les craintes d'Honor. Daniel, de toute évidence, préférait les filles et la drogue aux cours de dessin et de gravure. Il avait accumulé des dettes, s'était acoquiné avec des gens louches et était entré dans une secte, puis dans une autre et encore une autre.

« Il suivait la voie spirituelle, prétendait-il. Il tombait sous l'emprise de gourous dénués de scrupules. Il criait sur les toits qu'il était végétarien, tout en avalant des poignées de pilules et en traînant dans des squats. »

Honor fit rouler les perles de jade au creux de sa paume avant de reprendre.

« Le problème avec le "petit chéri", a dit un jour Tad, c'est qu'il ne se fait pas *assez* de souci. »

Ils lui avaient payé des cures dans des cliniques plus onéreuses que des hôtels cinq étoiles – Loïs, elle aussi, avait participé. Ensuite il avait eu sa phase

Hare Krishna. Puis il n'avait plus quitté la toge azur des adeptes d'Alandra, la déesse bleue. Puis cela avait été le tour de Sacred Laughter, puis deux mois dans la Milice de Jésus-Christ. Mais chaque fois il replongeait dans la drogue et retournait vivre dans des appartements vétustes de North London, avec ses petites amies toxicomanes.

« C'est Tad, dit Honor, qui a mis finalement le holà : nous ne lui donnerions plus d'argent si c'était pour faire n'importe quoi. »

Loïs aurait sans doute continué, elle, mais elle s'était bientôt retrouvée sans le sou. Son angoisse à propos de son fils par procuration avait accéléré le déclin de ses facultés mentales.

« C'est là que j'ai compris que Daniel était un véritable manipulateur. Il est tombé un jour par hasard sur la bimbeloterie sexuelle de Tad... Aujourd'hui on parle de "travesti occasionnel". »

La jeune femme eut l'air de se réveiller et ramassa son stylo. Pourquoi s'en cacher ? De nos jours, les gens ne se vantaient-ils pas de ces excentricités sans conséquence ?

« Il a essayé de nous faire chanter », ajouta Honor.

En quête d'un objet de valeur susceptible d'être négocié, il avait forcé le verrou de la malle en ferblanc. Il avait traité son beau-père de tous les noms et accusé sa mère de « vivre avec une drag-queen ». Il était allé jusqu'à les menacer de les dénoncer aux tabloïds, qui auraient été ravis de révéler les petits travers d'un cinéaste aussi connu que Tad.

Tamara prenait des notes dans son carnet comme une bonne élève.

« J'ai été dégoûtée par sa grossièreté, sa vénalité, dit Honor. Je ne voulais plus entendre parler de lui. Je lui ai donné ce qu'il demandait en lui disant que ce serait la dernière fois. Une indemnité de licenciement, en quelque sorte. »

Une semaine plus tard, à 4 heures du matin, Tad avait reçu un coup de fil de la police du comté d'Inverness en Écosse. Glenbuidhe était en train de brûler.

« La police locale soupçonnait un incendie volontaire. Des rumeurs avaient couru concernant des attaques contre les résidences secondaires par des nationalistes écossais. On nous a aussi posé des questions pénibles sur nos relations avec Daniel, sur sa santé mentale – la veille de l'incendie, il avait été aperçu dans un pub de la région, ivre mort – et ses mauvaises fréquentations. Puis l'affaire fut classée lorsqu'il fut prouvé que le sinistre avait été causé par un court-circuit, l'installation électrique datant des années 1920. Daniel était parti fonder sa société idéale pourrie d'avance dans une ferme abandonnée de Tasmanie. Je pensais ne plus jamais le revoir.

— Mais comment… ? Où… ? »

En guise de réponse, Honor agita la main devant elle, comme si elle chassait un moucheron. Cinq ans plus tôt, elle avait eu des nouvelles de lui par une de ses anciennes petites amies, qui sortait de cure de désintoxication et avait besoin d'argent. Daniel avait été aperçu dans un monastère indien de l'Uttar Pradesh.

« Elle pensait sans doute rassurer la mère que j'étais dans son esprit. Je lui ai raccroché au nez. »

Des semaines plus tard, la même femme avait rappelé pour lui annoncer qu'il avait été renvoyé par les moines, qui l'accusaient d'avoir abusé de leur hospitalité.

« J'ai su alors que c'était lui. C'est sa marque de fabrique. Toute sa vie, il a abusé de l'hospitalité d'autrui. »

Honor avait dissimulé la nouvelle à Tad, et à tout le monde d'ailleurs. Elle avait acheté le silence de la jeune droguée... assez cher pour qu'elle se paie une overdose fatale d'héroïne.

Dehors, le soir tombait sur Holmbrook Mansions. La lumière des lampadaires jetait une lueur jaunâtre sur les immeubles d'en face. Tamara songea à ses collègues en bas, aux aguets, au cas où la vieille dame se montrerait, riant entre eux, s'échangeant les derniers ragots en buvant des coups et en fumant des cigarettes. L'un d'eux, envoyé au pub, leur rapportait sans doute à l'heure qu'il était une bouteille d'alcool pour booster leur café. La nuit se glissait aussi entre les murs de l'appartement. Mais là, nulle convivialité, nulle chaleur humaine. Tamara distinguait à peine ce qu'elle écrivait. L'obscurité ne semblait pas gêner Honor Tait. Au contraire.

« Alors quand est-il revenu dans votre vie, exactement ? Daniel ?

— Il a téléphoné juste après la disparition de Tad, il y a deux ans. »

Après cet appel, elle n'avait plus su si son angoisse était liée à la mort de Tad ou à la résurrection de Daniel. Son fils n'avait exprimé aucune tristesse à propos de son beau-père, ni sympathie pour Honor, ni curiosité sur ce que devenait Loïs, qui ne lui servait plus à rien, ni le moindre remords à propos du chantage et de l'incendie. Pourtant, il avait tenu à la voir.

« J'ai été piégée. Quelle mère aurait pu résister ? Même une mère aussi mauvaise que moi. Sûrement la culpabilité, en partie du moins. Mais à la fin, cela s'est résumé à une question d'argent. C'était tout ce qu'il voulait. Je le sais, maintenant. J'ai fait des virements à des prête-noms à Goa et Almora, envoyé des mandats American Express à Ibiza, Athènes, Marrakech... L'amitié, l'amour... Avec lui, tout se réduit toujours à une transaction financière. Vous tendez l'oreille pour écouter battre un cœur, vous entendez le bruit d'un boulier. »

Tamara, une fois le choc passé, s'était ressaisie. Elle cherchait à recueillir le plus d'informations possible.

« Quand l'avez-vous revu ?

— Avant Noël. Plusieurs fois, le téléphone avait sonné et il n'y avait personne au bout du fil. J'avais deviné que c'était lui. Puis j'ai reçu une carte postale railleuse. Il a finalement téléphoné, il y a quelques semaines. Nous nous sommes donné rendez-vous. Il disait loger chez des amis.

— À Clapton ?

— Il a refusé de me dire où. Apparemment, il déménage souvent.

— Mais tout ce qu'il a raconté... dit sur vous... dans *Sphere* ? »

Tamara connaissait la réponse, mais elle voulait l'entendre de la bouche d'Honor.

« Des mensonges ridicules. Il arrange la réalité pour se faire mousser. Et par appât du gain. Je suis sûre qu'il a reçu une grosse somme de ce tabloïd répugnant. »

Tamara retint sa respiration, espérant que le fard qu'elle venait de piquer ne se verrait pas dans la pénombre. À l'extérieur, l'éclairage public semblait s'intensifier alors que les contours autour d'elle – le manteau de la cheminée, les étagères, l'âtre, les meubles et la silhouette évanescente d'Honor Tait – se fondaient peu à peu dans l'obscurité. La vieille dame continuait à parler, la voix blanche, comme émanant d'un fantôme.

« Mais il n'a quand même pas pu tout inventer ? » demanda Tamara.

La forme d'Honor Tait se tourna dans son fauteuil et se pencha sur le côté pour allumer la lampe de table. Sous cette brusque clarté, le visage de la vieille dame surgit, verdâtre, les traits soulignés d'un épais trait noir, comme tracés au burin.

« Vous n'êtes pas seulement une sotte, vous êtes une sotte dangereuse. »

Elle contempla Tamara avec le détachement d'un sphinx.

« Je veux juste savoir ce qui s'est vraiment passé... », protesta Tamara.

Avec une grimace de douleur, la vieille dame se leva et retourna près de la cheminée. Se retenant au manteau, elle se baissa, tourna un bouton, et les flammes du radiateur, jaillissant d'un seul coup, firent danser des ombres sur les murs dénudés.

« Je suis venue dans l'intention d'écrire quelque chose qui n'a rien à voir, continua la jeune journaliste. Je ne sais pas par quoi commencer.

« — Vous vous attendez à ce que je vous fasse part de ma sympathie ?

— Pas du tout. Je veux seulement éclaircir cette histoire. »

Honor Tait revint lentement à son fauteuil. Elle faisait oui de la tête. Enfin arrangeante, se dit Tamara, contente d'elle, en ravalant un sourire satisfait. Elle se demanda comment elle allait procéder. Ce n'était pas un truc pour *Sphere*, c'était certain. Aucun journal ne se saborde volontairement. Tim allait piquer une crise en apprenant qu'ils avaient été menés en bateau et que ça leur avait coûté une fortune par-dessus le marché. Le *Mail on Sunday* sauterait peut-être sur l'occasion de démolir les infos d'un rival : *LES MENSONGES ÉHONTÉS D'UN FILS JUNKIE DERRIÈRE LE SCANDALE DU GIGOLO MAÎTRE CHANTEUR.* Les quotidiens l'achèteraient peut-être : *The Times* ou même *The Independent*. Le ton serait plus soutenu et plairait sans doute plus à Honor Tait : *TRAHIE PAR MON PROPRE FILS. ENTRETIEN À CŒUR OUVERT AVEC UN GRAND REPORTER RÉCOMPENSÉ PAR LE PRIX PULITZER.*

« Non. »

Honor Tait tapa sur la table avec une telle force que la photo de son défunt mari faillit tomber. C'était la seule, d'ailleurs, qui restait dans la pièce, remarqua Tamara.

« C'est terminé. Il n'y aura plus d'histoire à raconter.

— Mais si, et vous le savez bien. On va continuer à la raconter pendant des années, des dizaines d'années même, tant qu'il y aura des journaux pour l'imprimer et des gens pour la lire. À moins que nous n'y mettions un terme, que nous ne publiions la vérité.

« — Nous ? s'étonna Honor en se recroquevillant dans son fauteuil. Vous ne croyez quand même pas que nous ayons quoi que ce soit en commun, même pas une once d'humanité. Je n'ai pas besoin de vous ni des gens de votre espèce. Je n'ai aucune intention de vous aider à écrire votre article, ni aucun autre d'ailleurs. C'est fini. La mascarade est terminée.

— Mais pourquoi ? s'enquit Tamara, d'un ton indigné.

— C'est bien la question la plus stupide que vous ayez posée jusqu'ici, lui dit Honor. Maintenant, dehors ! »

Arrivée devant la porte, Tamara se retourna et aperçut la minuscule silhouette assise au milieu des grandes ombres mouvantes de la pièce. Dans la lumière de la lampe, le visage de la vieille dame semblait pétrifié en un rictus de défi, la tête renversée en arrière, les yeux flamboyants : une Jeanne d'Arc octogénaire sur le bûcher.

## 24

TAMARA ARRIVA DEVANT L'IMMEUBLE DE CLAPTON alors que l'incendie était maîtrisé. D'après les badauds, il avait surtout touché le dernier étage. Tamara reconnut la jeune punk, pieds nus dans le froid, vêtue de son seul tee-shirt et d'un caleçon long. Elle buvait du thé avec deux pompiers. Personne n'avait été blessé, lui dirent-ils, mais il y avait beaucoup de dégâts matériels.

Tamara avait essayé de l'appeler d'une cabine publique dès qu'elle avait quitté Holmbrook Mansions, mais, alors même qu'elle composait son numéro, elle s'était souvenue que la ligne était coupée.

Elle se dirigea vers la fille au visage strié de larmes noires – mascara, fumée ?

« Tu l'as raté, dit-elle à Tamara en s'essuyant les yeux sur le dos de sa main. Il est parti ce matin. Il a dit qu'il partait vers l'est, et je ne crois pas qu'il voulait parler de Canning Town. Il trouvait les vibrations mauvaises par ici. Trop d'énergie négative. »

Elle laissa échapper un petit rire sec.

« C'est vrai qu'il va y en avoir quand le proprio va s'apercevoir qu'il s'est barré. En plus du reste, ajouta-t-elle en indiquant d'un grand geste le dernier étage, les fenêtres noircies aux vitres brisées, le toit carbonisé.

« Il lui devait trois mois de loyer. »

*
* *

Sur sa table de chevet, Honor avait tout ce dont elle avait besoin pour ce voyage-là : un pichet d'eau, un verre, ses cachets. Sur Radio 3, ils jouaient un lied de Schubert. « Erlkönig ».

*Mon père, mon père, n'entends-tu donc pas /, Ce que ce seigneur me promet tout bas ?*

Elle ramassa son carnet – les habitudes sont tenaces – et relut ses dernières révisions.

*Je ne bronchai pas en regardant les soldats alliés, les uns après les autres, rouer de coups de poing et de pied le jeune Allemand, un collégien innocent doublement victime, nageant dans son sang, inconscient près de la souche explosée du chêne tutélaire de Goethe. C'est là que le poète avait écrit : « Ici l'on se sent grand et libre, comme la grande nature que l'on a sous les yeux, et comme on devrait, en somme, être toujours. »*

Elle frissonna en se rappelant la violence des coups et le regard du garçon au moment où il était tombé. Ses yeux, bleu pâle dans son visage ravagé, avaient cherché les siens. Et il avait hurlé : « *Mutti ! Mutti !* »

« Mère ! Mère ! » Ses dernières paroles. Le carnet glissa des mains d'Honor jusqu'au sol.

La veille, en empruntant l'entrée de service à l'arrière de l'immeuble, elle était allée consulter son généraliste. Elle avait prétendu qu'elle éprouvait des douleurs au niveau du cœur. En réalité, elles n'étaient pas physiques. Mais cette visite chez le médecin était la garantie qu'il n'y aurait pas d'enquête. Elle avait versé dans une tasse tous les cachets qu'elle avait stockés, et jeté les boîtes dans le vide-ordures. De retour dans sa chambre, elle avait pris les médicaments dans sa main et les avait avalés – deux poignées –, avec de l'eau – quatre gorgées amères. Il lui avait fallu faire appel à ses dernières forces pour ne pas vomir. Ce serait son ultime combat.

Elle remonta les couvertures jusqu'à son menton. L'appartement était nettoyé. Ses photos de Tad et Daniel jetées dans le vide-ordures, avec les quelques livres et papiers qui traînaient encore. Seul son dernier carnet attendait encore, ouvert, face contre terre. Elle avait débranché le téléphone et la sonnette de la porte d'entrée. La bonne ne venait que la semaine prochaine. Le portier avait accepté de poster sa lettre – simple, évasive, sans reproches ni récriminations – à son éditrice, en envoi non prioritaire. Le temps qu'elle la reçoive et se rue chez elle avec la clé de Bobby, ce serait terminé, et on pouvait compter sur Ruth pour garder le dernier secret de son auteur. Décédée de cause naturelle, il n'y aurait aucun doute possible.

Ruth devait être son exécuteur testamentaire. L'appartement serait vendu, les dettes payées et le reliquat versé à une association de lutte contre la maladie d'Alzheimer. À quoi servait-il en effet de laisser quoi que ce soit à Loïs elle-même ? Quant à Daniel, il avait reçu son ultime paiement. S'appuyant contre les oreillers, elle ferma les yeux et s'efforça de faire le vide dans son esprit, de repousser la cruelle sensation d'échec qui l'assaillait. Daniel était-il né comme cela, mauvais ? Ou était-ce elle, la moins biologique des mères, l'éternelle observatrice de la vie, qui l'avait rendu ainsi ?

Honor s'était souvent demandé quelles seraient ses dernières pensées. Le travail, quelle que soit la place qu'il ait occupé dans son existence, n'était pas un bon compagnon d'agonie. C'était le souvenir des gens – amis, famille, amants, ennemis – qui devait apporter la touche finale de tourment ou de consolation. Cela se passerait-il tout en douceur, comme une extinction progressive des projecteurs ? Ou allait-elle mourir dans l'angoisse ? Elle était en effet hantée par la faute qu'elle avait commise. Le garçon gémissant en ce lieu de beauté et d'horreur. Et sa propre curiosité impitoyable.

*Mon père, mon père, n'entends-tu donc pas /, Ce que ce seigneur me promet tout bas ?*

Elle éteignit la radio.

Peu à peu, l'obscurité, vaste comme l'univers, vira derrière ses paupières closes à un bleu mouvant : le loch Buidhe aux eaux chatoyantes entouré de vertes collines, avec au loin Ben Firinn dont la cime blanche étincelait au-dessus de la chaîne montagneuse. Ce n'était donc pas la sinistre forêt de hêtres de l'Ettersberg. Une merveilleuse surprise. La nature autour de

Glenbuidhe avait sculpté ce qui correspondait, à l'échelle planétaire, à un paysage nain. Eh bien, il était son Himalaya, sa belle et pure montagne. Au loin, elle voyait sa maison natale, intacte, épaisse silhouette de granit caressée par la lumière du couchant, un lieu de paix, peut-être pour la première fois. Aucun signe de ses parents. Eux aussi étaient en paix pour la première fois, du moins l'espérait-elle.

Devant le pavillon de chasse, au bord de l'eau, le regard levé vers les montagnes, elle n'était pas seule. Auprès d'elle, un petit garçon, tendre et confiant, levait son bras pour nouer ses doigts aux siens. Silencieux, debout main dans la main, ils regardaient les jeux de lumière sur les pentes montagneuses. Bientôt, le soleil, en disparaissant, éclabousserait le lac de braises d'or et ils rentreraient préparer le dîner et allumer un feu dans la cheminée en prévision du froid de la nuit qui viendrait.

*<br>* *

Quelle ironie de penser que c'était Ross, dont la vie n'avait jamais eu ni queue ni tête, qui avait fourni une conclusion à l'article ; Ross et cette folle de Crystal, dont la sœur Dawn avait vu son destin basculer huit ans auparavant, lorsqu'elle avait rencontré Danny Varga, connu aussi sous le nom de Dev, avec lequel elle partageait des croyances new age et de vieux rêves de paradis artificiels. Mais cette information-là ne serait pas publiée. Comme l'avait dit Honor Tait, la « vie privée » existait bel et bien, et aucune somme d'argent ni aucune promesse de quelque nature que ce soit ne pouvait vous obliger à la dévoiler. C'était une question d'intégrité. En outre, Tamara devait s'atteler à la rédaction d'un autre papier.

Ce fut une modeste victoire, mais une victoire quand même, le jour où son article sur la vie et l'œuvre d'Honor Tait fut publié par le *Monitor*. Ses heures de documentation, les interviews et son travail de fourmi sur le terrain n'avaient pas été vains, et elle était fière à la pensée que sa nouvelle patronne – pour l'heure en Californie, où elle assistait à une conférence sur les nouvelles technologies – verrait en ouvrant le journal le nom de Tamara attaché à un papier qu'elle-même, la hautaine Tania Singh à l'ambition dévorante, aurait volontiers signé.

Elle avait été obligée de brouiller les pistes. Elle devait bien ça à la vieille dame. L'article était beaucoup plus court que prévu et des correcteurs dénués d'imagination avaient coupé ses plus belles phrases, supprimant par exemple la référence à la comédie musicale de T. S. Eliot et celle à l'amitié de Tait et lord Byron. Ils avaient remplacé « transgressif » par « abusif », rayé « herméneutique » et refusé de lui laisser son « chtonien ». En outre, le ton n'était plus tout à fait celui de l'original. Mais, vu la situation, cela n'avait rien d'étonnant. Elle n'avait aucune raison de se formaliser. Après tout, un des points forts de Tamara était son aptitude à s'adapter aux circonstances. La rubrique nécrologique du *Monitor* n'était pas la revue *S\*nday*, mais ce n'était pas non plus *Psst !* ni *Sphere*.

L'offre d'emploi de Tim ne s'était jamais concrétisée. D'ailleurs, elle n'avait plus rien à espérer de ce côté-là – Gifford-Jones et lui avaient été virés à la suite de la publication de l'article de Tamara dans le *Monitor* qui avait révélé la supercherie orchestrée par Dev. UN TISSU DE MENSONGES : UN TABLOÏD MYSTIFIÉ PAR LE FILS JUNKIE DE TAIT. Avec, à côté du titre, la petite photo d'identité de Tamara. Ils s'étaient servis de l'image du baiser déjà parue dans *Sphere*, symbolisant désormais l'amour maternel trahi par la fourberie d'un fils, ainsi que d'une photo, prise en catimini par Bucknell lors de la première interview, d'un petit garçon angélique tenant la main d'Honor Tait devant la demeure familiale en Écosse. Johnny avait envoyé un message à Tamara pour lui dire que Wedderburn, ravi d'avoir dénoncé la crédulité des autres journaux, et fermant les yeux sur le fait que le *Monitor* avait au départ été aussi dupe que les autres, avait encensé son article à la conférence du matin. Quel dommage qu'Honor Tait, qui, à l'heure où le quotidien était sous presse, était dans le coma, n'ait pas pu voir son nom lavé de tout soupçon.

Le scandale du tabloïd et l'histoire du fils menteur démasqué firent le tour du monde le jour même où Tamara encaissa le chèque promis par *Sphere* pour le premier article. Elle envoya aussitôt à Ross deux mille livres afin qu'il puisse payer la totalité de ses dettes. Il pourrait recommencer de zéro – ou pas –, alors qu'elle-même tournait la page avec la parution d'un deuxième papier en l'espace d'une semaine, celui de la nécro, dans les feuilles distinguées du très sérieux quotidien le *Monitor*. Son protecteur, Simon, n'était hélas plus là – l'administration, qui cherchait depuis longtemps un prétexte pour le licencier, avait découvert qu'il déclarait des frais non justifiés, et l'avait mis à la porte. Il se retrouvait d'ailleurs non seulement au chômage, mais encore sans domicile. Jan, qui avait découvert sa liaison avec Lucinda et Davina, entre autres, l'avait jeté dehors pour filer le parfait amour avec l'organisateur de réceptions qui s'était chargé de la fête d'anniversaire de leur fils.

« Un "organisateur de réceptions" ! Il a seize ans de moins qu'elle ! Et il couche avec ma femme ! Dans mon lit ! Chez moi ! Tu te rends compte ? s'était exclamé Simon, indigné, lorsqu'elle lui avait téléphoné. Qu'est-ce que je peux faire ?

— Ressaisis-toi, Simon, lui avait répondu Tamara. Il faut aller de l'avant. »

Tout comme elle l'avait fait, elle. Johnny, nommé adjoint au directeur de la rédaction et probable successeur de Wedderburn, l'avait invitée à déjeuner au Bubbles la semaine suivante. On lui avait donné un téléphone portable du journal et Simon, avant son départ, lui avait communiqué une liste de numéros de téléphone de célébrités et refilé quelques combines utiles. Elle avait déjà réussi à écouter la messagerie vocale de Pernilla Perssen. De l'or en barre ! Et maintenant il était question d'un emploi permanent à la rubrique people. Elle montait les échelons. Sans aucun doute.

*Honor Tait, grand reporter, doyenne des journalistes britanniques et amie des stars.*
*Née le 2 avril 1917, à Édimbourg.*

*Décédée le 25 février 1997, à Londres.*

*Honor Tait, prix Pulitzer à la vie privée mouvementée, s'est éteinte à l'âge de quatre-vingts ans à son domicile de West London. Née à Édimbourg dans un milieu très privilégié, elle est éduquée à domicile par des préceptrices, puis dans un couvent en Belgique, avant de poursuivre en Suisse des études qu'elle finit par abandonner. Rebelle, elle se rend à Paris où, secrétaire dans une agence de presse, elle mène une vie de bohème en compagnie des artistes et des intellectuels les plus célèbres de leur temps. C'est toujours à Paris qu'elle réussit à persuader le directeur du* Herald Tribune *de lui laisser sa chance comme reporter. Jamais elle ne regardera en arrière. Dans les nombreux journaux et magazines d'actualité pour lesquels elle travaille, elle est connue pour sa grande beauté et sa détermination à obtenir des scoops. Elle n'a pas peur de se servir de la première pour satisfaire la seconde. Parmi les nombreux événements qu'elle couvre, nous citerons la guerre civile espagnole, le débarquement allié sur les plages de Normandie et la guerre du Vietnam. Sa mission, disait-elle, était de « défendre les faibles et sonder les recoins les plus sombres de l'humanité ».*

*À Los Angeles, elle fréquente le gotha hollywoodien. Elle est proche de Marilyn Monroe (photo en haut à droite) et de Liz Taylor (en bas à gauche). Son nom est associé à celui de nombreux hommes célèbres, dont Frank Sinatra, Fidel Castro, Bob Dylan, Pablo Picasso, T. S. Eliot et Bing Crosby (photo, centre gauche), dont elle a dit au*

cours d'un récent entretien avec le Monitor :
« Des pieds magnifiques. Quand il m'a prise dans
ses bras, j'ai eu l'impression d'être une chroniqueuse mondaine. »
Elle se marie trois fois, d'abord en 1941, avec le marquis Maxim de Cantal homme de théâtre belge. Le
divorce est prononcé deux ans plus tard. Après
plusieurs liaisons tapageuses, elle épouse, en 1957,
Sandor Varga, l'éditeur d'origine hongroise, qui la
quitte bientôt pour l'actrice Bebe Blondell (photo ci-
dessous, à droite), star des grands films français des
années 1960, Après vous ! et Pardonnez-moi ! En
1967, à l'âge de cinquante ans, Honor Tait, au
cours d'un reportage, visite un orphelinat allemand et adopte un bébé de trois mois, qu'elle pré-
nomme Daniel. Elle l'emmène avec elle à Los
Angeles. Là-bas, elle rencontre Tad Challis, le réalisateur américain travesti de tant de comédies britanniques considérées de nos jours comme des
classiques, parmi lesquelles The Pleasure Seekers
et Hairdressers' Honeymoon. Ils se marient en
1970.
Elle emménage à Londres avec Challis, mais
conserve le pavillon de chasse de l'ancienne propriété familiale dans les environs d'Inverness, où
elle se rend régulièrement. Il y a sept ans, cette
maison a été détruite par un incendie.
Après la mort de Challis en 1995, Tait se consacre
à des œuvres caritatives et coule des jours paisibles
à Londres, dans un appartement ténébreux
encombré d'antiquités et de toiles de maître, où
elle reçoit de temps à autre quelques amis proches,

*mais mène une vie de recluse. Adepte de la chirur-*
*gie esthétique, elle envisageait une nouvelle opé-*
*ration quelques semaines avant de succomber à*
*une crise cardiaque. Elle s'est récemment trouvée*
*au centre d'un scandale, un tabloïd l'ayant accusée*
*à tort d'entretenir des relations tarifées avec un*
*jeune homme. Ce dernier était en réalité son fils*
*adoptif, comme l'a révélé en exclusivité le* Monitor *cette semaine. Le directeur de la rédaction du*
*tabloïd incriminé a été depuis remercié.*
*Les funérailles d'Honor Tait auront lieu jeudi*
*prochain au crématorium de West London.*

Ses émoluments pour la nécro furent dérisoires
mais, en guise d'hommage et de dédommagement,
elle les dépensa en achetant une énorme gerbe de lis
roses, les fleurs préférées d'Honor Tait, qui fut placée
sur son cercueil. Sur la carte épinglée au bouquet
était écrit simplement : *À la doyenne des journalistes.*
*De la part de sa plus grande admiratrice.*

## Remerciements

En me documentant pour ce roman, j'ai eu le plaisir de lire, ou de relire, les œuvres et les mémoires d'un grand nombre de journalistes célèbres, dont aucune ne présente la moindre ressemblance avec ma correspondante de guerre, Honor Tait. Seule Marguerite Higgins, la belle et courageuse reporter américaine, dont le chemin aurait pu croiser celui d'Honor, serait à la rigueur autorisée à tiquer. Sa description d'un incident après la libération du camp de Buchenwald présente certains points communs avec mon histoire, mais les détails de son récit, sa propre réaction et le dénouement de l'affaire sont en revanche sans rapport avec ceux du mien. Je n'en suis pas moins redevable à ses mémoires, *News is a Singular Thing* et *Guerre en Corée*, et à sa biographie par Antoinette May, *Witness to War*. Je remercie aussi Isabel Fonseca et Jane Maud, qui ont lu mes premiers jets et dont les suggestions ont été aussi généreuses que perspicaces, ainsi que mon éditrice, Rebecca Carter. Et, par-dessus tout, merci à Ian McEwan pour son soutien sans faille et ses conseils affectueux.

# Collection « Littérature étrangère »

*Composé par Nord Compo Multimédia*
*7, rue de Fives, 59650 Villeneuve-d'Ascq*

Cet ouvrage a été imprimé en France par

BUSSIÈRE

à Saint-Amand-Montrond (Cher)
en avril 2013

N° d'impression : 2002359
Dépôt légal : septembre 2013

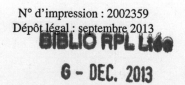